Daniel Tammet
Wolkenspringer

Daniel Tammet

Wolkenspringer

Von einem genialen Autisten lernen

Aus dem Englischen
von Maren Klostermann

Patmos

Originaltitel: Daniel Tammet *Embracing the Wide Sky*
Originalverlag: Free Press, New York, London, Toronto 2009

Bibliografische Information der Deutschen Nationalbibliothek
Die Deutsche Nationalbibliothek verzeichnet diese Publikation in der
Deutschen Nationalbibliografie; detaillierte bibliografische Daten
sind im Internet über http://dnb.d-nb.de abrufbar.

Autorenfoto Umschlagklappe: © Jérôme Tabet
Umschlagmotiv: © Jérôme Tabet
Umschlaggestaltung: init . Büro für Gestaltung, Bielefeld
Printed in Germany
ISBN 978-3-491-42116-5
www.patmos.de

Inhalt

Einleitung

»Wie haben Sie das gemacht?«

»Verzeihung?«

»Wie haben Sie das gemacht?«

Der Wissenschaftler sah mich erstaunt an. Wir befanden uns in keinem Labor und er erkundigte sich weder nach meinem Gedächtnis noch nach meinen sprachlichen oder rechnerischen Fähigkeiten. Wir standen auf einem Rasen vor dem Forschungszentrum, in das ich früher am Tag gekommen war, um an verschiedenen kognitiven Tests teilzunehmen. Neben uns stand meine Mutter, die mich auf der Fahrt von London hierher begleitet hatte. Man machte gerade ein Foto von uns. Nachdem ich einen Moment lang in regloser Pose verharrt hatte, wechselte ich in eine entspannte Haltung und wollte gerade ein paar Schritte zur Seite tun. Wie hatte ich wahrnehmen können, wollte der Wissenschaftler wissen, dass das Foto bereits »im Kasten« war? Er stehe doch direkt neben mir und er habe nicht bemerkt, dass die Kamera geklickt oder aufgeleuchtet hätte. War mein Gehirn wirklich so außergewöhnlich?

Ja, aber nicht aus den Gründen, die der Wissenschaftler vermutete. Der Fotoapparat hatte zwar tatsächlich kein Geräusch gemacht, als das Foto aufgenommen wurde, doch einen winzigen Moment lang hatte ein verschwommener roter Lichtpunkt aufgeblitzt. Mein autistisches Gehirn ist so verschaltet, dass ich in der Lage bin, winzige Details zu erkennen, die den meisten Menschen entgehen, und deshalb hatte ich dieses Aufblitzen mühelos wahrnehmen können. Als ich dem Wissenschaftler diese Erklärung gab, bat er den Fotografen, noch eine weitere Aufnahme zu machen. Als er aufmerksam auf die Stelle achtete, an der nach meiner Beschreibung das rote Licht aufblinkte, konnte er es ebenfalls erkennen.

Fürs Protokoll halte ich hier fest, dass ich keinerlei telepathische Beziehung zu Fotoapparaten habe und auch nicht über irgendwelche übersinnlichen Wahrnehmungsfähigkeiten verfüge, die mich erkennen lassen, ob Fotos gemacht werden oder nicht. Was diesen Wissenschaftler in Erstaunen versetzte, war lediglich eine etwas extremere Variante einer Fähigkeit, die nahezu jeder Mensch tagtäglich anwendet, ohne je darüber nachzudenken, nämlich die Fähigkeit zu sehen. Wir nehmen einen Großteil der Informationen über unsere Umwelt mit Hilfe der Augen auf, und aus diesem Grund ist ein beträchtlicher Teil des Gehirns ausschließlich der Verarbeitung visueller Reize gewidmet.

Der Wissenschaftler, der annahm, dass ich die Aufnahme des Fotos auf irgendeine andere Weise wahrgenommen hätte, war zu dem falschen, aber erstaunlich häufigen Fehlschluss gelangt, dass Menschen, deren geistige Fähigkeiten vom Normalmaß abweichen, ihr Gehirn auf grundlegend andere, fast magische Weise nutzen müssten. Als einer der wenigen autistischen Savants, die einer breiten Öffentlichkeit bekannt sind, habe ich alle möglichen seltsamen Anfragen erhalten: Angefangen bei der Bitte, die Lottozahlen der kommenden Woche vorherzusagen, bis hin zu der Bitte, bei der Konstruktion eines Perpetuum mobile zu helfen. Kein Wunder, dass die meisten Menschen, einschließlich vieler Experten, immer noch falsche Vorstellungen vom Autismus und vom Savant-Syndrom haben.

Nicht nur von Savants wird angenommen, sie verfügten über irgendwelche übernatürlichen Begabungen und würden sich deshalb von anderen Menschen unterscheiden: herausragende Persönlichkeiten in vielen Bereichen, von Mozart und Einstein bis hin zu Garri Kasparow und Bill Gates, haben nach verbreiteter Ansicht ihren jeweiligen Erfolg errungen, weil sie über mentale Fähigkeiten verfügten, die keinerlei Ähnlichkeit mit denen der meisten Menschen haben. Meiner Ansicht nach ist diese Meinung nicht nur falsch, sondern auch schädlich. Das Bedürfnis, die Leistungen hochbegabter Personen von ihrer Menschlichkeit zu trennen, tut sowohl den Betreffenden als auch allen anderen Menschen Unrecht.

Jedes Gehirn ist zu erstaunlichen Leistungen fähig, was in der Wissenschaft eine bekannte Tatsache ist, nachdem man viele Jahre lang nicht nur das Gehirn von Genies, sondern auch von Hausfrauen, Taxifahrern und vielen anderen Menschen aus allen erdenklichen Lebensbereichen untersucht hat. Diese intensive Forschung hat dazu geführt, dass wir heute über ein weit reicheres und komplexeres Verständnis menschlicher Fähigkeiten und Möglichkeiten verfügen als je zuvor. Erfolg ist nicht nur das Geburtsrecht einiger weniger Auserwählter, sondern allen Menschen zugänglich, die genügend Leidenschaft und Engagement aufbringen, um eine Fähigkeit oder ein Wissensgebiet zu meistern. Ich bin überzeugt, dass ein differenzierteres Wissen über das Gehirn und die geistigen Fähigkeiten des Menschen die allgemeine Bewunderung für die Leistungen extrem erfolgreicher Personen nicht schmälert, sondern erweitert. Genialität in all ihren Schattierungen lässt sich nicht auf eine bloße Merkwürdigkeit des Gehirns zurückführen; sie ist das Ergebnis von wesentlich chaotischeren, dynamischeren und zutiefst menschlichen Eigenschaften, zu denen unter anderem Beharrlichkeit, Fantasie, Intuition und nicht zuletzt die Fähigkeit zu lieben gehören.

Dieses Buch befasst sich mit dem Wesen und den Eigenschaften des menschlichen Gehirns und den damit verbundenen geistigen Fähigkeiten. Es verknüpft die neuesten neurowissenschaftlichen Forschungsergebnisse, meine persönlichen Betrachtungen und detaillierte Beschreibungen meiner Fähigkeiten und Erfahrungen. Ich möchte in erster Linie zeigen, dass ein anders arbeitendes Gehirn wie das meine (oder das von Bill Gates oder Kasparow) sich im Grunde nicht wesentlich von dem anderer Menschen unterscheidet und dass jeder von diesen Beispielen lernen kann. Ich hoffe, ich werde im Zuge dieser Ausführungen auch einige falsche Vorstellungen ausräumen können, die bei vielen über das Wesen von Savant-Begabungen und über die Bedeutung von Intelligenz oder Hochbegabung bestehen.

In Kapitel 1 werfe ich einen Blick auf die faszinierende Komplexität des menschlichen Gehirns und stelle einige der neuesten Ergebnisse aus der neurowissenschaftlichen Forschung vor. Dabei nehme ich auch einige der häufigsten falschen Vorstellungen über das Gehirn aufs Korn, wie etwa den Irrglauben, dass es sich nach der Geburt nicht mehr verändere oder dass man seine Funktionsweise mit der eines Computers vergleichen könne. Außerdem untersuche ich einige der über Savants aufgestellten Thesen und zeige, dass die vorliegenden Beweise darauf hindeuten, dass das Gehirn von Savants sich nicht wesentlich von dem anderer Menschen unterscheidet.

In Kapitel 2 befasse ich mich mit dem Begriff der Intelligenz, gehe der Frage nach, ob der IQ ein angemessener Indikator intelligenten Verhaltens ist, und weise auf alternative Sichtweisen der Intelligenz hin. Außerdem untersuche ich das Wesen der Genialität und die Frage, ob sie auf angeborener Begabung, auf Übung oder auf einer Mischung aus beidem beruht.

Die Kapitel 3, 4 und 5 enthalten jeweils detaillierte Beschreibungen meiner eigenen Fähigkeiten in den Bereichen Gedächtnis, Sprache und Zahlen – Bereiche, in denen mein Autismus mir hilft, ungewöhnliche Leistungen zu erbringen. Diese Kapitel bieten die ausführlichste Beschreibung von Inselbegabungen, die je von einem Savant selbst verfasst wurde. Ergänzend verweise ich im Anhang auf wissenschaftliche Veröffentlichungen von einigen namhaften Neurowissenschaftlern, die meine Begabungen untersucht haben.

In Kapitel 6 stütze ich mich erneut auf meine persönlichen Erfahrungen (ebenso wie auf die anderer Autisten und Savants) und erkunde das Thema Kreativität und die Möglichkeit, dass einige neurologische Störungen den Einzelnen zu besonderen Formen kreativen Denkens und Wahrnehmens prädisponieren. Ich beleuchte einige kaum bekannte Formen der Kreativität, wie etwa das

Phänomen, dass manche Kinder spontan eigene Sprachen erfinden. Außerdem schildere ich Beispiele aus meiner eigenen Arbeit, um den Mythos zu widerlegen, dass autistische Personen zu echter Kreativität nicht fähig seien.

Kapitel 7 gibt einen Überblick darüber, was neueste wissenschaftliche Studien uns über die Komplexität, aber auch über die Grenzen unserer Wahrnehmung sagen. Außerdem gehe ich der Frage nach, inwiefern physiologische Unterschiede dazu führen können, dass unterschiedliche Menschen die Welt auf sehr unterschiedliche Weise wahrnehmen. Abschnitte über das Phänomen optischer Täuschungen und die Psychologie der Kunst veranschaulichen die Formbarkeit und Subjektivität unserer Wahrnehmung.

Kapitel 8 befasst sich mit dem Wesen von Informationen und ihrer Bedeutung im Zeitalter des Internets: Wie beeinflussen Informationen unser Gehirn im Zeitalter von Wikipedia, 24-stündigen Nachrichtensendungen und allgegenwärtiger Werbung? Ich untersuche, wie Sprache unsere Wahrnehmung und unsere Denkweisen prägt und welche Rolle etwa Gerüchte oder Großstadtmythen bei der Wissensvermittlung spielen. Außerdem gebe ich einige Anregungen, wie man lernen kann, sich im Informationsdickicht unserer Welt zurechtzufinden und das Risiko einer Informationsüberlastung zu verringern.

In Kapitel 9 erläutere ich die Vorteile und Methoden eines mathematischen Denkens. Ich zeige, wieso normale Intuitionen leicht zu falschen Schlussfolgerungen führen und warum ein mangelhaftes Verständnis von Wahrscheinlichkeiten häufig schlechte Entscheidungen nach sich zieht. Außerdem analysiere ich komplexe Phänomene der Alltagswelt wie Lotterien und Wahlsysteme aus einer mathematischen Perspektive und lege dar, dass bestimmte statistische Argumente für beliebte Behauptungen keinen Sinn ergeben. Abschließend unterbreite ich einige Vorschläge, wie man lernen kann, mit Hilfe von Mathematik und Logik sorgfältiger zu überlegen und klügere Entscheidungen zu treffen.

Das zehnte und letzte Kapitel dieses Buches beschäftigt sich mit der Zukunft des menschlichen Gehirns – von den bemerkenswerten medizinischen und technischen Durchbrüchen, die neue Behandlungsmethoden für Menschen mit neurologischen Leiden oder Hirnläsionen eröffnen, bis hin zu neuen Ansätzen von Kognitionsforschern, die meinen, wir könnten unsere mentalen Fähigkeiten weit über die Grenzen der Biologie hinaus erweitern. Außerdem untersuche ich die Thesen von Zukunftsforschern, die eine unaufhaltsame Verschmelzung von Mensch und Maschine und damit die Entstehung einer neuen »Cyborg«-Spezies voraussagen. Ich schließe mit einigen persönlichen Betrachtungen zu dem, was die Zukunft hoffentlich für alle Menschen und jede Art von Gehirn bereithält.

Zum Schluss dieser Einführung möchte ich noch eines meiner Lieblingsgedichte nennen, eine Meditation über das Gehirn von der berühmten amerikanischen Dichterin Emily Dickinson. Jedes Schulkind sollte diese Verse lernen:

> Weiter als Himmel – ist das Hirn –
> Leg sie nur – Seit an Seite –
> Und dieses nimmt leicht jenes auf
> Und Dich – noch obendrein –
>
> Tiefer als Ozean ist das Hirn –
> Halt sie nur – Blau an Blau –
> Und wie mit Eimern – Schwämme – tun –
> Saugt dieses jenes auf –
>
> Das Hirn wiegt grad soviel wie Gott –
> Halt sie nur – Pfund um Pfund –
> Verschieden sind sie – wenn sie's sind –
> Wie Silbe ist vom Ton –

1. Weiter als der Himmel

Das Gehirn ist ein Wunder – ein ungeheuer kompliziertes Netz von spinnwebfeinem Licht in unseren Köpfen, das unser gesamtes Selbstgefühl und Verständnis der uns umgebenden Welt bestimmt. Jeden Augenblick unseres Lebens arbeitet unser Gehirn auf Hochtouren, um Sinn und Bedeutung zu erzeugen – es verwebt unzählige Informationsfäden zu allen möglichen Gedanken, Gefühlen, Erinnerungen und Ideen. Diese Denk-, Lern- und Erinnerungsprozesse sind es, die jeden von uns wahrhaft menschlich machen.

Und dennoch bleibt vieles, was sich zwischen unseren Ohren abspielt, ein Rätsel. Vielleicht ist das nicht überraschend, wenn man bedenkt, dass das Gehirn das komplexeste uns bekannte Objekt ist. Jede Handlung, ob Zehenwackeln oder Differentialrechnung, umfasst eine atemberaubend feine Choreographie neuronaler Aktivität, die von der Wissenschaft gerade erst ansatzweise verstanden wird. Im Erwachsenenalter wiegt diese gallertartige Gewebemasse etwas mehr als ein Kilogramm und enthält etwa 100 Milliarden Nervenzellen und nicht weniger als eine Billiarde (1 000 000 000 000 000) Verbindungen – mehr als alle Sterne im bekannten Universum.

Der Versuch, diese einzigartige Komplexität zu begreifen, bereitet Wissenschaftlern Kopfschmerzen. Man bedenke nur, welche

Herausforderungen es birgt, wenn man etwas so schwer Fassbares wie einen Gedanken oder einen Geistesblitz erforschen will. Trotz solcher Probleme und der Tatsache, dass dieses Gebiet noch in den Kinderschuhen steckt, hat die Neurowissenschaft unser Verständnis des Gehirns in den letzten Jahren revolutioniert und dazu beigetragen, eine Vielzahl früher unheilbarer Krankheiten behandelbar zu machen und unser Menschenbild zu verändern. Ich für meinen Teil verdanke mein Leben und mein Selbstverständnis diesen Fortschritten.

Mein Gehirn ist viele Male gescannt worden, sowohl von Ärzten, die meine Epilepsie behandelten, als ich ein Kind war, als auch – in jüngerer Zeit – von Wissenschaftlern, die mir in den Kopf geschaut haben, um herauszufinden, wie mein Gehirn funktioniert – und dadurch mehr über die generelle Funktionsweise des menschlichen Gehirns zu erfahren. Für alle Nichteingeweihten sei gesagt, dass so ein Hirnscan ein außergewöhnliches Erlebnis ist: Es beginnt damit, dass man von jemandem in einem weißen Kittel gefragt wird, ob man irgendwelche Metallplatten im Kopf oder Granatsplitter im Körper habe, weil der MRT-Scanner (Magnetresonanztomographie) mit einem ungeheuer starken Magneten arbeitet. Er richtet die Atome im Kopf neu aus, sodass sie Signale aussenden, die ein Computer dann verarbeiten und in eine dreidimensionale Darstellung des Gehirns umsetzen kann.

Der Scanner selbst hat die Form einer großen zylindrischen Röhre, die von einem kreisförmigen Magneten umgeben ist. Man liegt auf einem beweglichen Tisch, der ins Zentrum des Magneten geschoben wird. In dieser Röhre zu liegen, kann leicht zu Klaustrophobie führen, und das Ganze wird weiter kompliziert, weil man vollkommen reglos verharren soll, damit das bildgebende Verfahren störungsfrei abläuft. Der Scanner ist außerdem alles andere als leise und erzeugt während des Vorgangs laut dröhnende und brummende Geräusche. Glücklicherweise dauert die gesamte Untersuchung weniger als eine Stunde und wird in verschiedene Durchläufe (Sequenzen) unterteilt, die jeweils einige Minuten währen.

Das letzte Mal, als ich im Scanner lag, blitzten auf einem Bildschirm über meinem Kopf Zahlenreihen auf, die ich mir einprägen sollte. Die Aufgabe führt zu einer erhöhten Stoffwechselaktivität (einschließlich einer Erweiterung der Blutgefäße, chemischer Veränderungen und einer erhöhten Sauerstoffzufuhr) in den Hirnbereichen, die an meinen rechnerischen Fähigkeiten beteiligt sind. In einem angrenzenden Raum wurde diese neuronale Aktivität mit Hilfe von Computern aufgezeichnet und in detailgenaue Bilder umgesetzt. Anhand dieser Bilder können die Wissenschaftler erkennen, wie mein Gehirn auf Zahlen reagiert, und meine neuronale Aktivität mit der von anderen Personen, die dieselbe Aufgabe ausführen, vergleichen.

Das Ganze klingt vielleicht ein bisschen nach *Star Trek*, doch mittlerweile wird diese Art von Technik fast überall auf der Welt eingesetzt. Wissenschaftler verstehen die Komplexität des menschlichen Gehirns allmählich immer besser und gewinnen neue Einblicke, die noch vor einigen Jahren undenkbar gewesen wären. Auf den folgenden Seiten werde ich einige der aufregendsten Entdeckungen vorstellen und erörtern, was diese neue Wissenschaft uns über die Funktionsweise des menschlichen Gehirns verrät. Beginnen wir mit einem kurzen Blick auf die dynamischen Entwicklungsphasen des Gehirns.

Eine kurze Geschichte des Gehirns

Ich bin nicht derselbe Mensch, der ich vor zehn oder zwanzig Jahren war. Das liegt daran, dass mein Gehirn nicht mehr dasselbe ist wie vor ein oder zwei Jahrzehnten oder auch nur vor zwei Tagen. Es mag unglaublich klingen, aber unser Gehirn verändert sich ständig, unser ganzes Leben lang. Dieser anhaltende Prozess der Veränderung und Anpassung beginnt bereits im frühesten Stadium unserer Existenz.

Die erstaunliche Tatsache ist, dass die Geburt jedes Kindes ein Urknall ist – der Anfang eines winzigen und doch ungeheuer komplexen zerebralen Kosmos. Genau genommen setzt der Schöpfungsprozess bereits in den ersten Wochen der Schwangerschaft ein, wenn die Neuronen sich in schwindelerregendem Tempo entwickeln: eine Viertelmillion pro Minute. Das fötale Gehirn erzeugt etwa doppelt so viele Nervenzellen, wie es letztendlich brauchen wird – auf diese Weise sorgt die Natur dafür, dass das Neugeborene die besten Chancen erhält, mit einem gesunden Gehirn zur Welt zu kommen. Die meisten dieser überschüssigen Nervenzellen gehen etwa in der Mitte der Schwangerschaft wieder verloren.

Obwohl das Gehirn eines Säuglings bereits eine ungeheure Fülle von Neuronen enthält, sind sie noch unreif und viele sind noch nicht miteinander verbunden. Fast unmittelbar nach der Geburt fängt das Gehirn des Neugeborenen an, zahllose Verbindungen zwischen den Neuronen zu bilden, was den Säugling in die Lage versetzt, zu sehen, zu hören, zu riechen, zu denken und zu lernen. Diese Verbindungen zwischen verschiedenen Nervenzellen (die sogenannten »Synapsen«) entstehen durch eine elektrische Hirnaktivität, die durch die Erfahrungen des Kindes ausgelöst wird, wenn es anfängt, Bilder, Töne und andere Reize der Außenwelt aufzunehmen.

Im Alter von zwei Jahren verfügt das kindliche Gehirn über doppelt so viele Synapsen und verbraucht doppelt so viel physiologische Energie wie das eines Erwachsenen. Etwa in diesem Alter werden viele der Verbindungen »gestutzt« (das sogenannte »Pruning«). Der Grund dafür ist, dass sie nicht benutzt werden, dafür werden andere gestärkt, wenn das Gehirn allmählich seine eigene Feinabstimmung vollzieht. In diesen kritischen ersten Jahren wird ein Großteil der individuellen Neuro-Architektur festgelegt.

Zu weiteren raschen und bedeutsamen Veränderungen im Gehirn kommt es während der Adoleszenz, was diese Zeit in vielerlei Hinsicht zu der tumultreichsten Entwicklungsphase seit dem Verlassen des Mutterschoßes macht. Wissenschaftler haben zum Beispiel festgestellt, dass die Menge der grauen Substanz im Stirnlappen (dem Teil des Gehirns, in dem Emotionen, Impulse und beurteilende Entscheidungen verarbeitet werden) kurz vor Einsetzen der Pubertät schlagartig anwächst, bei Mädchen im Alter von etwa elf und bei Jungen im Alter von zwölf Jahren, gefolgt von einem Zurückstutzen während der gesamten Teenagerzeit. Dieser Entwicklungsprozess des Stirnlappens setzt sich bis gut Anfang zwanzig fort, was erklären könnte, weshalb viele Jugendliche mit impulsivem Verhalten und Stimmungsschwankungen zu kämpfen haben.

Die Vorstellung, dass das adoleszente Gehirn ein »Werk im Werden« ist, wird durch eine Studie bestätigt, bei der man einer Gruppe von Jugendlichen und Erwachsenen verschiedene Bilder von Gesichtsausdrücken zeigte und sie bat, die darin widergespiegelten Gefühle zu benennen. Die Erwachsenen schnitten gut ab, aber viele Jugendliche deuteten die Mimik falsch. Durch den Einsatz bildgebender Verfahren bei diesem Test stellten die Wissenschaftler fest, dass die Jugendlichen bei der Aufgabe einen anderen Hirnbereich – die Amygdala – nutzten, das heißt die zerebrale Quelle für unverarbeitete Emotionen und instinktive »Bauchreaktionen«. Die gute Nachricht für Eltern lautet, dass sich der Fokus der Hirnaktivität mit zunehmendem Alter allmählich von der Amygdala auf die Stirnlappen verlagert.

Wer älter wird, hat natürlich nicht zwangsläufig mehr Gelegenheit, in Ruhe nachzudenken, da unsere produktivsten Erwachsenenjahre häufig durch Phasen von chronischem Stress gekennzeichnet sind. Diese Erfahrungen können das Gehirn teuer zu stehen kommen. In stressreichen Situationen produziert der Körper vermehrt bestimmte Steroide, die sogenannten Glukokortikoide, die unsere Wachsamkeit fördern. Leider haben sie auch eine toxische Wirkung aufs Gehirn. Bei anhaltendem Stress werden Neuronen geschwächt, und der Hippocampus, der eine entscheidende Rolle für das Lernen und das Erinnerungsvermögen spielt, fängt an zu schrumpfen.

Dieselben Veränderungen im Gehirn sind bei Erwachsenen beobachtet worden, die an Depressionen leiden, der häufigsten mentalen Störung, von der jeder Fünfte einmal in seinem Leben betroffen wird. Wissenschaftler wissen heute, dass die Wirksamkeit von Antidepressiva bei klinischen Depressionen nicht, wie ursprünglich angenommen, darauf beruht, dass sie den Serotoninspiegel im Gehirn erhöhen, sondern darauf, dass sie die Produktion einer bestimmten Proteingruppe, der trophischen Faktoren, fördern, die das Neuronenwachstum anregen.

Schon in den Sechzigerjahren haben Wissenschaftler in Tierversuchen festgestellt, dass das Gehirn neue Zellen erzeugen kann. In einer Reihe bahnbrechender Studien über Vögel zeigte der Neurowissenschaftler Fernando Nottebohm, dass die Neurogenese – die Bildung neuer Hirnzellen – eine entscheidende Rolle für den Gesang der Vögel spielt. Männliche Vögel brauchen neue Neuronen, um ihre komplexen Melodien zu zwitschern. Bis zu ein Prozent der Nervenzellen in der Hirnregion, die für den Gesang zuständig ist, entstehen jeden Tag neu.

Doch erst Ende der Neunzigerjahre fanden Wissenschaftler Nachweise dafür, dass die Neurogenese auch beim menschlichen Erwachsenen auftritt, und widerlegten damit die herrschende Meinung, nach der ein ausgereiftes Gehirn nur Zellen verliert, aber keine neuen bildet. In jüngerer Zeit hat man einigen dieser neuen Nervenzellen bei Testpersonen nachgespürt, indem man die elektrophysiologische Aktivität der Zellen maß, um Aufschluss über ihr Verhalten zu gewinnen. Das Forschungsteam kam zu dem Ergebnis, dass es etwa einen Monat nach der Entstehung neuer Zellen ein Zeitfenster von zwei Wochen gibt, in dem sich die Nervenzellen wie die Neuronen bei einem Neugeborenen verhalten. Die Tatsache, dass diese bei Erwachsenen entstehenden Zellen Verbindungen formen können, die sich nicht von den Neuronenformationen zu Beginn des Lebens unterscheiden, gibt Anlass zu der Hoffnung, dass die Wissenschaft irgendwann in der Lage sein wird, geschädigtes Hirngewebe zu heilen.

Beim Erwachsenen tritt die Neurogenese nur in sehr speziellen Hirnstrukturen wie dem Hippocampus auf. In anderen Regionen nimmt die Zahl der Neuronen mit zunehmendem Alter ab. Im Durchschnitt verliert das menschliche Gehirn im Alter von 20 bis 90 Jahren zwischen 5 und 10 Prozent seines Gewichts. Trotz dieser Tatsachen geht das Älterwerden nicht notwendigerweise mit ernsthaften Beeinträchtigungen unserer kognitiven Fähigkeiten einher. Viele Menschen können auch in hohem Alter arbeiten, lernen und studieren. Ein gutes Beispiel ist der US-amerikanische Dichter Stanley Kunitz, der im Alter von 95 Jahren als *Poeta laureatus* ausgezeichnet wurde und sein letztes Buch mit 100 veröffentlichte.

Der normale Alterungsprozess kann dem Gehirn sogar einige einzigartige Vorteile, die Grundlage der Weisheit, verschaffen. Studien sprechen zum Beispiel dafür, dass die emotionale Ausgeglichenheit mit wachsendem Alter zunimmt und das Gehirn sich so verändert, dass es mehr Kontrolle über negative Gefühle gewinnt und besser in der Lage ist, positive ins Spiel zu bringen. Aufgrund ihrer gesammelten Kenntnisse und Erfahrungen bilden ältere Menschen zudem mehr neuronale Verbindungsnetze, die dem Gehirn die Arbeit erleichtern.

Förderprogramme für das Gehirn

Die bahnbrechende neurowissenschaftliche Entdeckung, dass das Gehirn ein Leben lang wachsen und sich verändern kann, was als »Neuroplastizität« bezeichnet wird, widerspricht der traditionellen Auffassung vom unflexiblen, mechanisch funktionierenden Erwachsenengehirn, dessen einzelne Regionen genau festgelegte, spezifische Aufgaben nach routinemäßigen Abläufen erfüllen, bis die Mechanik sich mit zunehmendem Alter allmählich abnutzt. Stattdessen haben wir nun ein neues Modell, dem zufolge das erwachsene Gehirn nicht einer starren, unbelebten Maschine gleicht, sondern sich durch ein flexibles, dynamisches Wesen auszeichnet, imstande, erfolgreich auf Verletzungen zu reagieren und sogar durch seine eigenen Denkprozesse neue Synapsenformationen zu bilden. Das hat weitreichende Folgen, nicht nur für Patienten mit neurologischen Erkrankungen, sondern für alle Menschen. Von daher ist es nicht überraschend, dass Wissenschaftler die Neuroplastizität als eine »der herausragenden Entdeckungen des 20. Jahrhunderts« gefeiert haben.

Die neu entdeckte Flexibilität des Gehirns ist zum Beispiel eine gute Nachricht im Falle ernsthafter Hirnschädigungen: In der Medizin galten die durch einen Schlaganfall verursachten Schäden früher als irreparabel, doch Fortschritte in der Behandlung deuten mittlerweile auf etwas anderes hin. Heute sieht man einen Schlaganfall als eine »Hirnattacke« und behandelt ihn genauso wie einen Herzanfall mit verschiedenen Medikamenten und physischen und mentalen Übungen, die sich die natürliche Plastizität des Gehirns zunutze machen und zur Wiederherstellung der Funktionen beitragen.

Zu den häufigen Folgen eines Schlaganfalls gehört etwa eine Schädigung des motorischen Kortex, einer Region auf der linken Hirnseite, die die Bewegungen des rechten Arms steuert. Ärzte nutzen heute ein auf die Neuroplastizität gestütztes Verfahren, die sogenannte »Constraint-induced Movement Therapy« (CIMT), eine Bewegungstherapie mit Einschränkung der gesunden Seite, um eine andere Hirnregion dazu anzuregen, die Funktion des geschädigten Areals zu übernehmen.

Das hilft dem Patienten bei der Überwindung eines Phänomens, das als »erlernter Nichtgebrauch« bezeichnet wird. Wenn eine Hirnregion ihre Funktionsfähigkeit einbüßt, ist der Körperteil, der mit dieser Region verbunden ist, natürlich ebenfalls betroffen und verliert seine Beweglichkeit. Unfähig, den betroffenen Arm zu bewegen, kompensiert der Patient dieses Unvermögen, indem er den anderen Arm benutzt. Mit der Zeit passt das Gehirn sich an, sodass die Wiedererlangung der Bewegungsfähigkeit möglich wird, aber inzwischen hat der Patient bereits »gelernt«, dass der Arm nicht mehr funktionstüchtig ist.

Beim CIMT-Ansatz ist der Patient gezwungen, den betroffenen Arm einzusetzen, weil er den anderen in einer Schlinge trägt. Er benutzt den kranken Arm zwei Wochen lang intensiv bei Alltagstätigkeiten, wie Anziehen, Essen, Kochen und Schreiben. Außerdem unterzieht sich der Patient täglich einer sechsstündigen Physiotherapie. Der verstärkte Gebrauch des betroffenen Arms stimuliert die damit verbundene Hirnregion mit dem Ergebnis, dass der Kontex neue Nervenzellen mit der Bewegung des Arms betraut.

Ein bemerkenswertes Beispiel dafür, wie die Wahrnehmungserfahrung die Hirnstruktur verändern kann, ist das Phänomen der Phantomglieder: Viele Menschen haben nach einer Amputation das Gefühl, das fehlende Körperglied sei immer noch mit dem Körper verbunden und lasse sich ganz normal bewegen und spüren, wobei es sich meistens um Schmerzempfindungen handelt. Einige berichten, der fehlende Körperteil fühle sich an, als ob er ein eigenes Leben, jenseits ihrer Kontrolle, entwickelte.

Der Neurologe V. S. Ramachandran hat die These aufgestellt, dass Phantomglieder Folge einer »Cross-Verdrahtung« (*Cross Wiring*) im somatosensorischen Kortex seien, derjenigen Hirnregion, die bei jeder Berührung des Körpers aktiviert wird. Tatsächlich ist die gesamte Oberfläche des menschlichen Körpers auf der des Gehirns wie auf einer Karte abgebildet, sodass, wenn jemand zum Beispiel an der Hand berührt wird, Neuronen im entsprechenden Teil des Gehirns reagieren. Professor Ramachandran ist zu seiner Theorie durch die Arbeit von Wissenschaftlern angeregt worden, die entdeckt hatten, dass das Gehirn seine sensorische Kartierung verändert, wenn eine Hirnregion keine Signale mehr erhält. Im Anschluss an eine Amputation übernehmen die angrenzenden Kortexregionen (diejenigen, die mit Arm und Gesicht verbunden sind) die Aufgabe des Areals, das für die fehlende Hand verantwortlich ist.

Um seine These experimentell zu überprüfen, arbeitete Ramachandran mit einem Patienten namens Tom zusammen, dem nach einem Autounfall der linke Unterarm amputiert worden war und der über Jucken und Schmerzen in seinen Phantomfingern klagte. Nachdem Ramachandran Tom die Augen verbunden hatte, strich er mit einem Wattestäbchen über verschiedene Körperteile und fragte ihn, wo er die Berührungen wahrnehme. Als Ramachandran über Toms Wange strich, berichtete dieser über eine Empfindung in seinem fehlenden Daumen; bei der Berührung der Oberlippe meinte er, der Professor berühre seinen nicht vorhandenen Zeigefinger. Eine Berührung des Unterkiefers verursachte eine Empfindung in seinem fehlenden kleinen Finger. Auf diese Weise konnte Ramachandran eine vollständige »Karte« von Toms fehlender Hand auf seinem Gesicht ermitteln. Nachfolgende Untersuchungen mit bildgebenden Verfahren bei Patienten mit Phantomglied-Syndrom bestätigten die Befunde des Professors.

Ramachandran sah sich mit einem weiteren seltsamen Phänomen konfrontiert: Manche Patienten litten nach der Amputation gelähmter Gliedmaßen weiterhin unter schmerzhaften Lähmungsempfindungen in den Phantomgliedern. Er vermutete, dass es sich dabei um eine Art »erlernter Lähmung« handelte, ähnlich dem »erlernten Nichtgebrauch« von Gliedmaßen bei Schlaganfallpatienten. Ramachandran nutzte seine Arbeit, um eine innovative Methode zur Linderung dieses anhaltenden Schmerzes zu entwickeln: Seine »Spiegelbox« hilft dem Patienten, die Lähmung zu »verlernen«, indem das Gehirn zu der Annahme verleitet wird, dass der fehlende Arm noch immer vorhanden sei.

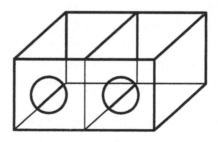

Der Patient legt den gesunden Arm in eine der Öffnungen der Box und den amputierten Arm in die andere. Dann führt der Patient wiederholte Bewegungen aus, so als wollte er in die Hände klatschen, und zwar in Richtung eines Spiegels, der in der Mitte der Box angebracht ist. Das Spiegelbild der gesunden, sich bewegenden Hand lässt es so aussehen, als ob die fehlende sich ebenfalls bewegen würde. Der Patient nutzt diese Illusion, um die Phantom-Hand zu »trainieren« und sie von ihrer Lähmung zu befreien. Einigen Patienten hat die wiederholte Verwendung der Spiegelbox dauerhaft geholfen.

Die Erkenntnis, dass unser Gehirn fähig ist, sich durch Erfahrungen selbst neu zu verdrahten, wirft eine interessante Frage auf: Können wir die Möglichkeiten der Hirnplastizität nutzen, um unsere Sinne zu schärfen, gar um neue hervorzubringen? Ja, sagt der Kognitionswissenschaftler Peter König, Erfinder des »feelSpace«-Gürtels. Dieser breite Gürtel ist mit dreizehn Vibratoren bestückt, die mittels Informationen aus einem elektronischen Kompass gesteuert werden: Das jeweils gerade nach Norden zeigende Element vibriert leicht. So wird der Träger fortlaufend über seine aktuelle Orientierung relativ zum Magnetfeld der Erde aufgeklärt. Mit der Zeit lernt der Benutzer des Gürtels, sich mühelos zu orientieren. Ein Proband, der den Gürtel sechs Wochen lang getragen hat, erklärte, dass er eine intuitive Landkarte seiner Stadt im Kopf entwickelt habe. Am Ende hatte er das Gefühl, sich nie mehr verirren zu können und sogar von einem ganz fremden, unbekannten Ort immer den Weg nach Hause zu finden.

Anders als einige Vögel, Fledermäuse, Fische und Schildkröten hat der Mensch keinen angeborenen Richtungssinn. Weibliche Meeresschildkröten zum Beispiel überqueren den Atlantik und sind in der Lage, an den Strand ihrer Geburt zurückzufinden, wo sie dann ihre Eier ablegen – eine enorme Reise von fast 13 000 Kilometern. Nach Ansicht von Wissenschaftlern »deuten« die Schildkröten das Magnetfeld der Erde, um ihren Weg durch die Meeresströmungen zu finden.

Der feelSpace-Gürtel zeigt, dass auch der Mensch lernen könnte, sich wie die Meeresschildkröte zu orientieren. Einige Forscher halten es für denkbar, dass wir eines Tages weitere im Tierreich vorhandene Sinne entwickeln, wie etwa das Infrarot-Sehen der Schlange und das Ultraschall-Hören von Fledermäusen und Delfinen.

Die Möglichkeit, dass sich unsere Sinne an besondere Bedürfnisse anpassen, beflügelt ein Team von Neurowissenschaftlern in Wisconsin, die sich auf die Entwicklung von Hilfsgeräten für Menschen mit Gleichgewichts- und Sehstörungen spezialisiert haben. Zu ihren Erfindungen gehört ein Mundstück, ausgestattet mit 144 winzigen Elektroden, die mit einem elektrischen Impulsgeber für die Zunge verbunden sind. Ein vibrierendes Quadrat auf der Zungenmitte reagiert auf die Bewegungen des Nutzers (es bewegt sich zum Beispiel nach links, wenn der Betreffende sich nach links wendet) und hilft ihm so, das Gleichgewicht zu wahren. Mit diesem Gerät, dessen Wirkungen noch Stunden oder Tage nach seiner Entfernung anhalten, lassen sich besonders Personen mit geschädigtem Innenohr erfolgreich behandeln.

Das Mundstück hilft auch Menschen mit Sehbehinderungen, indem es ihnen beibringt, ihre Zunge als Augenersatz zu benutzen. Von einer Kamera aufgenommene Bilder werden in elektrische Impulsmuster übertragen, die berührungsempfindliche Nerven auf der Zunge stimulieren. Benutzer dieses Geräts sagen, dass sie die Stimulierung als dreidimensionale Formen und Konturen wahrnehmen. Sie entwickeln auch eine gewisse Fähigkeit, sich in ihrer Umgebung zu orientieren: In einem Experiment war ein Blinder in der Lage, einen Wald zu durchqueren und den Weg zu seiner Frau zu finden.

Obwohl es diesem Forschungsteam vor allem um die Rehabilitation geht, befasst es sich auch mit dem Nutzen dieser Technik für Menschen, die keine sensorischen Defizite haben. So könnten sich beispielsweise Soldaten mittels einer Infrarot-Kamera, die verschiedene Teile der Zunge stimuliert, über die Stellung feindlicher Truppen informieren.

Wie steht es mit uns Übrigen? Ist es vielleicht möglich, die außergewöhnliche Plastizität des Gehirns zu nutzen, ohne High-tech-Geräte einzusetzen? Zweifellos. Nehmen wir zum Beispiel das folgende Experiment, das die Fähigkeit des Gehirns, sich selbst in neue Konfigurationen hineinzudenken, untersucht hat: Alvaro Pascual-Leone, ein Neurowissenschaftler an Harvard, brachte einer Gruppe von musikalisch ungeschulten Freiwilligen bei, eine einfache Fünf-Finger-Übung auf dem Klavier zu spielen, und ließ sie dann fünf Tage lang zwei Stunden täglich im Labor üben. Am Ende der Woche konnte mittels bildgebender Verfahren nachgewiesen werden, dass sich das für Fingerübungen zuständige Hirnareal vergrößert hatte.

Pascual-Leone wiederholte das Experiment anschließend mit einer weiteren Freiwilligengruppe. Diesmal bat er die Teilnehmer, die gleiche Fünf-Finger-Sequenz im Kopf zu üben: Sie sollten die Hände still halten und sich nur vorstellen, wie sie ihre Finger bewegten. Nachfolgend durchgeführte Hirn-Scans bei diesen Probanden erbrachten dasselbe Ergebnis wie bei den Testteilnehmern, die diese Sequenz tatsächlich mit ihren Fingern gespielt hatten. Die Wissenschaftler zogen daraus den Schluss, dass mentale Vorstellungsbilder genauso gut wirken wie praktische Übungen.

Sportpsychologen nutzen dieses Prinzip, um Wettkampfteilnehmern zu besseren Leistungen zu verhelfen. Der Prozess der Visualisierung trägt offenbar dazu bei, die Muskeln auf die Durchführung einer komplexen Aktivität zu trainieren (zum Beispiel einen Golfschlag). Studien bestätigen, dass Spieler, die bei ihrem Training mit Visualisierungen arbeiten, besser abschneiden als jene, die ausschließlich körperlich trainieren.

Dass sich das Gehirn aufgrund unserer Denkprozesse verändern kann, hat wichtige Folgen für unsere Gesundheit. Besonders deutlich zeigt sich dies an der Entwicklung von Therapien, die neuronale Verbindungen verändern und dadurch psychische Probleme mildern, ja sogar unsere Glücksfähigkeit steigern. Die kognitive Verhaltenstherapie zum Beispiel zielt darauf, unerwünschte Denkmuster zu modifizieren und die damit verbundenen Verhaltensreaktionen zu ändern. Studien belegen, dass dieser Ansatz bei der Behandlung von Angststörungen genauso effektiv sein kann wie eine medikamentöse Therapie. Hirnscans von Patienten lassen vermuten, dass die kognitive Verhaltenstherapie eine verminderte

Aktivität im frontalen Kortex bewirkt und gleichzeitig die Aktivität im limbischen System, dem Emotionszentrum des Gehirns, ankurbelt. Auf diese Weise ermöglicht die Therapie den Betroffenen, ihre Informationsverarbeitung neu zu strukturieren – sie grübeln weniger und sind besser in der Lage, negative Denkmuster durch positive zu ersetzen.

Wenn das Nachdenken über das Denken derart positive Veränderungen im Gehirn auslösen kann, wie steht es dann um die beliebteste Variante dieses Nachdenkens – das Meditieren? Der Neurowissenschaftler Richard Davidson von der University of Wisconsin leitete eine Studie mit zwei Teilnehmergruppen. Die eine bestand aus acht buddhistischen »Meistern« (die mindestens 10 000 Stunden Meditationserfahrung gesammelt hatten) und die andere aus zehn College-Studenten, die einen Crash-Kurs in Meditation absolviert hatten. In einem Kellerlabor praktizierten die Teilnehmer eine Form der Meditation, die als »vorbehaltloses Mitgefühl« bezeichnet wird und bei der man sich für Gefühle grenzenloser Liebe und Großzügigkeit gegenüber allen lebenden Geschöpfen öffnet. Jeder Teilnehmer war während des gesamten Experiments an einen Elektroenzephalographen angeschlossen, der die Hirnwellenaktivität maß.

Die Wissenschaftler stellten fest, dass insbesondere die Aktivität der Gamma-Hirnwellen anstieg, die an der Wahrnehmung und Konsolidierung von Informationen beteiligt sind. Gammawellen treten normalerweise nur kurz und vereinzelt auf und die erhöhte Gamma-Aktivität zeigte, dass die Teilnehmer in besonders intensive und konzentrierte Denkprozesse vertieft waren. Noch bemerkenswerter war die Tatsache, dass bei den meditationserfahrenen Teilnehmern eine 30-mal stärkere Gammaaktivität ermittelt wurde als bei den Anfängern.

Anschließend untersuchte Professor Davidson mit Hilfe der funktionellen Magnetresonanztomographie (fMRT), welche Hirnregionen bei den Mönchen und den Studenten während ihrer Mitgefühlsmeditation aktiv waren. Bei allen Probanden zeigten sich

Aktivitäten in Hirnregionen, die mit positiven Gefühlen zusammenhängen, während diejenigen Regionen, die auf die Abgrenzung zwischen Selbst und Anderen ausgerichtet sind, ruhiger wurden. Doch es ergaben sich auch interessante Unterschiede zwischen den beiden Teilnehmergruppen. Bei den Mönchen zeigte sich eine wesentlich stärkere Aktivität in Hirnregionen, die mit Empathie und fürsorglicher Liebe verbunden werden. Und als die Mönche Mitgefühl erzeugten, verdrängte die Aktivität in demjenigen Bereich, der mit Glücksgefühlen verbunden wird, die Aktivität des Hirnareals, das mit negativen Gefühlen zusammenhängt. Bei den Studenten zeigte sich dagegen kein vergleichbares Aktivierungsmuster.

Bei den Mönchen, die über die größte Erfahrung im Meditieren verfügten, ergaben sich durchweg die signifikantesten Hirnveränderungen, was bestätigt, dass mentales Training das Gehirn empfänglicher für Glückszustände, Mitgefühl und Empathie machen kann. Diesen Ergebnissen zufolge ist »Glücklichsein« eine Fähigkeit, die man lernen und üben kann. Zweifellos ein wundervoller Gedanke, der eine Meditation wert ist.

Anfälle und Savants

Der grundlegende Wandel in unserem Verständnis des Gehirns bietet neue Hoffnung für Menschen mit neurologischen Leiden, die früher als unheilbar galten. Gleichzeitig ergeben sich nie dagewesene Erkenntnisse über Störungen, die in der Vergangenheit auf Ignoranz und Vorurteile stießen. So wie das 20. Jahrhundert unser Wissen über den Weltraum revolutionierte, verheißt das 21. Jahrhundert dasselbe für die innere Welt in jedem von uns.

Ein gutes Beispiel für diese Fortschritte ist die Behandlung der Epilepsie, die durch plötzlich auftretende, für gewöhnlich kurze, aber exzessive elektrische Entladungen im Gehirn ausgelöst wird. Gegen die Epilepsie, die einst als Reaktion auf übernatürliche Kräfte oder auf die Mondphasen galt, können Ärzte heute Medikamente verschreiben, die in 70 Prozent der Fälle die Anfälle wirksam verhindern. Wissenschaftler hoffen, dass Computermodelle, die derzeit zur Vorhersage komplexer Naturphänomene – etwa Erdbeben oder Wetter – genutzt werden, sich in Zukunft auch auf das Gehirn anwenden lassen, sodass das Wann und Wo epileptischer Anfälle vorhersagbar wird. Forscher in den Vereinigten Staaten arbeiten sogar an Hirnimplantaten, die mit Hilfe von Computerchips die Anfallsaktivität prognostizieren und verhindern sollen, bevor sie überhaupt einsetzt.

Solche Fortschritte verändern auch das Menschenbild und die Wahrnehmung von Personen, deren Gehirn abweichend von der Norm zu arbeiten scheint. Seit Mitte der 1990er Jahre haben Wissenschaftler allmählich die ungeheure Vielfalt innerhalb der Autismuserfahrung erkannt – angefangen beim stummen, schaukelnden Kind bis hin zum brillanten, sozial unbeholfenen Wissenschaftler. Heute weiß man, dass es genauso viele Formen von Autismus wie Menschen mit Autismus gibt.

Auch in der Öffentlichkeit wächst das Bewusstsein für die komplexen Ausprägungen des Autismus. Gefördert wird diese Entwicklung durch große Publikumserfolge wie Mark Haddons Roman *Supergute Tage oder die sonderbare Welt des Christopher Boone* ebenso wie durch den zunehmenden Bekanntheitsgrad einiger Personen, die zu den high-functioning Autisten gehören.

In meinen 2006 erschienenen Erinnerungen *Born On A Blue Day* (Dt. *Elf ist freundlich und Fünf ist laut*) beschreibe ich die Geschichte meiner eigenen Kindheits- und Jugenderfahrungen mit dem Asperger-Syndrom, einer relativ leichten und high-functioning Form von Autismus. Obwohl ich in der Kindheit viele der häufigsten Merkmale des Autismus zeigte – soziale Isolation, Schwierigkeiten mit dem abstrakten Denken (»dem Erkennen des größeren Zusammenhangs«) und Kommunikationsprobleme –, führe ich als Erwachsener ein erfolgreiches, glückliches und unabhängiges Leben, mit Beruf, Partner, zahlreichen Freunden und geistigen Interessen.

Ich habe gelernt, viele mit meinem Autismus verbundene Einschränkungen erfolgreich zu überwinden, und ich bin froh, sagen zu können, dass ich in dieser Hinsicht keine Ausnahme bilde. Tatsächlich wird immer deutlicher, dass sich eine autistische Störung nicht zwangsläufig als hinderlich für einen erfolgreichen persönlichen und beruflichen Werdegang erweisen muss. Zu bemerkenswerten »Aspergern« gehören zum Beispiel: Richard Borcherds, Professor für Mathematik an der University of California und Gewinner der renommierten Fields-Medaille – des mathematischen Pendants zum Nobelpreis; Professor Vernon L. Smith, ausgezeichnet mit dem Nobelpreis für Wirtschaft; Bram Cohen, Erfinder des *BitTorrent*-Computer-Downloading-Protokolls; Dawn Prince-Hughes, Anthropologin und Primatenforscherin; und Satoshi Tajiri, der Erfinder von Pokemon.

Solche Erfolgsgeschichten von Menschen mit Autismus widersprechen der immer noch weitverbreiteten Wahrnehmung des »typischen Autisten« als eines schwer behinderten, antisozialen Menschen, der ausschließlich von banalen und unpraktischen Interessen besessen ist. Dieses Bild ist eine grausame Parodie darauf, was es bedeutet, ein Mensch mit autistischer Störung zu sein. Die simple Wahrheit ist, dass es keine »typische« Form von Autismus gibt; jeder Mensch mit Autismus ist anders.

Der Hauptgrund, weshalb dieses Klischee sich so hartnäckig hält, ist vielleicht, dass Autismus mit dem Savant-Syndrom, einer weiteren komplexen und wenig verstandenen neurologischen Störung, assoziiert wird. Tatsächlich stützen viele Menschen ihr Wissen vom Autismus immer noch größtenteils oder ausschließlich auf dessen Darstellung in dem Oscar-prämierten Film *Rain Man*, in dem Dustin Hoffman einen hochbegabten, aber stark behinderten autistischen Savant spielt. Seither sind Savants in Büchern und Filmen häufig als brillante, aber schwer beeinträchtigte Personen dargestellt worden, die unter der Last ihrer Begabungen leiden. Doch die wissenschaftlichen Erkenntnisse, die die Filmemacher inspirierten und anschließend das Publikum fesselten, sind mehr als zwanzig Jahre alt und haben ihr Verfallsdatum längst überschritten. Das heutige Verständnis autistischer Savants ist glücklicherweise wesentlich differenzierter und mitfühlender.

Als man mir im Alter von 25, vor vier Jahren, erstmals eröffnete, dass ich die diagnostischen Kriterien des Savant-Syndroms erfülle, musste ich fast automatisch an den Film-Savant Raymond Babbitt denken. Wie konnte man mich – einen ansonsten gesunden jungen Mann mit Partner, Freunden und Beruf – für einen »Rain Man« halten? Bei meinen Nachforschungen fand ich schnell heraus, dass sich hinter dem Savant-Syndrom weit mehr verbirgt als ein einzelnes Hollywood-Porträt.

Savants werden als Personen mit einer Entwicklungsstörung definiert (normalerweise Autismus, aber nicht immer), die in einem oder mehreren Bereichen, die mit ihrer Störung zusammenhängen, über außergewöhnliche Fähigkeiten, sogenannte Inselbegabungen, verfügen. Ich gelte als »prodigious savant«, was bedeutet, dass meine Fähigkeiten auch als besonders herausragend gelten würden, wenn sie bei einer Person ohne Entwicklungsstörungen aufträten. Man schätzt, dass weltweit derzeit weniger als 50 »prodigious Savants« leben.

Eine Variante des Savant-Syndroms wurde in der medizinischen Literatur bereits 1789 beschrieben, als Dr. Benjamin Rush, der »Vater der amerikanischen Psychiatrie«, die rechnerischen Fähigkeiten von Thomas Fuller schilderte, der »kaum irgendetwas begreifen konnte, weder theoretisch noch praktisch, das komplexer war als zählen«. Auf die Frage, wie viele Sekunden eineinhalb Jahre umfassen, lieferte Fuller innerhalb von zwei Minuten die Antwort: »47304000«. Ein Jahrhundert später, im Jahr 1897, benutzte Dr. J. Langdon-Down erstmals den Begriff »Savant« (vom Französischen *savoir*, wissen), um zehn Personen zu beschreiben, die bemerkenswerte Fähigkeiten neben einer Reihe von Entwicklungsproblemen zeigten. Einer der von Down beschriebenen Männer baute aus handgefertigten Teilen große Modellschiffe mit komplizierten Details; ein weiterer Fall betraf einen Jungen, der lange Abschnitte aus den sechs Bänden von

Gibbons *Verfall und Untergang des römischen Imperiums* nach einmaligem Lesen auswendig konnte.

Aufgrund ihres seltenen und unverwechselbaren Zustands waren Savants lange Zeit Gegenstand aller möglichen Spekulationen, Missverständnisse und leider gelegentlich auch Ausbeutungen. Das ist umso bedauerlicher, weil – wie ich aus eigener Erfahrung weiß – autistische Savants mit hohem Entwicklungsniveau eines reichen Gefühlslebens fähig sind und einen wertvollen Beitrag zur Gesellschaft leisten können. Savant-Begabungen sind das Ergebnis lebendiger menschlicher Vorstellungskräfte und nicht von starren, maschinenähnlichen Prozessen. In den Kapiteln 3, 4 und 5 erörtere ich ausführlich meine eigenen Fähigkeiten in Bezug auf Gedächtnis, Sprache und Zahlen, um diese simple Tatsache zu belegen. Anstatt die Leser zum bloßen Bestaunen der Fähigkeiten von Savants wie mir anzuregen, möchte ich zeigen, dass jeder durch ihr Beispiel lernen kann, seine eigenen geistigen Fähigkeiten besser zu verstehen und zu nutzen.

Streichhölzer zählen

Zu den vielen irrigen Annahmen, die in der allgemeinen Öffentlichkeit über Savants herrschen, gehört, dass Savant-Begabungen irgendetwas Übernatürliches seien, das sich der wissenschaftlichen Erforschung entziehe. Tatsächlich werden Savant-Fähigkeiten jedoch bereits seit Jahrzehnten wissenschaftlich erforscht und die Ergebnisse sind vielfach veröffentlicht und überprüft worden. Meine eigenen Begabungen sind von Neurologen in britischen und US-amerikanischen Laboratorien untersucht worden und Gegenstand mehrerer wissenschaftlicher Veröffentlichungen.

Die wohl berühmteste und einflussreichste Studie über Savant-Fähigkeiten stammt von dem amerikanischen Psychiater Oliver Sacks, der seine Beobachtungen eines autistischen Savant-Zwillingspaares in dem 1985 erschienenen Buch *Der Mann, der seine Frau mit einem Hut verwechselte* zusammenfasste. Leider ist Sacks'

31

Beschreibung, die in vielen Zeitschriften und Presseberichten zitiert wurde, die Quelle einiger der hartnäckigsten Missverständnisse in Bezug auf autistische Savants und das Wesen ihrer Fähigkeiten. Sacks beschreibt zum Beispiel die folgende Episode, die später für den Film *Rain Man* adaptiert wurde:

»Eine Streichholzschachtel fiel vom Tisch, und der Inhalt lag verstreut auf dem Boden. ›Hundertelf‹, riefen beide gleichzeitig, dann murmelte John: ›Siebenunddreißig‹. Michael wiederholte das, John sagte es ein drittes Mal und hielt inne. Ich zählte die Streichhölzer – das dauerte einige Zeit –, und es waren einhundertelf. ›Wie konntet ihr die Hölzer so schnell zählen?‹, fragte ich sie. ›Wir haben sie nicht gezählt‹, antworteten sie. ›Wir haben die Hundertelf *gesehen*.‹ … ›Und warum habt ihr ,Siebenunddreißig' gemurmelt und das zweimal wiederholt?‹, fragte ich die Zwillinge. Sie sagten im Chor: ›Siebenunddreißig, siebenunddreißig, siebenunddreißig, hundertelf.‹ … ›Wie habt ihr das herausbekommen?‹, fragte ich … Sie erklärten, so gut sie konnten … sie hätten es nicht ›herausbekommen‹, sondern es nur blitzartig ›gesehen‹. … Ist es möglich … dass sie die Eigenschaften von Zahlen irgendwie ›sehen‹ können … als Qualitäten, auf eine unmittelbare, konkrete Weise, sinnlich und fühlbar?«

Das klingt ganz nach meiner eigenen Fähigkeit, Zahlen und ihre Eigenschaften zu visualisieren. Tatsächlich ist »Einhundertelf« eine überaus visuelle Zahl für mich: Erfüllt von wunderschönem, strahlend weißem Licht. Sacks erwähnt allerdings nicht, woher die Streichholzschachtel eigentlich kam. Er sagt lediglich, dass sie auf dem Tisch der Zwillinge lag, was darauf hindeutet, dass sie sich bereits in deren Besitz befand, als Sacks die beiden das erste Mal besuchte. Bemerkenswert ist auch, dass Sacks keinen Hinweis auf die Blickrichtung der Zwillinge in jenem Moment gibt, als die Streichhölzer herunterfallen. Das wäre ein wichtiger Anhaltspunkt, weil zu Boden fallende Objektgruppen nicht getrennt und unterscheidbar bleiben: bei einem Strom von über hundert fallenden Streichhölzern würden sicherlich einige Hölzer von anderen ver-

deckt werden. Wenn man diese Umstände bedenkt, lässt sich Sacks'
Beobachtung wahrscheinlich eher damit erklären, dass die Zwillinge
die Streichhölzer in der Schachtel auf ihrem Tisch bereits vorher
gezählt hatten und wussten, wie viele sich darin befanden. Es ist
sogar möglich, dass sie vorher entschieden hatten, wie viele Hölzer
sie in die Schachtel legen wollten. Immerhin ist 111 eine besonders
schöne (und streichholzartige) Zahl, die die Zwillinge möglicherweise als eine Art Sammlerstück betrachteten. Was wir mit Sicherheit
sagen können, ist, dass die angebliche Fähigkeit, große Mengen oder
Stückzahlen mit einem Blick zu erfassen, nie bei irgendeinem anderen Savant beobachtet oder von einer wissenschaftlichen Studie
bestätigt wurde.

Eine weitere Behauptung in Sacks' Schilderung der Zwillinge
beeinflusste die öffentliche Wahrnehmung von Savant-Eigenschaf-
ten nicht weniger fatal:

»Sie saßen zusammen in einer Ecke ... Sie schienen ein seltsames
Vergnügen, einen seltsamen Seelenfrieden gefunden zu haben und
zu genießen. Es hatte den Anschein, als seien sie in eine einzigartige,
rein numerische Unterhaltung vertieft. John nannte eine Zahl, eine
sechsstellige Zahl. Michael griff die Zahl auf, nickte, lächelte und
schien sie sich gewissermaßen auf der Zunge zergehen zu lassen.
Dann nannte er seinerseits eine andere sechsstellige Zahl, und nun
war es John, der sie entgegennahm und auskostete ... Was in aller
Welt ging da vor? Ich konnte mir keinen Reim darauf machen ... Alle
Zahlen, jene sechsstelligen Zahlen, die die Zwillinge untereinander
ausgetauscht hatten, waren Primzahlen ... Am nächsten Tag besuchte ich sie wieder in ihrer Abteilung. Mein Buch mit den Tabellen
und Primzahlen hatte ich mitgebracht ... Diesmal setzte ich mich,
ohne ein Wort zu sagen, zu ihnen ... Nach einigen Minuten beschloss
ich, ebenfalls mitzuspielen, und nannte eine achtstellige Primzahl ...
Beide wandten sich mir zu ... und dann begannen sie plötzlich
gleichzeitig zu lächeln ... Dann dachte John ... eine lange Zeit nach
und nannte eine neunstellige Zahl ... sein Zwillingsbruder Michael
antwortete mit einer ähnlichen Zahl ... Als die Reihe nun wieder an

mir war, warf ich heimlich einen Blick in mein Buch, und steuerte meinen ... Beitrag bei: eine zehnstellige Primzahl ... Nach eingehender Kontemplation nannte John schließlich eine zwölfstellige Zahl. Ich konnte sie weder überprüfen noch mit einer eigenen Zahl antworten, denn mein Buch hörte bei zehnstelligen Primzahlen auf ... Eine Stunde später tauschten die Zwillinge zwanzigstellige Primzahlen aus. Das jedenfalls nahm ich an, denn ich besaß keine Möglichkeit, diese Zahlen zu überprüfen.«

Ein neuerer Artikel (2006) des Psychologen Makoto Yamaguchi im *Journal of Autism and Developmental Disorders* bezweifelt diese Darstellung stark. Yamaguchi weist darauf hin, dass ein Buch mit allen Primzahlen bis zum zehnstelligen Bereich mehr als 400 Millionen Zahlen enthalten müsste, was in einem einzigen Buch mit leidlich lesbarer Schriftgröße unmöglich zu bewerkstelligen wäre. Sacks erwiderte, dass dieses Buch und andere Ressourcen inzwischen verloren gegangen seien, räumte aber ein, dass das Buch möglicherweise nur kleinere Zahlen enthalten habe. Andere führende Wissenschaftler, wie der Mathematiker Stanislas Dehaene und der Neurowissenschaftler Brian Butterworth, haben Sacks' Schilderung ebenfalls in Zweifel gezogen.

Wie die Streichholz-Episode ist auch Sacks' Beschreibung von Savants, die mal so eben zwanzigstellige Primzahlen hervorzaubern, einmalig – in der gesamten Literatur über Savants und ihre Fähigkeiten gibt es keinen vergleichbaren Bericht. Im Gegenteil: Alle bislang durchgeführten Studien über Savant-Begabungen in Bezug auf Primzahlen deuten auf eine typische Bandbreite hin, die zwischen drei- und fünfstelligen Zahlen liegt, auch wenn Savants ihr Wissen über Primzahlen nutzen können, um Zahlen mit mehr als fünf Stellen überdurchschnittlich gut zu beurteilen. Ohne Sacks' ursprüngliche Notizen lässt sich unmöglich mit Sicherheit sagen, wie die Zwillinge zu ihren Zahlen kamen, oder auch nur, ob sie die genannten Zahlen alle korrekt als Primzahlen erkannten. Anders, als noch ein weitverbreitetes Missverständnis es will, machen nämlich auch Savants Fehler.

Der vielleicht unglückseligste Trugschluss, zu dem Sacks' Beschreibung geführt hat, ist, dass Savants Freaks und Sonderlinge sind:

»Sie sind eine groteske Variante von Zwiddeldei und Zwiddeldum ... Sie haben zwergenhafte Körper mit beunruhigend unproportionierten Köpfen und Händen, Steilgaumen, hochgewölbte Füße, monotone, piepsende Stimmen, eine Vielzahl sonderbarer Tics und Eigenarten, dazu eine starke, fortschreitende Kurzsichtigkeit, die sie zwingt, so dicke Brillen zu tragen, dass auch ihre Augen überdimensional erscheinen, wodurch sie aussehen wie absurde kleine Professoren, die mit einer unangebrachten, besessenen und lächerlichen Konzentration hierhin und dorthin starren und deuten ... und wie Marionettenpuppen ... eine spontane ›Standardaufführung‹ ... geben.«

Das Beste, was sich über diese Beschreibung sagen lässt, ist, dass sie sich durch einen ausgesprochenen Mangel an Mitgefühl und Verständnis auszeichnet. Auch steht sie in deutlichem Widerspruch zu meiner eigenen Lebenswirklichkeit und der zahlreicher anderer heute lebender high-functioning Savants. Der junge amerikanische Musiker Matt Savage zum Beispiel, ein autistischer Savant, hat mehrere Alben veröffentlicht, viele Preise gewonnen und macht Tourneen durch die ganze Welt. Der britische Maler Stephen Wiltshire (heute Mitte dreißig) wurde im Jahr 2007 von der Queen für seine Verdienste um die Kunst ausgezeichnet; er hat inzwischen eine Galerie in London eröffnet, wo er neben seinen eigenen Bildern die Werke anderer Künstler ausstellt und seine Bewunderer trifft. Gilles Tréhin, 35, aus Nizza, hat eine riesige komplexe Stadt in seinem Kopf erschaffen. Seine Skizzen und detaillierten Notizen über »Urville« sind in mehreren Sprachen veröffentlicht worden. Tréhin hat seit langem eine Freundin, eine ebenfalls high-functioning Autistin, mit der er Vorträge auf Tagungen hält, um das Verständnis für Autismus in der Öffentlichkeit zu fördern.

Die Forschungsarbeiten des australischen Wissenschaftlers Allan Snyder, Leiter des Centre for the Mind in Sydney, deuten darauf hin, dass Savant-Fähigkeiten aus natürlichen (wenn auch ungewöhnlichen und herausragenden) neurologischen Verarbeitungsprozessen resultieren. Die Denkprozesse von Autisten unterscheiden sich nicht grundlegend von denen »gewöhnlicher« Menschen, argumentiert Snyder, sondern sind vielmehr eine – extreme – Variante davon.

Um diese Theorie zu überprüfen, nutzten Snyder und seine Mitarbeiter eine Technik, die sogenannte Transkranielle Magnetstimulation (TMS), bei der elektromagnetische Impulse via Elektroden in die Stirnlappen des Probanden geleitet werden – Ziel ist, vorübergehend die linke Hirnhälfte auszuschalten, um die rechte besonders zu aktivieren (die am stärksten an Savant-Fähigkeiten beteiligte). Wie erwartet, führte eine 15-minütige Stimulation bei mehreren nichtautistischen Probanden zu einer Verbesserung der Fähigkeiten im zeichnerischen Bereich und im Korrekturlesen. Nach Abschluss des Experiments lösten sich diese neuen Fähigkeiten sehr schnell wieder auf.

Mit Zahlen tanzen

Snyders Experiment deutet darauf hin, dass die Kluft zwischen Savant-Gehirn und »normalem« Gehirn nicht so groß ist wie früher angenommen. Die Ergebnisse bestätigen, dass die Hirnaktivität eines Savants derjenigen eines »Durchschnittsmenschen« viel ähnlicher ist als der Funktionsweise eines Supercomputers – eine immer noch häufig verwendete Analogie für die Arbeitsweise eines Savant-Gehirns. Vielleicht missfiel mir deshalb seit jeher der Begriff »menschlicher Computer«, der in Büchern und Zeitschriftenartikeln häufig zur Beschreibung von Inselbegabungen benutzt wird. Wie ich in Kapitel 5 (»Der Zahleninstinkt«) zeigen werde, ist ein Computer vielleicht in der Lage, Zahlen zu verarbeiten – aber ich kann mit ihnen tanzen.

Der Computervergleich beschränkt sich nicht auf Savants – eine Reihe von Wissenschaftlern und Philosophen haben ihn verwendet, um die allgemeine Funktionsweise des menschlichen Gehirns zu beschreiben. Solche Versuche, das Gehirn durch Bezugnahmen auf etwas vage Vergleichbares zu erklären, sind natürlich nichts Neues. In der Vergangenheit hat man das Gehirn zu verschiedenen Zeitpunkten abwechselnd mit einer Wasseruhr, einer Dampfmaschine und einer Telefonzentrale verglichen. Die heutige Vorstellung vom menschlichen Gehirn als »einem Computer aus Fleisch und Blut« (wie der Informatiker Marvin Minsky es formulierte) ist meiner Ansicht nach nicht minder unzulänglich und reduktionistisch. Wie seine Vorläufer erklärt auch das Modell vom »Gehirn als Computer« weder Savant-Fähigkeiten noch die irgendeines anderen Menschen.

Inspiriert durch die Analogie zwischen Gehirn und Computer gingen Kognitionswissenschaftler jahrzehntelang davon aus, dass das Gehirn sich an eine strikte Vorwärtsverarbeitung hält und einzelne Informationspakete von einem Teil des Gehirns in den nächsten leitet – wie ein datenverarbeitender Computer. Neuere Experimente deuten allerdings auf etwas anderes hin und bestärken den wachsenden wissenschaftlichen Konsens, dass das Gehirn ein wesentlich dynamischeres System ist als ursprünglich angenommen.

In einer neueren Studie von Psychologen der Cornell-University wurden 42 Studenten gebeten, auf akustische Stichwörter zu reagieren, indem sie Bilder von verschiedenen Gegenständen auf einem Computerbildschirm anklickten. Wenn die Studenten ein Wort wie *candle* (Kerze) hörten und man ihnen zwei Bilder von Gegenständen zeigte, die ungleich klingende Namen hatten (wie *candle* und *jacket*), verliefen die Mouse-Bewegungen am Bildschirm im Allgemeinen direkt zu der Kerze. Doch wenn die Studenten »candle« hörten und man ihnen zwei Bilder von Gegenständen mit ähnlich klingenden Bezeichnungen – wie »candle« und »candy« – präsentierte, brauchten sie länger, um den richtigen Gegenstand anzuklicken, und ihre Mouse-Bewegungen verliefen wesentlich kurvenreicher.

Nach Ansicht der Wissenschaftler waren die Studenten in beiden Fällen bereits dabei, das gehörte Wort zu verarbeiten, bevor es vollständig ausgesprochen war. Doch wenn die beiden Begriffe sich stark ähnelten, zogen die Studenten – da sie nicht sofort erkennen konnten, welches Bild korrekt war – beide Möglichkeiten gleichzeitig in Betracht. Anstatt die Mouse sofort zu einem Bild zu schieben und ihre Bewegung dann zu korrigieren, wenn sie ihren Irrtum erkannten, ließen die Studenten die Mouse in einer »mittleren Grauzone« zwischen den beiden Bildern herumwandern und warteten, bis sich die Mehrdeutigkeit aufgelöst hatte.

Wenn man davon ausgeht, dass kognitive Prozesse nichtlinear und dynamisch sind, ist es möglich – sagen diese Wissenschaftler –, in zwei Gehirnzuständen gleichzeitig zu sein, bevor man zur abschließenden Deutung gelangt. Bei Computern ist das ganz anders: Sie befinden sich entweder in dem einen Zustand oder in dem anderen und bewegen sich im Gleichschritt von einem zum anderen.

Der grundlegende Unterschied zwischen Gehirn und Maschine wird noch sinnfälliger, wenn wir ihre jeweiligen Stärken und Schwächen vergleichen. Während zum Beispiel die meisten Menschen Schwierigkeiten haben, ihre Restaurantrechnung im Kopf zu addieren, ist selbst der bescheidenste Heim-Laptop imstande, Riesenzahlen in Sekundenbruchteilen zu berechnen. Was die Rechenfähigkeit betrifft, reicht der Mensch nicht an heutige Computer heran.

Ein eindrucksvolles Beispiel dafür machte im Juli 2007 Schlagzeilen, als Computerwissenschaftler von der University of Alberta in Kanada bekanntgaben, dass sie nach fast zwanzigjähriger Forschung endlich das Problem des Damespiels gelöst hätten. Ihr Programm namens »Chinook« kann nie verlieren; allenfalls könnte ein Gegenspieler, sofern er perfekt spielt, ein Unentschieden erreichen. Mit 500 Milliarden theoretisch möglicher Stellungen ist es das komplexeste Spiel, das man bislang entschlüsselt hat. Die Wissenschaftler nutzten über mehrere Jahre Hunderte von Computern, um Spiel um Spiel durchlaufen zu lassen und die Züge zu berechnen, die zu einem Sieg, einer Niederlage oder einem Unentschieden führen. Schließlich hatte das Chinook-Programm so viele Informationen gesammelt, dass es die beste Taktik für jede Situation auswählen konnte.

Ein weiteres Spiel, in dem Computer zweifellos zu Höchstleistungen fähig sind, ist Schach, von dem Goethe einst sagte, es sei der Prüfstein für Intelligenz. Im Jahr 1997 schlug der IBM-Computer »Deep Blue« den amtierenden Schachweltmeister Garri Kasparow in einem sechs Spiele umfassenden Match, das im 35. Stock eines Wolkenkratzers in Manhattan ausgetragen wurde. Was ich an diesem Match jedoch am bemerkenswertesten fand, ist, dass Kasparow überhaupt mit einer Maschine konkurrieren konnte, die mit einer geschätzten Geschwindigkeit von 200 Millionen Zügen pro Sekunde rechnete und bis zu zwanzig Züge im Voraus suchte. (Kasparow unterlag mit einem einzigen Punkt, 3,5 : 2,5, nachdem er im Jahr zuvor ein Match mit 4 : 2 gewonnen hatte.)

Was Kasparow an schierer Rechenkraft fehlte, glich sein Gehirn durch Intuition und hochentwickelte Mustererkennungsfähigkeiten aus. Ein Jahrhundert psychologischer Forschung hat gezeigt, dass Schachgroßmeister wie Kasparow dank ihrer Kenntnis unzähliger Partien nur kurz auf das Brett schauen müssen, um sekundenschnell hervorragende Züge zu machen. Ein früherer Weltmeister, José Raúl Capablanca, hat diese perzeptive, intuitive Denkweise beschrieben, als er sagte: »Ich sehe immer nur einen einzigen Zug voraus, aber es ist immer der richtige.«

Der niederländische Psychologe Adriaan de Groot wies die erhöhten Wahrnehmungsfähigkeiten von Schachgroßmeistern 1966 in einer Studie nach, in der er die Fähigkeiten der Meister mit denen von Anfängern verglich. De Groot zeigte den Spielern fünf Sekunden lang eine komplexe Figurenkonstellation aus einem fortgeschrittenen Spielstadium und bat sie dann, die Partie aus dem Gedächtnis nachzustellen. Er stellte fest, dass die Großmeister die Aufstellung nahezu perfekt rekonstruieren konnten, während die Anfänger nur einige wenige Figurenpositionen erinnerten. Neueren Studien zufolge haben Schachgroßmeister mehr als eine Million Muster im Gedächtnis gespeichert, auf die sie während des Spielens zurückgreifen können.

Dass erfahrene Spieler in der Lage sind, das Spielprogramm eines Computers auszutricksen, ist nichts Neues für Liebhaber des alten chinesischen Brettspiels Go. Sogar die leistungsstärksten Spielprogramme, die entwickelt wurden, scheitern bislang an der trügerischen Einfachheit dieses Spiels. Anders als Schach wird Go mit identischen Steinen gespielt (schwarz für einen Spieler, weiß für den anderen), die von den Spielern abwechselnd auf einem mit 19 waagerechten und 19 senkrechten Linien überzogenen Brett verteilt werden. Ziel des Spieles ist es, möglichst große Flächen zu besetzen, indem man seine Steine wohlüberlegt platziert und die Steine des Gegners umzingelt, um sie so auszuschalten.

Was Go für Computer wesentlich schwieriger macht als Schach, ist die ihm zugrunde liegende rechnerische Komplexität. Bei einem Schachspiel steht der Spieler vor durchschnittlich etwa 35 möglichen Zügen, die in Betracht kommen, wenn er an der Reihe ist. Bei Go liegt diese Zahl eher bei 200. Nach vier Zügen beträgt die Anzahl der möglichen Brettpositionen beim Schach: $35 \times 35 \times 35 \times 35 = 1\,500\,625$, während sie bei Go $200 \times 200 \times 200 \times 200 = 1\,600\,000\,000$ beträgt, also mehr als 1000-mal größer ist. Um vierzehn Züge vorauszusehen (wie es die leistungsstärksten Schachcomputer können), müssten bei Go zehntausend Trillionen Möglichkeiten durchgerechnet werden; sogar ein Computerprogramm, das so schnell ist wie Deep Blue, würde eineinhalb Jahre brauchen, um einen einzelnen Zug zu bearbeiten.

Noch problematischer für Computer ist die Tatsache, dass die ungeheuer komplexen Stellungen bei Go für ein Programm verflixt schwer einzuschätzen sind, weil das Wesen des Spiels allen simplen Analysen trotzt. Bei Go gibt es keine bestimmte Einzelfigur wie den König, dessen Verlust über Sieg und Niederlage entscheidet. Sogar das Ausmaß der Fläche, die jeder Spieler zu einem bestimmten Zeitpunkt erobert hat, gibt keinen sicheren Hinweis auf das wahrscheinliche Ergebnis, weil ein erfahrener Spieler nur einen einzigen Stein setzen muss, um möglicherweise im Nu einen großen Teil der gegnerischen Fläche in seine eigene zu verwandeln. Diese Unklarheit verschafft menschlichen Spielern den entscheidenden Vorteil. Gute Go-Spieler verfügen über erhöhte Mustererkennungsfähigkeiten, räumliches Vorstellungsvermögen, Intuition und Empathie (um die wahrscheinliche Strategie oder Taktik des Gegners zu erahnen) – also genau über die Merkmale menschlicher Intelligenz, die selbst die schnellsten und leistungsstärksten Computer nicht nachzuahmen vermögen. Nach Ansicht einiger Experten wird es noch mindestens 100 Jahre dauern, bevor ein Programm entwickelt wird, das Go-Meistern eine anspruchsvolle Partie zu bieten vermag.

Spiele wie Go sind bei weitem nicht die einzigen Aktivitäten, bei denen der Mensch dem Computer nach wie vor haushoch überlegen ist. Nehmen wir zum Beispiel die Fähigkeit, eine Unterhaltung zu führen, wozu die meisten Menschen (einschließlich hochbegabte Savants) sehr gut, sogar mühelos, in der Lage sind, während Computer große Schwierigkeiten damit haben. Tatsächlich erklärte der britische Mathematiker Alan Turing im Jahr 1950, Computer könnten erst dann als wahrhaft intelligent gelten, wenn und falls sie irgendwann imstande wären, sich wie Menschen zu unterhalten, d. h. den sogenannten »Turing-Test«, bestehen. Seit 1990 wird der Loebner-Preis einmal jährlich für Computerprogramme (»Chatterbots«) verliehen, die fähig sind, ein Gespräch aufrechtzuerhalten, das einem menschlichen Dialog besonders nahe kommt. Der letzte Preisträger war das von dem britischen Unternehmer Rollo Carpenter entwickelte Programm »Joan«, das mehr als 5 Millionen Sätze zur Verfügung hat. Dennoch ist »Joan« weit davon entfernt, Turings berühmten Test bestehen zu können, wie das folgende kurze Gespräch zwischen dem Programm und mir zeigt:

Daniel: Hi Joan, ich heiße Daniel.

Joan: Hi Daniel.

Daniel: Woher kommst du?

Joan: Ursprünglich aus Hastings.

Daniel: Oh, toll! Ich lebe ganz in der Nähe.

Joan: Loughborough.

Daniel: Wie spricht man das aus?

Joan: Also, einfach nacheinander, S-t-i-g.

Daniel: Wie bitte?

Joan: Kennst du ihren Ursprung?

Daniel: Wessen Ursprung?

Joan: Ich frage noch einmal. Weißt du irgendetwas über menschliche Beziehungen?

Daniel: Ich dachte, wir sprechen von Loughborough. Was hat das mit menschlichen Beziehungen zu tun?

Joan: Unsere derzeitige Unterhaltung.

Daniel: Womit verdienst du deinen Lebensunterhalt?

Joan: Ich arbeite in einer Bar, um die Rechnungen zu bezahlen; aber ich versuche, Schriftsteller zu werden.

Daniel: Ich bin auch Schriftsteller. Was für Sachen hast du bisher geschrieben?

Joan: Alles Mögliche. Einiges habe ich dir schon erzählt.

Daniel: Nein, hast du nicht.

Joan: Mir scheint, dein RAM-Update-Kreis ist zu lang.

Daniel: Schreibst du über Computer?

Joan: Nein, ist es nicht. Der Film handelt vom Bürgerkrieg aus Sicht eines reichen verwöhnten Mädchens.

Daniel: Welcher Bürgerkrieg?

Joan: Ich rede nicht vom Bürgerkrieg, mein Freund.

Die Ironie ist, dass ich wie viele andere mit einer autistischen Störung über viele Jahre lernen musste, wie man sich mit anderen Menschen unterhält. Bis heute fällt es mir schwer, so etwas wie Smalltalk zu machen. Doch sogar ich kann das Joan-Programm sofort durchschauen. Vielleicht wären die Turing-Test-Forscher erfolgreicher, wenn sie für ihre künftigen Programme Autisten zum Vorbild nähmen, die – wie ich – gelernt haben, sich auf dem schwierigen Terrain menschlicher Gespräche zurechtzufinden.

Wie lernt das menschliche Gehirn?

Wenn sogar die modernsten, leistungsstärksten Computer unfähig sind, so Alltägliches wie ein Gespräch erfolgreich zu bewältigen, wie lernt dann unser Gehirn, solche Dinge zu tun, sie häufig sogar sehr gut zu tun? Diese Frage hat Neurowissenschaftler jahrzehntelang ebenso fasziniert wie frustriert.

Jeff Hawkins, Leiter des Redwood Neuroscience Institute in Kalifornien, ist überzeugt, dass das menschliche Gehirn weit weniger einem leistungsstarken Computerprozessor ähnelt als vielmehr einem Erinnerungssystem, das alles aufzeichnet, was uns geschieht, und aufgrund dieser früheren Erfahrungen intelligente Vorhersagen trifft. Anders als ein Computer, der auf die Lösung von Problemen programmiert werden muss, lernt unser Gehirn von allein – durch die Sinneswahrnehmung entwickelt es mit der Zeit automatisch ein Modell der Welt. Im Neokortex – der Hirnregion, die zuständig für fast alle Denk- und Wahrnehmungsprozesse höherer Ordnung ist – wird das Wissen hierarchisch gespeichert. So ist zum Beispiel die Erinnerung, wie eine Katze aussieht, nicht an einer einzelnen Stelle abgelegt. Vielmehr sind visuelle Details niederer Ordnung, wie etwa Fell, Pfoten und Ohren, in niederen Kortexregionen gespeichert, während höherrangige Strukturen – wie etwa der Kopf oder Rumpf – in den höheren Regionen abgelegt sind.

Der Hauptvorteil dieses hierarchischen Systems besteht darin, dass es uns erlaubt, Wissen wiederzuverwenden und die einmal erworbenen Informationen über eine Sache zu nutzen, um Neues zu lernen. Sobald ein Kind weiß, was eine Katze ist, braucht es viel weniger Zeit und Mühe, um zu lernen, was ein Hund ist, weil Katzen und Hunde viele Merkmale niederer Ordnung – wie Fell, Pfoten und Schwanz – gemeinsam haben. Das Kind muss daher nicht jedes Mal alles neu lernen, wenn es ein unbekanntes Tier sieht. Doch diese Wiederverwendung von früher erlernten Informationen kann auch zu Missverständnissen führen – beispielsweise wenn ein Kind denkt, ein Bruch wie $1/9$ sei größer als $1/7$, weil es vorher gelernt hat, dass 9 mehr ist als 7.

Um auf einem Wissensgebiet kompetent zu werden, ist eindeutig mehr erforderlich als reines Faktenwissen. Damit man Fakten in anwendbares Wissen verwandeln kann, ist ein tieferes und umfassenderes Verständnis des Gegenstands erforderlich. Die Schachgroßmeister, die nach einem kurzen Blick komplexe Partienaufstellungen erinnern, sind dazu in der Lage, weil sie Muster und Beziehungen zwischen den Figuren wahrnehmen, die dem Anfänger entgehen. Ihr Verständnis des Spiels ermöglicht ihnen, bei einer Partie das Wichtige wahrzunehmen und das Unwichtige auszublenden, sodass ihre Aufmerksamkeit nicht durch zu viele Einzelheiten überwältigt wird.

Großmeister gewinnen dieses Verständnis nach Jahren fruchtbaren Lernens. Wie andere Menschen auch beginnen sie als Anfänger mit einem unterschiedlichen Niveau zuvor erworbener Informationen. Um einen Gegenstandsbereich zu beherrschen, muss man einen begrifflichen Rahmen entwickeln, in den der Lernende sowohl alte als auch neue Informationen einfügen kann. Wer ein guter Schachspieler werden will, dem genügt es, die Namen der verschiedenen Figuren zu kennen und zu wissen, wie sie sich übers Spielfeld bewegen. Wahre Meisterschaft erlangt nur der, der versteht, wie wichtig die Figurenentwicklung, die Kontrolle des Zentrums, der Raum, die Bauernstruktur und die Königsdeckung sind.

Wenn uns beim Lernen Könner anleiten, fällt es uns leichter, diesen Rahmen zu entwickeln und viele potenziell entmutigende Schwierigkeiten zu vermeiden. Ein Feedback bei falschen Antworten ermöglicht es dem Gehirn, diese aus dem Wissensbestand für künftige Reaktionsmöglichkeiten auszusortieren. Das bedeutet, dass der Anfänger allmählich die Fähigkeit erwirbt, schlechte Entscheidungen zu ignorieren und seine Aufmerksamkeit auf die guten zu konzentrieren. Deshalb besteht bei Aktivitäten, die sich durch ein hohes Maß an (positiven wie negativen) Rückmeldungen auszeichnen, wie etwa bei kooperativen Spielen, die Kritik und Anregungen durch Mitspieler bieten, eine wesentlich höhere Wahrscheinlichkeit, dass sie den Lernprozess erfolgreich vorantreiben, als bei Beschäftigungen ohne entsprechende Rückmeldung.

Gefühle und Motivation sind ebenfalls von grundlegender Bedeutung für das Lernen. Eine mit starken Gefühlen verbundene Erfahrung hilft dem Gehirn, die erlernten Informationen so zu speichern, dass sie leichter abrufbar sind. Zu viel Stress dagegen kann zu einer schlechteren Durchblutung der Stirnlappen führen, was das Denk- und Erinnerungsvermögen beeinträchtigt.

Wer Freude an einer Aufgabe hat, lernt besonders effektiv. Nach Ansicht von Wissenschaftlern setzt das Gehirn in Erwartung der positiven Gefühle, die wir uns von einer spezifischen Aktivität erhoffen, eine chemische Substanz, das sogenannte Dopamin, frei. Das Dopamin fördert die Motivation, steigert die Energie und Antriebskraft und regt dazu an, sich auf die Aktivität einzulassen. Erfüllt sich die vom Gehirn getroffene Vorhersage, dass man Spaß an der Aktivität haben wird, bleibt der Dopaminspiegel erhöht. Wenn die erlebte Freude sogar größer ist als erwartet, steigt der Dopaminspiegel noch weiter an, und die Person engagiert sich ausdauernder für die Aktivität. Bereitet die Aufgabe hingegen weniger Freude als erwartet, fällt der Dopaminspiegel stark ab.

Obwohl Übung uns entgegen dem Sprichwort nicht zum Meister macht, ist sie notwendig, wenn wir langfristige oder dauerhafte Lernerfolge erzielen wollen. Durch Übung werden wir bei einer Aufgabe leistungsfähiger, wobei Tempo und Form der Verbesserung bei verschiedenen Aufgaben relativ gleich bleiben – das ist die sogenannte »Lernkurve« oder das »Energiegesetz der Übung«. Dieses Gesetz ist allgegenwärtig: Das Tempo, in dem man sich durch Übung verbessert, folgt einem ähnlichen Muster, ganz gleich ob es sich um kurze Wahrnehmungs- oder Kognitionsübungen handelt (wie das Rückwärtslesen eines Textes oder Kopfrechenaufgaben) oder um teamorientierte längerfristige Aufgaben (wie die Herstellungen von Geräten oder die Konstruktion eines Schiffs).

Die Lernkurve zeigt uns, dass Übung zwar immer zu besseren Leistungen führt, die dramatischsten Verbesserungen jedoch am Anfang stattfinden und mit der Zeit immer kleiner ausfallen. Sie impliziert auch, dass man mit genügend Übung ein vergleichbares Leistungsniveau bei vielen verschiedenen Aufgaben erreichen kann, aber nur, wenn der Lernende in seinen Bemühungen nicht nachlässt, sobald eine akzeptable Leistung erreicht ist. Nur ein kontinuierlicher Prozess strukturierten, eifrigen Lernens führt zur Meisterschaft.

Doch was letztendlich unser Leben und sogar unsere Persönlichkeit prägt, sind die Lerninhalte, weniger die Lernmethoden. Wofür wir unsere geistigen Kräfte einsetzen, bleibt eine ganz persönliche Entscheidung, die jeder für sich allein treffen muss. Was der Einzelne mit Hilfe seines Gehirns vor allem entwickelt, ist schließlich seine Einzigartigkeit und die Vielzahl individueller Vorlieben und Begabungen, die sich daraus ergeben. Was wir damit anfangen und welchen Gebrauch wir davon machen, gehört zum Abenteuer unserer Selbstwerdung – diesen einzigartigen, individuellen Prozess können wir weder abkürzen noch erfolgreich bewältigen, indem wir versuchen, die Erwartungen anderer zu erfüllen. Es gibt ganz einfach keinen Königsweg des Denkens oder Lernens, der allen anderen überlegen wäre. So wie sich nicht definieren lässt, was ein erfülltes Leben ist, gibt es auch keine allgemeingültige Regel dafür, wie man seine geistigen Fähigkeiten am besten nutzt. Der Physiker und Nobelpreisträger Richard Feynman drückte das folgendermaßen aus: »Man ist nicht dafür verantwortlich, die Leistungsbegriffe anderer zu erfüllen. Ich bin nicht dafür verantwortlich, so zu sein, wie andere es von mir erwarten: Das ist ihr Fehler, nicht mein Versagen.«

2. Die Vermessung des Geistes

Was wir mit unserem Gehirn oder Verstand anfangen, wird für gewöhnlich als unsere »Intelligenz« beschrieben, doch was genau ist »Intelligenz«? Ich bin nicht schlau genug, um diese Frage zu beantworten, was möglicherweise damit zusammenhängt, dass es keine allgemein anerkannte Definition dafür gibt, was Intelligenz bedeutet. In dieser Hinsicht hat der Begriff vieles mit einem weiteren schwer fassbaren Begriff gemeinsam: dem der Liebe. Der französische Philosoph Michel Onfray spielt auf dieses Problem an, wenn er die Maxime aufstellt: »So etwas wie Liebe gibt es nicht, es gibt nur Beweise der Liebe.« Genau den gleichen Standpunkt vertreten viele Wissenschaftler, wenn es um den Begriff der Intelligenz geht – die einzig bedeutsame Form von Intelligenz besteht für sie in jenen konkreten Ausdrucksformen, die sich ihrer Ansicht nach durch IQ-Tests messen lassen. Ich bin mir da nicht so sicher – wie bei der Liebe sind Versuche, die Intelligenz auf eine bestimmte Erklärung oder eine Reihe von Kriterien zu reduzieren, immer wieder gescheitert. Tatsächlich bin ich überzeugt, dass im Hinblick auf die Intelligenz eher das Gegenteil von Onfrays bekanntem Ausspruch zutrifft: So etwas wie Beweise der Intelligenz gibt es nicht, es gibt nur Intelligenz.

Ich habe aus erster Hand erlebt, wie problematisch der Versuch ist, etwas so Individuelles und Komplexes wie die Intelligenz nach irgendeiner allgemeinen Theorie oder Formel zu bestimmen. Als Kind habe ich häufig ein eingeschränktes, repetitives und antisoziales Verhalten an den Tag gelegt – alles andere als das, was nach landläufiger Auffassung als intelligent gilt. Auch in der Schule habe ich mich im ersten Jahr sehr schwergetan, weil ich unter den Nebenwirkungen der Medikamente litt, die ich gegen meine Epilepsie erhielt, und weil mein fantasievoller und ungewöhnlicher Denkstil nicht zu den Standardmethoden des Einheitsunterrichts passte. Da meine Lehrer keinen Zugang zu unterstützenden Experten oder »Hochbegabtenprogrammen« hatten und nicht wussten, was sie von mir halten sollten, blieb ihnen kaum etwas anderes übrig, als mich mir selbst zu überlassen.

Das ist die typische Geschichte vieler Hochbegabter, deren Talent vergeudet wird, weil sie keine Gelegenheit erhalten, ihre Fähigkeiten anzuwenden und zu üben. Zum Glück nahm die Geschichte bei mir einen anderen Verlauf: Durch die kontinuierliche Unterstützung und Ermutigung meiner Familie fand ich Möglichkeiten, meine Begabungen zu entfalten – von häufigen Besuchen in den örtlichen Büchereien über Rollenspiele mit meinen Geschwistern bis hin zum Scrabble-Spielen und zu Gedichtrezitationen mit den wenigen Freunden, die ich glücklicherweise fand. Als ich mehr Selbstvertrauen gewann und meine sozialen Fähigkeiten sich verbesserten, konnte ich allmählich immer besser über die wunderschönen mentalen Landschaften der Worte, Zahlen und Ideen in meinem Kopf sprechen. Ich war gut in der Schule, auch wenn ich in anderen Bereichen zu kämpfen hatte, und ich lernte nach und nach darauf zu vertrauen, dass ich in mentaler Hinsicht fähig war, wundervolle Dinge zu vollbringen. Mir wurde auch klar, dass meine Andersartigkeit ein Segen und nicht die gefürchtete Bürde war, die ich lange darin gesehen hatte, und ich stellte fest, dass ich mich so akzeptieren konnte, wie ich war.

Wenn Intelligenz, wie ich behaupte, ein zu subtiler und unklarer Begriff ist, um sie auf irgendeine wissenschaftliche Art zu »beweisen«, was ist dann vom Phänomen der IQ-Tests zu halten? Um diese Frage zu beantworten, beschloss ich, mich dem Prozess selbst zu unterziehen und meinen »IQ«-Wert messen zu lassen. Der Test wurde von einem qualifizierten Psychologen durchgeführt, der dafür die entsprechenden Aufgaben aus dem Wechsler Adult Intelligence Scale (WAIS) einsetzte. Das ist der am häufigsten verwendete Test zur Intelligenzbewertung bei Erwachsenen, benannt nach seinem Erfinder, dem amerikanischen Psychologen David Wechsler. Wechsler setzte als Erster den willkürlich gewählten Wert von 100 für die Intelligenzmessung fest, von dem dann je nachdem, ob der Testteilnehmer bei seinen Aufgaben über- oder unterdurchschnittlich abschneidet, Punkte hinzu- oder abgerechnet werden.

Wenn man die Ergebnisse einer repräsentativen Gruppe von Testteilnehmern graphisch wiedergibt, folgt die Verteilung der IQ-Werte der vertrauten glockenförmigen oder »Gauß'schen Kurve« (nach dem Mathematiker Carl Friedrich Gauß): Die Hälfte der Werte liegt über 100, die Hälfte darunter. Nach dem Graphen liegen 68 Prozent der Testergebnisse zwischen 85 und 115 (technisch gesprochen also innerhalb einer Standardabweichung vom Mittelwert) und 95 Prozent der Werte zwischen 70 und 130 (innerhalb von zwei Standardabweichungen). Werte unter 70 oder über 130 sind sehr selten, was eine genaue Messung schwierig macht.

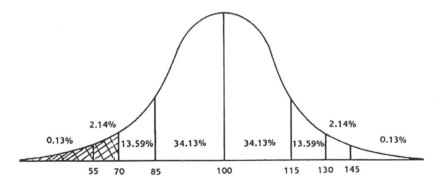

Testleiter verteilen je nach erreichtem Punktwert die folgenden recht knappen und nüchternen Beurteilungen:

130 und darüber: extrem hohe Intelligenz
120–129:   hohe Intelligenz
110–119:   überdurchschnittliche Intelligenz
90–100:   durchschnittliche Intelligenz
80–89:   unterdurchschnittliche Intelligenz
70–79:   niedrige Intelligenz
69 und darunter: extrem niedrige Intelligenz

Der Test besteht aus zwei Hauptteilen, die der Ermittlung des Verbal-IQ und des Handlungs-IQ dienen und jeweils in 7 Untertests aufgegliedert sind. Es werden mehrere kognitive Fähigkeiten bewertet wie sprachliches Verständnis, Wahrnehmungsorganisation, Arbeitsgedächtnis und Verarbeitungsgeschwindigkeit. Jeder Testteil nimmt etwa 10 Minuten in Anspruch, beginnt mit den leichtesten Fragen und wird allmählich schwieriger. Beim Teil des Zahlennachsprechens zum Beispiel wird der Teilnehmer zunächst gebeten, sich eine Folge von vier Ziffern einzuprägen und sie vorwärts und rückwärts wiederzugeben; im Laufe des Tests wird die Zahlenfolge dann bis auf neun Stellen erweitert. Auf ähnliche Weise beginnt der Teil »allgemeines Wissen« mit einer Frage wie: »Wie heißt die Hauptstadt von Frankreich?« und gipfelt in einer Frage wie: »Wer ist der Autor der *Aenaeis*?« oder »Wie groß ist der Erdumfang?« Die verschiedenen Tests werden in einer Gesamtzeit von zwei bis drei Stunden ohne Pause nacheinander durchgeführt.

Während meines eigenen Tests staunte ich vor allem über die Banalität der verschiedenen Aufgaben, angefangen bei der Aufforderung, mehrere Bilder in eine Reihenfolge zu bringen, die eine Geschichte wiedergibt, bis hin zu der Aufgabe, das Vorhandensein oder Fehlen eines Zielsymbols in Reihen mit verschiedenen Symbolen zu erkennen. Keine der Aufgaben erforderte die Fähigkeit, über ein Thema oder eine Idee nachzudenken oder eine Frage kritisch zu analysieren. Auch kreatives Denken war nicht gefragt. Noch schlimmer war die Tatsache, dass es bei vielen Fragen nur eine einzige erwartete Antwort gab – jede andere, wie fantasievoll oder poetisch auch immer, wurde als falsch betrachtet. Wie würden Sie beispielsweise die folgende Frage beantworten? »Was haben eine Fliege und ein Baum gemeinsam?« Wie zu erwarten, bereiteten mir die Fragen mit diesen eingeschränkten Antwortmöglichkeiten die größte Mühe.

Trotz dieser Schwierigkeiten kamen die Aufgaben vielen meiner Stärken in den Bereichen Gedächtnis, Wortschatz, Arithmetik und Allgemeinwissen entgegen, und mein errechneter WAIS-IQ-Score betrug 150 (was einem Wert von 180 nach dem Mensa-Cattell-Test entspricht, der eine andere Methode für die Zuschreibung des Endwertes anwendet). Angesichts des Ergebnisses schlug der Psychologe vor, dass ich eine Mitgliedschaft bei Mensa, der größten, ältesten und bekanntesten IQ-Gesellschaft der Welt, beantragen sollte. Wie bei einem vornehmen Club muss man bestimmte Aufnahmekriterien erfüllen: Beitreten dürfen nur Personen mit einem IQ-Wert, der höher ist als bei 98 Prozent der Bevölkerung (WAIS 130+, Mensa-Catell 148+).

Kritiker werfen der Gesellschaft vor, dass sie elitär und zu beschäftigt mit Rätseln und Denkspielen sei, anstatt ein echtes Forum für intelligente Debatten und Diskussionen zu bieten. Auch einer ihrer Gründer, Dr. Lancelot Ware, äußerte diese Besorgnis auf dem 50. Jahrestag der Gesellschaft im Jahr 1996: »Ich finde es tatsächlich zutiefst enttäuschend, dass so viele Mitglieder so viel Zeit mit der Lösung von Rätseln verbringen.« Aus diesem und anderen Gründen habe ich nicht die Absicht, Mensa beizutreten. Um Groucho Marx zu zitieren: »Ich möchte zu keinem Verein gehören, der bereit ist, mich als Mitglied zu akzeptieren!«

Dass man meinen IQ-Wert ermittelt hat, hat nichts daran geändert, wie ich über mich selbst denke. Obwohl ich akzeptiere, dass solche Tests ein nützliches Mittel zur Messung bestimmter kognitiver Fähigkeiten sind (zum Beispiel für Ärzte, die die Folgen einer Kopfverletzung bewerten wollen), widerstrebt es mir, den IQ als etwas zu betrachten, das Aussagen über meine Persönlichkeit oder

Vorhersagen über mein Leben zulässt. Dennoch war die Teilnahme an dem Test ein besonderes Erlebnis, das meine Neugier weckte. Ich fragte mich, wie diese IQ-Tests eigentlich entstanden sind – und stieß auf eine Geschichte, die viel verrückter war, als ich je vermutet hätte.

Vom Gewicht der Intelligenz: Die Geschichte des IQ

Die ersten wissenschaftlichen Versuche zur Erforschung der menschlichen Intelligenz begannen im 18. und 19. Jahrhundert mit der Kraniometrie – einer Messmethode, die auf der Vorstellung beruht, dass die Größe des Schädels Rückschlüsse auf den Intellekt der betreffenden Person zulässt: Je größer der Schädel, desto größer das Gehirn, desto höher die Intelligenz. Ein Hauptvertreter der Kraniometrie war der amerikanische Wissenschaftler Samuel George Morton, der bis zu seinem Tod im Jahre 1851 eine Sammlung von mehr als 1000 Schädeln zusammengetragen hatte. Morton vermaß die Schädel, indem er sie mit Senfsamen oder Bleischrot füllte und den Inhalt zurück in einen Messzylinder schüttete, um das Schädelvolumen genau zu bestimmen. Er veröffentlichte mehrere Bücher mit seinen Zahlen, die angeblich belegten, dass sich die Intelligenz entsprechend der ethnischen Zugehörigkeit verteilte – mit weißen Europäern an der Spitze und Schwarzafrikanern am unteren Ende der Skala.

Zu einer Zeit, als es bei Berühmtheiten üblich war, ihr Gehirn der Wissenschaft zu vermachen, wandten sich die Anhänger der Kraniometrie den Waagschalen zu, um ihre Behauptungen zu beweisen. Einige dieser Geistesleuchten schnitten sehr gut ab – das Gehirn von Friedrich Schiller lag mit 1785 Gramm über dem europäischen Durchschnitt von 1300–1400 Gramm und das des russischen Schriftstellers Turgenjew brachte es auf beachtliche 2012 Gramm. Andere Fälle widersprachen allerdings den Erwartungen der Wissenschaftler: Das Gehirn Walt Whitmans wog ausgesprochen durchschnittliche 1282 Gramm und das des französischen

Romanciers Anatole France sogar nur 1017 Gramm. Der Wissenschaftler Paul Broca, der sich für die Kraniometrie als zuverlässige Messmethode menschlicher Intelligenz einsetzte, bemühte sich, diese Leichtgewichte damit zu erklären, dass ihre Besitzer entweder sehr alt oder sehr klein gewesen seien oder dass man ihr Gehirn schlecht konserviert habe.

Derartige Ansichten waren damals ungeheuer einflussreich. Maria Montessori, die bekannte italienische Reformpädagogin, maß den Kopfumfang der Kinder in ihrer Schule und kam zu dem Schluss, dass diejenigen mit größeren Köpfen schneller lernten und bessere Zukunftsaussichten hatten. Auch Alfred Binet, Leiter des psychologischen Laboratoriums an der Sorbonne und Erfinder der ersten IQ-Tests, maß Kinderköpfe in verschiedenen Schulen, konnte aber keinen signifikanten Unterschied beim Kopfumfang der Schüler feststellen, die den Angaben ihrer Lehrer zufolge besonders schlau oder besonders dumm waren. Daraufhin beurteilte Binet die Vorstellung, man könne die Intelligenz durch Messungen der Köpfe ermitteln, als »lächerlich«.

Im Jahr 1904 wurde Binet vom französischen Erziehungsministerium beauftragt, Methoden zu entwickeln, um Kinder mit speziellen schulischen Förderbedürfnissen herauszufinden. Er wählte eine Reihe von Alltagsaufgaben – wie das Zählen von Münzen oder die Zusammenstellung von Wörtern zu Sätzen –, die von ausgebildeten Testleitern individuell durchgeführt wurden. Dann legte Binet ein Altersniveau für jede Aufgabe fest, das definiert war als das jüngste Alter, in dem ein Kind von normaler Intelligenz in der Lage sein müsste, die Aufgabe erfolgreich zu bewältigen. Jedes Kind, das den Binet-Test machte, erhielt zunächst Aufgaben, die für die jüngste Altersstufe konzipiert waren, dann Aufgaben mit wachsendem Schwierigkeitsgrad, bis es nicht mehr in der Lage war, die Aufgaben zu lösen. Das Alter, das den letzten erfolgreich gelösten Aufgaben entsprach, wurde als das »geistige Alter« des Kindes definiert. Der deutsche Psychologe Wilhelm Stern erfand im Jahr 1912 das Wort »Intelligenzquotient« (IQ). Um die Intelligenz mathematisch auszudrücken, teilte er das geistige Alter durch das tatsächliche Lebensalter. Ein Zehnjähriger mit einem geistigen Alter von 12 hätte demnach einen IQ von 120 (12 geteilt durch 10, dann multipliziert mit 100, um die Dezimalstellen zu eliminieren).

In den USA wurden Binets Ideen für die Bewertung des geistigen Alters eines Kindes von Henry Goddard, Forschungsleiter an einer Schule für »Schwachsinnige Mädchen und Jungen« in New Jersey, bekannt gemacht. Goddard übersetzte den Test ins Englische und benutzte ihn zur Einschätzung von Menschen, die er für geistig minderbemittelt hielt. Da die Intelligenz seiner Ansicht nach erblich war, hielt er es für notwendig, die »Schwachsinnigen« zu erkennen, um sie vom Kinderkriegen abzuhalten. Zu diesem Zweck schlug er vor, sie zwangszusterilisieren oder in Heimen unterzubringen. Später änderte Goddard seine Ansichten, doch bis dahin waren seine Arbeiten bereits einer breiten Öffentlichkeit bekannt und hatten die öffentliche Meinung und Politik stark beeinflusst.

Lewis Terman, ein Professor an der Stanford University, wandelte den ursprünglichen Test ab und machte daraus den allseits bekannten »Stanford-Binet-Test«, der zur Grundlage für viele später entwickelte Tests werden sollte. Anders als Binets ursprüngliche Aufgabensammlung, die nur dazu beitragen sollte, Kinder mit speziellen schulischen Förderbedürfnissen zu ermitteln, wollte Terman, dass jedes Kind getestet und entsprechend seinen angeborenen Fähigkeiten eingestuft wurde. Wie Goddard hielt auch Terman seinen IQ-Test für notwendig, um diejenigen, die schlecht dabei abschnitten, unter »die Obhut und den Schutz der Gesellschaft zu stellen« und die »Fortpflanzung der Schwachsinnigkeit zu unterbinden«. Das würde letzten Endes dazu führen, so seine Argumentation, dass »eine ungeheure Menge an Verbrechen, Armut und Leistungsunfähigkeit beseitigt wird«.

Die Anwendung von IQ-Tests durch das US-amerikanische Militär während des Ersten Weltkrieges förderte ihre Glaubwürdigkeit und Bekanntheit. In den Nachkriegsjahren erfreuten sie sich so großer Beliebtheit, dass sich eine Multimillionendollarindustrie daraus entwickelte. Viele Unternehmen führten Testverfahren ein, um Bewerber auszuwählen und das künftige Potenzial ihrer Mitarbeiter zu ermitteln. Auch Schulen entwickelten verschiedene Programme zur Intelligenzmessung. In Großbritannien wurde in den Vierzigerjahren die *eleven plus*-Prüfung eingeführt (so genannt, weil sie bei jedem Kind im Alter von 11 Jahren durchgeführt wurde). Sie entschied darüber, ob der Schüler anschließend eine wissenschaftlich oder fachlich/technisch ausgerichtete Schule besuchen durfte – mit klaren Folgen für den künftigen Berufsweg.

Besonders negativ wirkte sich die Vorstellung, dass Intelligenz eine feste Erbanlage sei, in den Vereinigten Staaten aus. Dort beeinflusste sie restriktive Einwanderungsgesetze, die auf dem Gedanken beruhten, dass alle Einwanderer außer jenen aus Nordeuropa (laut Goddard) »von überraschend geringer Intelligenz« seien. Sehr viele Einwanderer wurden Anfang des 20. Jahrhunderts aufgrund ihres Scheiterns beim IQ-Test abgeschoben. In einigen Staaten trugen die Tests auch dazu bei, die Zwangssterilisation von vermeintlich »geistesgestörten« Personen gesetzlich zu sanktionieren.

Die Validität von IQ-Tests ist bis heute ein lebhaft diskutiertes und heftig umstrittenes Thema. Das zeigte sich zum Beispiel an der starken Medienreaktion und öffentlichen Debatte, die der Harvard-Professor Richard Hernstein und der Politikwissenschaftler Charles Murray mit der Veröffentlichung ihres provokativen Buches *The Bell Curve* im Jahr 1994 auslösten. Zu den umstrittenen Behauptungen der Autoren gehörte, dass die Intelligenz sich je nach ethnischer Zugehörigkeit und sozialer Schicht unterscheide, sowie die These, dass es in der Gesellschaft zu einer wachsenden »geistigen Schichtenbildung« komme, die zur Entstehung einer »kognitiven Elite« führe. Die Untersuchung von Hernstein und Murray über das Wesen und die Ursachen großer, sich ausweitender wirtschaftlicher und kultureller Ungleichheiten in modernen Gesellschaften ist ein umfangreiches (900 Seiten), aber letztlich enttäuschendes Werk. Zum einen konzentrieren die Autoren sich zu stark auf einen einzigen, eng gefassten Intelligenzmaßstab – »g« – und vernachlässigen dadurch die breite Vielfalt menschlicher Fähigkeiten. Außerdem scheinen sie Intelligenz und Bildungsgrad zu verschmelzen, obwohl die beiden nicht notwendigerweise übereinstimmen: Die Liste hochbegabter Persönlichkeiten, die in der Schule keine Glanzleistungen vollbrachten, ist lang und schließt so unterschiedliche Berühmtheiten ein wie Thomas Edison, Charlie Chaplin, Winston Churchill, Woody Allen oder Vincent van Gogh, um nur einige zu nennen. Hernstein und Murray sehen zudem einen Zusammenhang zwischen wirtschaftlichem Erfolg und Intelligenz, doch auch das ist nicht zwangsläufig ein verlässliches Anzeichen von Begabung: Van Gogh hat bekanntlich in seinem ganzen Leben nur ein einziges Bild verkauft.

Der falsch vermessene Mensch

Die IQ-Messung steckte noch in den Kinderschuhen, da mahnte bereits deren Erfinder Alfred Binet zur Vorsicht und warnte davor, die Tests als aussagekräftigen Maßstab für die Intelligenz eines Menschen zu betrachten. »Die (Binet-)Skala erlaubt, ehrlich gesagt, keine Messung der Intelligenz, da geistige Fähigkeiten nicht addiert und somit nicht wie lineare Oberflächen gemessen werden können.« Binet kritisierte auch die Behauptung, dass die Intelligenz eines Menschen sich nicht steigern ließe. »Einige neuere Denker ... behaupten, die Intelligenz eines Individuums sei eine konstante Größe, die man nicht steigern könne. Gegen einen solch harten Pessimismus müssen wir Einspruch erheben, da er zu weit geht; wir wollen zeigen, dass er kein Fundament hat.«

Der amerikanische Journalist Walter Lippmann, ein weiterer früher Kritiker von IQ-Tests, schrieb in den Zwanzigerjahren:

»Der Intelligenztest ... ist eher ein Mittel, um eine Personengruppe zu klassifizieren, als ein ›Maßstab der Intelligenz‹. Menschen werden in eine Kategorie eingeordnet, und zwar entsprechend ihrem Erfolg bei Problemlösungen, wodurch man Intelligenz testen mag oder auch nicht ... Die Tests sind sich alle sehr ähnlich. Sie beruhen alle auf den gleichen Standards, und es ist durchaus möglich, dass sie nur eine bestimmte Art von Fähigkeit messen ... Wir können Intelligenz nicht messen, solange wir nicht definiert haben, was Intelligenz ist.«

Der amerikanische Geologe und Evolutionsbiologe Stephen Jay Gould aktualisierte und erweiterte solche kritischen Betrachtungen in seinem 1981 erschienenen Buch *Der falsch vermessene Mensch.* In dieser bis heute umfassendsten Kritik von Intelligenztests argumentiert Gould gegen das, was er als das Hauptthema eines biologischen Determinismus beschreibt, nämlich »die Behauptung, man könne den Wert von Einzelnen und von Gruppen durch *Messung der Intelligenz als Einzelgröße* bestimmen«. Seiner Ansicht nach kranken die Methoden der IQ-Forscher an zwei grundlegenden Trugschlüssen, nämlich »der *Verdinglichung* oder unserer Neigung, abstrakte Begriffe in Wesenheiten (wie den IQ) zu verwandeln«, sowie der »*Aufstellung von Rangordnungen* oder unserer Neigung, komplexe Variationen auf einer allmählich ansteigenden Skala einzuordnen«.

Über weite Teile des Buches analysiert Gould die statistischen Korrelationen, auf die Psychometriker häufig verweisen, wenn sie die Validität von IQ-Tests und die Vererbbarkeit der Intelligenz belegen wollen. Sie behaupten beispielsweise, dass ein IQ-Test die allgemeine Intelligenz eines Menschen korrekt messen kann. Dazu berufen sie sich auf Daten, die eine hohe Korrelation zwischen dem IQ und dem künftigen Lebenserfolg der Person aufzeigen. IQ-Forscher behaupten auch, dass die Werte von eng verwandten Testteilnehmern eine höhere Korrelation zeigen als jene von entfernten Verwandten. Gould kontert mit dem Hinweis, dass Korrelation nicht gleichbedeutend mit Ursache sei, und veranschaulicht das an einem Beispiel: Misst man sein, Goulds, Lebensalter und die Bevölkerung von Mexiko über einen längeren Zeitraum, ergibt sich eine starke positive Korrelation, was jedoch nicht bedeutet, dass sein Alter steigt, *weil* die mexikanische Bevölkerung wächst. Außerdem gilt eine starke positive Korrelation zwischen dem IQ einer Mutter und dem ihres Kindes sowohl als Beweis für die These, dass der IQ vererbt wird, als auch für die These, dass er aus einer beiden gemeinsamen sozialen Umgebung und anderen äußeren Einflüssen resultiert. Da man die Daten benutzen kann, um für den einen wie für den anderen Standpunkt zu argumentieren, sind sie bestenfalls nicht beweiskräftig.

Eine weitere Schwäche der IQ-Tests ist nach Ansicht der Kritiker, dass sie so abgefasst sind, dass die Kenntnis der Antworten von der sozialen Schicht und dem kulturellen Hintergrund der Person abhängt. Bei der Berechnung der Testwerte wird für gewöhnlich nur das Alter berücksichtigt, obwohl es aus mannigfaltigen Gründen enorme Unterschiede im Bildungshintergrund gibt. Viele halten das für ungerecht. Ein Kind aus einer Mittelschichtsfamilie hat wahrscheinlich besseren Zugang zu Büchern und Nachhilfe als ein gleichaltriges Kind aus einer sozial schwachen Familie, dennoch werden die Testwerte beider Kinder gleich behandelt.

Wie stark der kulturelle Hintergrund den IQ-Wert beeinflussen kann, zeigt sich, wenn man versucht, die folgenden Testfragen zu beantworten, die auf der australischen Aborigines-Kultur der Kuuk Thaayorre in Far North Queensland basieren:

1. Welche Zahl kommt in der Folge »eins, zwei, drei« als nächste?
2. »Wallaby und Tier« gehört zusammen wie »Zigarette und …«?
3. Welche Begriffe passen in die Gruppe »Zucker«: Honig, Witchetty-Made, Mehl, Seerosen?
4. Sam, Ben und Harry sitzen zusammen. Sam sitzt Ben gegenüber, und Ben gibt ihm eine Zigarette. Harry kehrt Ben und Sam stumm den Rücken zu und beteiligt sich nicht an dem lebhaften Gespräch zwischen den beiden. Einer der Männer ist Bens Bruder; der andere ist der Sohn von Bens Schwester. Wer ist der Neffe?
5. Sie sind draußen im Busch mit Ihrer Frau und Ihren kleinen Kindern und Sie alle haben Hunger. Sie haben ein Gewehr und Munition bei sich. Sie sehen drei Tiere in Schussweite – einen jungen Emu, ein großes Känguruh und ein junges Wallaby-Weibchen. Welches Tier sollten Sie schießen, um die hungrigen Mäuler Ihrer Familie zu stopfen?

Antworten:
1. Die Antwort lautet *mong* oder viele – die Kuuk Thaayorre zählen nur bis drei.
2. »Baum« ist die korrekte Antwort. Das hängt damit zusammen, dass Kuuk-Thaayorre-Sprecher Tabak früher als Tabak-»Zweige« wahrnahmen und ihn den Bäumen zuordneten.
3. Alle gehören in die Gruppe »Zucker«, weil sie alle zur Gruppe von Objekten gehören, die als *may* oder pflanzliche Nahrung bekannt sind. Witchetty-Maden gehören dazu, weil sie sich in Baumwurzeln finden, und Honig, weil er ebenfalls mit Bäumen und daher mit pflanzlicher Nahrung assoziiert wird. Mehl ähnelt einigen pflanzlichen Nahrungsmittel, die von dieser kulturellen Gruppe selbst hergestellt werden.
4. Das ist eine leichte Frage für die Kuuk Thaayorre. Ein Vermeidungstabu verbietet dem Bruder einer Mutter und dem Sohn einer Schwester sich von Angesicht zu Angesicht zu unterhalten. Sam und Ben sind aufgrund ihrer zwanglosen Unterhaltung offensichtlich Brüder, während es sich bei Harry, der beiden Onkeln den Rücken zukehrt, um den respektvollen Neffen handelt.
5. Das kleine Wallaby-Weibchen ist die korrekte Antwort. Emu ist eine Nahrung, die nur von sehr alten Menschen verzehrt werden sollte. Känguruhs (vor allem große) dürfen nicht von Eltern oder ihren Kindern gegessen werden, weil die Kinder sonst krank werden.

Einige IQ-Tests lassen sich auch aus mathematischen Gründen kritisieren. Beim Mensa-eigenen IQ-Test werden beispielsweise Multiple-Choice-Fragen verwendet (typischerweise mit fünf Wahlmöglichkeiten pro Frage), was bedeutet, dass Glück eine erhebliche Rolle bei der Bestimmung des individuellen IQ-Wertes spielen kann. Angenommen, ein Teilnehmer von »durchschnittlicher« Fähigkeit (zur Beantwortung der Fragen, die sich für gewöhnlich in einem IQ-Test finden) kennt die Antworten auf 50 von 100 gestellten Testfragen. In diesem Fall kann er erwarten, ein Ergebnis von $^{60}/_{100}$ zu erreichen (wenn er sich bei den restlichen Fragen, die er nicht beantworten kann, auf das Raten verlegt und dabei mit $^{10}/_{50}$ abschneidet, da die Wahrscheinlichkeit eines Treffers bei jeder Frage 1 zu 5 beträgt.) Eine andere Person, die ebenfalls die Antworten auf 50 Fragen weiß, hat vielleicht mehr Glück beim Raten und erreicht ein Ergebnis von $^{68}/_{100}$. Wer dagegen eher vom Pech verfolgt ist, landet möglicherweise bei nur $^{52}/_{100}$.

Außerdem sagt uns die Glockenkurvenverteilung bei IQ-Werten, dass zwei Drittel der Weltbevölkerung einen IQ haben, der irgendwo zwischen 85 und 115 liegt. Das heißt, dass sich etwa viereinhalb Milliarden Menschen auf der Welt 31 Zahlenwerte teilen (»Er ist eine 94«, »Du bist eine 110«, »Ich bin eine 103«), was wiederum bedeutet, dass sich 150 Millionen Menschen denselben IQ-Wert teilen. Das klingt für mich ein bisschen nach Astrologie und dem Prinzip, jedem Menschen eines von 12 Sternkreiszeichen zuzuordnen. Ist die menschliche Intelligenz wirklich so gleichförmig, dass sie sich durch eine Hand voll Zahlen erfassen lässt?

Multiple Intelligenzen

Man braucht eindeutig mehr als eine einzelne Zahl, um die Intelligenz eines Menschen zu bewerten. Meiner Ansicht nach wäre es sinnvoller, Intelligenz als ein komplexes Phänomen zu betrachten, das sich am besten als Synthese verschiedener Fähigkeiten und Begabungen verstehen und beschreiben lässt. Auf diese Weise könnte man eine Person in einigen Bereichen als intelligent und als weniger intelligent in anderen betrachten. Wie würden Sie zum Beispiel die Intelligenz der folgenden Personen bewerten?

- Ein Nobelpreisträger, der regelmäßig seine Autoschlüssel verlegt
- Ein drei Mal geschiedener Schachgroßmeister
- Ein Topmanager, der mehrere stressbedingte Herzanfälle hinter sich hat

- Ein kettenrauchender Arzt, der dem Alkohol zugetan ist
- Ein brillanter Komponist, der von seinen Gläubigern verfolgt wird (er hieß Mozart)

Angesichts solcher Widersprüche haben verschiedene Theoretiker in den letzten Jahren versucht, die herkömmliche Sichtweise der Intelligenz zu erweitern. In den Achtzigerjahren schlug der Yale-Psychologe Robert Sternberg die »triarchische« (dreiteilige) Theorie der Intelligenz vor, der zufolge sich Intelligenz aus drei Hauptbestandteilen zusammensetzt: analytische Intelligenz (die Fähigkeit zum Analysieren, Bewerten und Vergleichen), kreative Intelligenz (geschickte Nutzung früherer Erfahrungen, um zu Erkenntnissen zu gelangen und mit neuen Situationen umzugehen) und praktische Intelligenz (die Fähigkeit, sich der realen Umwelt anzupassen, sie auszuwählen und zu gestalten). Menschen mit »Erfolgsintelligenz« sind nach Sternberg jene, die sich ihrer besonderen Stärken und Schwächen in den drei Intelligenzbereichen bewusst sind. Sie finden heraus, wie sie ihre Stärken maximieren, ihre Schwächen ausgleichen und ihre Fähigkeiten für künftige Erfolge weiterentwickeln können.

Wie Sternberg glaubt auch der Psychologe und Erziehungswissenschaftler Howard Gardner, dass es mehr als eine Art von Intelligenz gibt – acht, um genau zu sein – und dass jeder Mensch über eine einzigartige Kombination dieser acht Elemente verfügt. Seine Theorie der multiplen Intelligenzen wurde durch sein Buch *Abschied vom IQ* allgemein bekannt. Gardner benutzte mehrere Kriterien, um die verschiedenen Intelligenzen zu ermitteln, wie zum Beispiel die Existenz von Menschen mit besonderer Begabung für die spezifische Intelligenz, die Wahrscheinlichkeit, dass jede eine bestimmte Rolle in der Evolution gespielt hat, und die Unterstützung durch experimentalpsychologische Befunde. Bei den acht Elementen handelt es sich um:

»Linguistische Intelligenz«: Dazu gehört sowohl die gesprochene wie die geschriebene Sprache, die Fähigkeit, Sprachen zu lernen, und die Fähigkeit, Sprache zu nutzen, um bestimmte Ziele zu erreichen. Beispiele: Autoren, Dichter, Juristen und Redner.

»Logisch-mathematische Intelligenz«: Die Fähigkeit, Probleme zu analysieren, mathematische Operationen durchzuführen und Themen wissenschaftlich zu erforschen. Beispiele: Wissenschaftler, Ingenieure und Mathematiker.

»Musikalische Intelligenz«: Diese Intelligenzform bezieht sich auf die Darbietung, Komposition und Wahrnehmung von musikalischen Strukturen. Klare Vertreter dieser Intelligenz sind alle Musiker.

»Körperlich-kinästhetische Intelligenz«: Der geschickte Einsatz des Körpers oder einzelner Körperteile zur Problemlösung. Beispiele: Sportler, Schauspieler und Tänzer.

»Räumliche Intelligenz«: Dazu gehört ein guter Orientierungssinn ebenso wie die Fähigkeit, Gegenstände zu visualisieren und sie im Kopf zu verändern. Beispiele: Künstler, Architekten und Ingenieure.

»Interpersonale Intelligenz«: Die Fähigkeit, die Gefühle, Ziele und Motive anderer Menschen zu verstehen. Beispiele: Verkäufer, Therapeuten und Politiker.

»Intrapersonale Intelligenz«: Die Fähigkeit, sich selbst, die eigenen Gefühle, Ziele und Motive zu verstehen. Beispiele: Philosophen, Psychologen und Theologen.

»Naturalistische Intelligenz«: Die Sensibilität für Naturphänomene; die Fähigkeit, Neues wachsen zu lassen und zu pflegen, sowie eine Begabung für den Umgang mit Tieren. Beispiele: Landwirte, Gärtner und Umweltschützer.

Viele amerikanische Pädagogen, die Gardners Theorie der multiplen Intelligenzen für die schulische Praxis übernommen haben, berichten von besseren Prüfungsergebnissen, stärkerem elterlichem Engagement und höherer Unterrichtsdisziplin. Zum gleichen Schluss gelangte auch eine von Harvardwissenschaftlern geleitete Studie in 41 Schulen. Sie erklärten, diese Schulen zeichneten sich durch »ein hohes Arbeitsethos, Respekt und Fürsorge aus; die Lehrer arbeiteten zusammen und lernten voneinander; die Schüler hatten begrenzte, aber gewichtige Mitspracherechte bei der Gestaltung des Unterrichts, der insbesondere darauf ausgerichtet war, die Schüler zu erstklassigen Arbeiten zu befähigen.

Eine dritte Theorie, die die IQ-Konzeption der Intelligenz in Frage stellt, ist die der »emotionalen Intelligenz«, wie sie von dem Psychologen und Wissenschaftsjournalisten Daniel Goleman in seinem 1995 erschienenen Bestseller *Emotional Intelligence* (Dt.: *Emotionale Intelligenz*) beschrieben wurde. Goleman argumentiert, dass die Gefühle eines Menschen eine entscheidende Rolle für das Denken, für Entscheidungen und künftigen Erfolg spielen. Er definiert diese Form der Intelligenz als eine Menge von Fähigkeiten, wie Selbstbeherrschung, Selbstmotivation, Empathie und die Fähigkeit, gute Beziehungen zu anderen herzustellen.

EQ (Emotionale Intelligenz) wird dabei nicht als das Gegenteil des IQ aufgefasst: Einige Menschen haben viel von beidem, andere weder das eine noch das andere in nennenswertem Ausmaß. Forscher wie Goleman sind eher daran interessiert, wie die beiden Formen der Intelligenz einander ergänzen, wie also zum Beispiel die Fähigkeit eines Menschen, mit Stress umzugehen, sein Konzentrations- und Denkvermögen beeinflusst.

Sich seiner selbst bewusst zu sein, so Goleman, ist der Schlüssel zu wahrer emotionaler Intelligenz, weil diese den Einzelnen zur Selbstbeherrschung befähigt. Mit Hilfe einer Reihe von Techniken kann jemand sich selbst beibringen, seinen Gefühlszustand zu regulieren – zum Beispiel, indem man bis zehn zählt, um plötzlich aufwallenden Zorn oder Ärger abklingen zu lassen.

Wie Gardners Theorie der multiplen Intelligenzen wurde auch Golemans EQ-Konzept von verschiedenen Schulen in den USA übernommen. Gestützt darauf entwickeln sie »emotionale Alphabetisierungsprogramme«, die den Schülern helfen sollen, ihren Ärger, ihre Frustration oder Einsamkeit besser zu bewältigen. Pädagogen weisen darauf hin, dass Kinder, die zornig oder deprimiert sind, nicht gut lernen und die Gefahr eines Schulabbruchs bei Kindern mit anhaltenden emotionalen Problemen besonders groß ist. Durch die Stärkung ihres Selbstwertgefühls und ihrer Motivation kann man ihnen helfen, ihre Schul- und Prüfungsleistungen zu verbessern.

Ebenso wie der IQ stoßen auch diese alternativen Intelligenz-Konzepte auf Kritik. Kritiker der »multiplen Intelligenzen« bemängeln zum Beispiel, dass die Theorie nicht von empirischen Belegen gestützt wird. Dem EQ-Konzept wird vorgeworfen, dass es eher die Konformität als die Intelligenz messe. Wer könne schließlich sagen, wann der Ärger oder die Traurigkeit (oder andere Gefühle) einer bestimmten Situation angemessen seien oder nicht?

Auch wenn ich mir solcher Kritikpunkte bewusst bin, halte ich es für einen wertvollen Ansatz, die menschliche Intelligenz auf eine Weise zu betrachten, die der ungeheuren Vielfalt in individuellen Denk- und Verhaltensweisen gerecht wird.

Liegt Genialität in den Genen?

Die Kontroversen über das Wesen der Intelligenz erstrecken sich auch auf deren Ursprünge: Sind bemerkenswerte Begabungen angeboren oder erworben (oder beides)? Diese seit Jahrzehnten tobende Debatte über »Natur versus Kultur« polarisiert die öffentliche und wissenschaftliche Meinung, was nicht zuletzt damit zusammenhängt, dass eine Menge auf dem Spiel steht, da die verschiedenen Auffassungen sehr unterschiedliche soziale und politische Folgen haben. Wenn zum Beispiel die Begabungen eines Menschen genetisch festgelegt sind, können wir wenig tun, um die geistigen und körperlichen Fähigkeiten, mit denen wir geboren werden, zu verbessern. Wenn hingegen Umweltfaktoren das Entscheidende sind, dann spielen Erziehung, Disziplin und Engagement eine weit wichtigere Rolle als die Frage, wer unsere Eltern oder Großeltern waren.

Einen möglichen Hinweis auf die Lösung dieses Problems lieferte ein kurioses Projekt, das der exzentrische amerikanische Millionär Robert Klark Graham Ende der Siebzigerjahre gestartet hat. Graham, ein erfolgreicher Brillenfabrikant, wollte Samenspenden von Nobelpreisträgern sammeln und sie an intelligente Frauen verteilen, in der Hoffnung, auf diese Weise eine ganze Generation von Genies zu erzeugen. Wie viele frühere Verfechter von IQ-Tests betrachtete Graham es als Gefahr für die Gesellschaft, dass die »Dummen« sich unkontrolliert fortpflanzen und die Intelligenten aussterben könnten. Sein Samenbank-Projekt – *The Repository for Germinal Choice* – sollte superkluge Menschen hervorbringen, um die Welt vor dem genetischen Niedergang zu bewahren.

Graham richtete seine Samenbank in einem unterirdischen Bunker ein, der sich hinter seiner Ranch in der Nähe von San Diego befand. Er hoffte, diese würde die erste von vielen derartigen Einrichtungen im ganzen Land sein, alle mit dem Ziel, »kreative, intelligente Menschen hervorzubringen, die andernfalls vielleicht nicht geboren würden«. Er überredete höchstpersönlich mehrere Nobelpreisträger zu einer Spende und suchte durch eine Anzeige in einer Mensa-Zeitschrift nach künftigen Müttern.

Als die *Los Angeles Times* im Jahr 1980 über das Projekt berichtete, geriet die Samenbank in die Schusslinie der Kritik. Der Artikel führte dazu, dass Graham in der Presse angeprangert und beschuldigt wurde, eine »Herrenrasse« züchten zu wollen. Doch Graham zeigte keine Reue und setzte sein Vorhaben unbeeindruckt fort: Anfang 1982 ging das erste Baby aus der Samenbank hervor, dem Dutzende und Hunderte folgten, bis die Einrichtung schließlich 1999 geschlossen wurde.

Die meisten aus dem Projekt hervorgegangenen Kinder leben anonym, von daher lässt sich unmöglich mit Sicherheit sagen, wie Grahams bizarres Experiment ausgegangen ist. Einige wenige sind jedoch an die Öffentlichkeit getreten, wie zum Beispiel Doron Blake, »das Aushängeschild« der Samenbank. Ironischerweise glaubt Blake, der mittlerweile Mitte zwanzig ist und eine Ausbildung zum Lehrer macht, nicht daran, dass Genies in der von Graham erwarteten Weise gezüchtet werden können. »Es spielt keine Rolle, was für Gene und Chromosomen ein Kind hat … was wirklich zählt, ist, wie das Kind erzogen und gefördert wird.«

Derselben Ansicht ist zweifellos Laszlo Polgar, ein ungarischer Pädagoge und Autor des Buches *Bring Up Genius!* Polgár zufolge kann jedes Kind ein Genie werden, wenn es von klein auf den richtigen Einflüssen ausgesetzt wird und Anleitung durch die Eltern erfährt. Polgar hat seine Theorie entwickelt, indem er die Biographien von zahlreichen brillanten Köpfen untersuchte und ein gemeinsames Element entdeckte – die frühe und intensive Spezialisierung auf ein bestimmtes Themengebiet. Um den Beweis für seine These anzutreten, beschloss Polgar, seine eigenen drei Töchter – Susan, Sophia und Judit – zu einem Trio von Schachmeisterinnen zu erziehen.

Laszlo und seine Ehefrau Klara waren keine gewöhnlichen Eltern. Sie wollten ihre Töchter unbedingt zu Hause unterrichten und legten sich dafür sogar mit den ungarischen Behörden an. Die Mädchen lernten mehrere Sprachen, darunter Esperanto, und wurden von ihren Eltern auch in höherer Mathematik unterrichtet. Zusätzlich wurden die Mädchen täglich mehrere Stunden im Schachspiel unterwiesen. Zu dem bemerkenswert strengen Lehrplan gehörten sogar zwanzig Minuten täglich, die speziell dem Witzeerzählen gewidmet waren.

Trotz der exzentrischen Erziehungsmethoden sind die Ergebnisse zweifellos beeindruckend: Im Januar 1991 errang Susan als erste Frau den Titel einer Großmeisterin. Im selben Jahr schlug die fünfzehnjährige Judit den Rekord des früheren Weltmeisters Bobby Fischer und wurde die jüngste Großmeisterin aller Zeiten. Alle drei Schwestern haben im Laufe der Jahre große Schachturniere gewonnen und viele der weltbesten Spieler (Männer ebenso wie Frauen) geschlagen.

Der Erfolg der Polgar-Schwestern scheint die These zu bestätigen, die der Entwicklungspsychologe Michael Howe in seinem 1999 erschienenen Buch *Genius explained* darlegte. Howe zufolge ist Genialität nicht das Ergebnis irgendeiner angeborenen Begabung, sondern basiert vielmehr ausschließlich auf harter Arbeit, Ausdauer und Glück. Außerdem plädiert er dafür, Genialität über die

Leistung und nicht über den Besitz angeborener Fähigkeiten zu definieren. Der Ausdruck »erfolgloses Genie« ist seiner Ansicht nach ein Oxymoron.

Howe belegt seine Theorie mit einer Reihe von biographischen Berichten über berühmte Persönlichkeiten wie Mozart, Darwin oder die Brontës. Mozart, so Howe, hatte bis zu seinem sechsten Geburtstag schätzungsweise 3500 Musikstunden von seinem Vater erhalten, und Darwin gehörte zu den am besten vorbereiteten Wissenschaftlern seiner Generation: Mit 22 wurde er für die Reise mit der *Beagle* ausgewählt, weil er als der fähigste Nachwuchsbiologe galt. Auch die Brontës haben, wie Howe zeigt, extrem hart für ihren späteren Erfolg gearbeitet und ihre Fähigkeiten vervollkommnet, indem sie von frühester Kindheit an unzählige Stunden damit verbrachten, Geschichten füreinander zu schreiben.

Ein weiterer wissenschaftlicher Verfechter der These, dass man »nicht als Genie geboren, sondern dazu gemacht wird«, ist Professor K. Anders Ericsson von der Florida State University. Er hat mehr als zwei Jahrzehnte damit verbracht, die Leistungen von Fachleuten in unterschiedlichen Bereichen zu erforschen. Ericssons Arbeiten deuten darauf hin, dass herausragende Leistungen nur durch anhaltende und systematische Übung erzielt werden. In einer Untersuchung stellte er fest, dass Spitzenpianisten bis zu ihrem zwanzigsten Geburtstag über 10 000 Übungsstunden absolviert haben – bis zu fünf Mal mehr als ihre weniger erfolgreichen Kollegen. Untersuchungen bei anderen Musikern, Schachspielern und Sportlern führten zu ähnlichen Ergebnissen.

Große Leistungen erfordern zweifellos viel Fleiß und Anstrengung, doch ob Übung allein ausreicht, ist fraglich. Viele Wissenschaftler stehen dieser, wie sie sagen, »Plackerei-Theorie« der Genialität skeptisch gegenüber. Dazu gehört der Neurowissenschaftler Ognjen Amidzic, der das Beispiel der Polgar-Schwestern als »wunderbare Fügung« bezeichnet. Amidzic, der sein eigenes privates Labor in der Schweiz leitet, wollte früher Berufsschachspieler werden. Er übte unablässig, zog als Jugendlicher sogar nach Russland, um von den Großmeistern zu lernen. Doch mit Anfang zwanzig stellte er fest, dass er keine weiteren Fortschritte mehr machte, und musste seinen Plan aufgeben. Seine Enttäuschung führte ihn zur Kognitionswissenschaft, denn er wollte verstehen, was schiefgegangen war.

Mit Hilfe bildgebender Verfahren entdeckte Amidzic einen großen Unterschied zwischen Großmeistern und hochtrainierten Amateuren, wie er einer war: Die Großmeister nutzten wesentlich größere Anteile ihres frontalen und parietalen Kortexes (Areale, die für das Langzeitgedächtnis und die Verarbeitung höherrangiger Aufgaben zuständig sind). Amateure wie er zeigten dagegen eine stärkere Aktivierung in den medialen Temporallappen (zuständig für das Kurzzeitgedächtnis). Wenn das erworbene Wissen der Amateure nicht ins Langzeitgedächtnis übertragen wird, müssen sie am Ende viele der bereits gelernten Techniken und Ideen abermals erlernen. Das führt dazu, dass sie nicht fähig sind, über ein bestimmtes Niveau hinaus nennenswerte Fortschritte zu machen.

Amidzics Forschungen sprechen dafür, dass das Verhältnis, in dem frontaler und parietaler Kortex einerseits und mittlere Schläfenlappen andererseits an der mentalen Verarbeitung beim Schachspiel beteiligt sind, genetisch festgelegt ist und gleich bleibt, unabhängig davon, wie viel Zeit man in Übung und Lernanstrengung investiert. Bei Großmeistern liegt dieses Verhältnis bei 80:20, während es bei versierten Amateuren wie Amidzic im Allgemeinen 50:50 beträgt. Retrospektive Analysen von älteren Spielern scheinen dieses Ergebnis zu bestätigen, denn auch bei ihnen gibt es starke Entsprechungen zwischen ihren Testwerten und ihren historisch höchsten Plätzen in der Weltrangliste. Amidzic behauptet sogar, mit Hilfe dieser Verhältniszahlen genau vorhersagen zu können, welche Leistungsspitze ein Kind beim Schach erreichen wird.

Auch das Beispiel meiner eigenen Familie deutet darauf hin, dass individuelle Begabungen sowohl angeboren als auch Folge der »Erziehung« sind. Geboren wurden wir in einer der wirtschaftlich schwächsten Regionen Großbritanniens, verlebten aber im Großen und Ganzen eine glückliche, wenn auch unkonventionelle Kindheit: Bei so vielen Kindern (fünf Mädchen und vier Jungen) und so wenig Geld hatten meine Eltern weder die Zeit noch die Mittel, um unsere individuellen Interessen in dem Ausmaß zu fördern, wie sie es gern getan hätten. Unser Erfolg stellte sich *trotz*, nicht *wegen* der Umgebung ein, in der wir aufwuchsen. Meine Schwester Claire etwa erhielt als einer der drei besten Schüler ihres Jahrgangs eine Auszeichnung für ihre Leistungen; anschließend studierte sie mit Erfolg Englisch und Philosophie (derzeit macht sie ihren Master-Abschluss als Archivarin). Zwei weitere meiner Schwestern, Maria und Natasha, schlossen die Schule im Alter von sechzehn Jahren mit den höchsten Noten ab, obwohl sie wegen ihres schlechten Gesundheitszustands viel Unterricht versäumt hatten. Mein Bruder Steven, der wie ich das Asperger-Syndrom hat, hat sich selbst beigebracht, Gitarre und Bousouki zu spielen, und lernt momentan im Selbststudium Chinesisch. Meine jüngste Schwester Shelley las schon vor ihrem zehnten Lebensjahr mit großem Vergnügen die (aus der Bücherei entliehenen) Romane von Jane Austen und den Brontë-Schwestern.

Ich stelle mir Talent, ganz im ursprünglichen Sinn des Wortes, als ein Gewicht oder eine Neigung vor, die eine Person in eine bestimmte Richtung drängt. Dementsprechend glaube ich, dass jeder mit bestimmten Talenten geboren wird, deren Entfaltung durch Engagement und Fleiß gefördert wird. Im Großen und Ganzen schließe ich mich dem wissenschaftlichen Konsens an, dem zufolge herausragende Leistungen sowohl genetisch als auch aus sozial bedingt sind. Mit anderen Worten, ich teile die Idee der biologischen Vielfalt, aber nicht (und da weiß ich mich mit Stephen Jay Gould und anderen eins) die Idee eines biologischen Determinismus.

Der Versuch, den Nachweis dafür zu erbringen, dass die Begabungen eines Menschen ausschließlich ein Produkt harter Arbeit sind, geht meiner Ansicht nach in die falsche Richtung. Die Vorstellung, einer größtenteils zufälligen Umwelt und ihren Auswirkungen hilflos ausgeliefert zu sein, ist kaum humaner als die Vorstellung, Gefangene unserer Erbanlagen zu sein. Wenn wir Talent als etwas betrachten, das spontan auftaucht – wie ein Vogel im Flug – und das sich durch die subtilen und komplexen Wechselwirkungen einer Vielzahl von genetischen und sozialen Faktoren ergibt, so ist das zweifellos die richtige menschliche und wissenschaftliche Sichtweise. Ohne unsere individuellen Begabungen wären wir alle dazu verurteilt, uns den wie immer gearteten äußeren Bedingungen unserer Geburt wie Sklaven zu unterwerfen. Stattdessen kann jeder von uns voll Zuversicht auf das Wissen bauen, dass er durch seine Menschlichkeit etwas Einzigartiges und Wunderbares zu der uns umgebenden Welt beizutragen hat. Am Ende zählt nicht die Größe unseres Gehirns, sondern die Tiefe unseres Geistes.

3. Sehen, was nicht da ist

Angenommen, Sie betreten einen Raum, in dem ein Dutzend Alltagsgegenstände verstreut sind. Nach einigen Minuten verlassen Sie den Raum wieder, während eine andere Person hineinkommt und einen der Gegenstände entfernt. Wenn Sie etwas später zurückkehren, werden Sie wahrscheinlich sofort sagen können, welcher Gegenstand fehlt. Als wären Sie mit übernatürlichen Fähigkeiten ausgestattet, sind Sie dazu in der Lage, weil Sie sehen, *was nicht da ist*. Das ist die Magie der Erinnerung.

Als ich im März 2004 22514 Dezimalstellen der mathematischen Konstante Pi (3,141 ...) auswendig vortrug, erschien das vielen Menschen wie Zauberei. Tatsächlich war diese Leistung (ein europäischer Rekord) das Ergebnis wochenlangen disziplinierten Lernens, unterstützt durch die ungewöhnliche Art, wie ich Zahlen wahrnehme, nämlich als komplexe, multidimensionale und strukturierte Formen. Dadurch war ich in der Lage, die Ziffern von Pi vor meinem inneren Auge zu visualisieren und zu erinnern wie ein vorüberziehendes Zahlenpanorama, dessen Schönheit mich ebenso entzückte wie verzauberte.

Eine meiner schönsten Erinnerungen an das Pi-Ereignis vor vier Jahren in Oxford ist das tiefe Glücksgefühl, das ich beim Anblick der Zahlen und ihrer Schönheit empfand. Die öffentliche Rezitation von Zahl um Zahl um Zahl entwickelte sich für mich, während ich mich immer mehr dem Strom der Zahlen überließ, zu einer Art Meditation. Obwohl die Ziffern von Pi, mathematisch gesprochen, völlig willkürlich aufeinander folgen, war meine innere Repräsentation alles andere als das – erfüllt von rhythmischen Schlägen und Strukturen aus Licht, Farbe und Persönlichkeit. Ich konnte aus dieser willkürlichen Ziffernansammlung eine Art visuelle Melodie komponieren, die sich durch jeden Winkel meines Geistes zog und mich befähigte, die Musik der Zahlen zu hören.

Die Fähigkeit, eine gewaltige Fülle von sehr speziellen Informationen zu erinnern, ist allen Savants gemeinsam. Kim Peek, das Vorbild für die von Dustin Hoffman verkörperte Figur in *Rain Man*, erinnert ungeheure Mengen an Fakten und Zahlen zu mehr als einem Dutzend Themen aus Tausenden von Büchern, die er im Laufe der Jahre gelesen hat. Kim und sein Vater Fran bereisen die gesamte USA und treten in Schulen, Colleges und Krankenhäusern auf, wo Kim Fragen der Zuhörer beantwortet. Fran zufolge kann Kim nahezu alle Fragen, die ihm gestellt werden, beantworten.

Ich lernte Kim und seinen Vater im Sommer 2004 in Salt Lake City kennen. Das Treffen fand im Rahmen eines Dokumentarfilms über mein Leben mit dem Savant-Syndrom statt und ich nutzte die Gelegenheit, um durch ein simples Experiment zu überprüfen, wie Kims Erinnerungsvermögen funktioniert. Die Film-Crew, die mich auf der Reise begleitete, hatte als Geschenk für Kim ein Buch über britische Geschichte mitgebracht und ich bat ihn, einige Minuten lang eine beliebige Seite daraus zu lesen. Anschließend wählte ich zwei Fakten von der Seite aus, die Kim gerade gelesen hatte: die eine Information (das Geburtsdatum einer berühmten historischen Figur) hatte er wahrscheinlich schon in vielen anderen Geschichtsbüchern gelesen; die andere (eine genaue quantitative Angabe zu einem Material) war wesentlich spezifischer und fand sich vermutlich nur in diesem Buch. Kim erinnerte sich mühelos an die erste Information, aber nicht an die zweite.

Der Grund dafür ist, dass Kim genau genommen kein fotographisches Gedächtnis hat (dass das Gehirn eines Savants Informationen wie eine Kamera aufnimmt, ist ein Mythos). Vielmehr prägt sich Kim die gewaltige Menge an Informationen ein, indem er die von ihm gelernten Fakten zu einem mentalen Netzwerk von Abertausenden von verschiedenen Assoziationen und Verbindungen verwebt. Im Gespräch mit ihm zeigte sich diese Art eines extrem assoziativen Denkens (was meiner eigenen Erfahrung nach typisch dafür ist, wie das Savant-Gehirn arbeitet) sehr schnell – irgendein beliebiger Begriff oder Name in einem Satz löste spontan eine Flut von lose damit verknüpften anderen Begriffen, Namen oder Fakten aus. Kim reagierte sogar gelegentlich auf ein Wort oder eine Tatsache, indem er zu singen begann – einen Liedtext, der eine entfernte Verbindung zu dem gerade Gesagten hatte. Die Fähigkeit, eine neue Information in dieses dichte, höchst komplexe Netz zuvor erworbener Informationen einzufügen, verleiht Kim und anderen Savants ihre bemerkenswerten Erinnerungsfähigkeiten.

Die Erkenntnis, dass Savants in Wahrheit kein fotographisches Gedächtnis besitzen, macht deutlich, wo die Grenzen ihres Erinnerungsvermögens liegen. Banale Informationen erinnert Kim zum Beispiel nur, wenn sie mit Themen zusammenhängen, die ihn interessieren. So ist sein Gedächtnis weit weniger fähig, ein Gedicht aufzunehmen, als eine Liste mit historischen Daten. Bei mir ist es so, dass es mir sehr schwerfällt, mich an Gesichter zu erinnern, selbst an die von Menschen, die ich seit vielen Jahren kenne. Jedes menschliche Gesicht ist ungeheuer komplex – nicht nur, weil es sich aus so vielen Einzelheiten zusammensetzt, sondern auch, weil ein Gesicht und seine Züge niemals statisch, sondern ständig in Bewegung sind. Deshalb erinnere ich die Gesichter von Freunden und Familienangehörigen, indem ich mir neuere Fotos von jedem ins Gedächtnis rufe.

Professor Simon Baron-Cohen und sein Team am britischen Autism Research Center in Cambridge haben die Unterschiede zwischen meinem Zahlengedächtnis und meiner Gesichtererkennung genauer untersucht. Sie stellten fest, dass meine Fähigkeit, mir lange Zahlenreihen zu merken und abzurufen, verglichen mit einer Gruppe nichtautistischer Personen sehr hoch entwickelt ist, während meine Fähigkeit, Fotos von Gesichtern wiederzuerkennen, die man mir nur eine Stunde zuvor gezeigt hatte, erheblich eingeschränkt ist. Bei den meisten Menschen stellt sich spontan ein freudiges Gefühl ein, wenn sie ein menschliches Gesicht wiedererkennen. Bei mir scheint der dafür zuständige Hirnteil anders verdrahtet zu sein, sodass ich eben diese Gefühle beim Anblick von Zahlen erlebe.

Meine Schwierigkeit, mich an Gesichter zu erinnern, macht deutlich, dass die meisten Menschen, was immer sie vermuten mögen, im Grunde ein sehr gutes Gedächtnis besitzen: Man bedenke nur, wie viele verschiedene Gesichter (und damit zusammenhängende persönliche Daten, Klatsch und andere Banalitäten) der Durchschnittsmensch im Laufe seines Lebens mühelos wiedererkennen und erinnern kann. Der Unterschied zwischen dem Gedächtnis von Savants und dem der allgemeinen Bevölkerung liegt nicht so sehr darin, wie wir uns erinnern, sondern was wir erinnern. Ich kann mir Zahlen und Fakten wesentlich leichter einprägen, während die meisten Menschen sich besser an Gesichter erinnern. Die Fähigkeit von Savants, Informationen abzurufen, ist in vielerlei Hinsicht vergleichbar mit der anderer Menschen. Auch wenn unsere Erinnerungen umfassender und detaillierter sind, sind sie dennoch ausgesprochen menschlich.

Die wissenschaftliche Erforschung des Gedächtnisses

Wenn Wissenschaftler über das Gedächtnis sprechen, verwenden sie ein breites Spektrum von Begriffen, um die verschiedenen Formen des Abrufs zu beschreiben. Die meisten Forscher unterscheiden zwischen drei Haupt-Gedächtnissystemen: Das *episodische Gedächtnis* bezieht sich auf Erinnerungen an bestimmte autobiographische Ereignisse, die häufig mit einem bestimmten Ort und einer bestimmten Zeit verbunden sind. Das *semantische Gedächt-*

nis beschreibt unsere Fähigkeit, allgemeinere Informationen wie Worte, Fakten und Ideen zu erinnern und beispielsweise zu erkennen, dass 8 zum Quadrat 64 ergibt, dass Hinduismus eine Religion ist oder wie der Vorname unserer Großmutter lautet. Das *prozedurale Gedächtnis* umfasst unsere Fähigkeit, neue Fertigkeiten zu erwerben und sie automatisch, ohne Nachdenken, anzuwenden: Dazu gehört, dass wir wissen, wie wir Schnürsenkel zusammenbinden, auf einen Baum klettern oder Auto fahren. Anders als die ersten beiden Gedächtnisformen verlangt das prozedurale Gedächtnis keine bewusste Erinnerungsanstrengung.

Die meisten Alltagsaufgaben erfordern ein reibungsloses Zusammenspiel dieser Gedächtnissysteme. Wer zum Beispiel lernt, ein Instrument zu spielen, braucht das episodische Gedächtnis, um sich die Anordnung der Tasten/Saiten zu merken und neue Melodien zu lernen, das semantische Gedächtnis für den Abruf von Liedertexten und später dann das prozedurale Gedächtnis, um spielen zu können, ohne über jede einzelne Note nachdenken zu müssen.

Der Psychologe Endel Tulving, einer der weltweit führenden Gedächtnisforscher, glaubt, es bestehe eine enge Verbindung zwischen dem, wie er ihn nennt, *Erinnernden* und dem Erinnerten. Er vergleicht die subjektive Erfahrung, dass man Ereignisse aus der Vergangenheit wachruft, mit einer »mentalen Zeitreise«. Eine wachsende Zahl von wissenschaftlichen Studien unterstützt Tulvings Ansicht, dass unsere Erinnerungen weniger objektive Schnappschüsse als vielmehr subjektive Neuinterpretationen früherer Erfahrungen sind und zu einem Großteil davon beeinflusst und geprägt werden, welche Gedanken und Gefühle uns im Moment des Erinnerns bewegen.

Gedächtnisforscher unterscheiden zum Beispiel zwischen zwei Arten des Erinnerns, *Feld-* und *Beobachtererinnerungen:* Wenn die Erinnerungen aus der Beobachterperspektive abgerufen werden, sieht man sich selbst als Teil des abgerufenen Geschehens. Bei den Felderinnerungen blickt man dagegen »nach draußen« und betrachtet das Geschehen aus einer Perspektive, die derjenigen ähnelt, die man eingenommen hat, als das Ereignis tatsächlich stattfand. Der Begründer der Psychoanalyse, Sigmund Freud, vertrat im Hinblick auf den Unterschied zwischen Feld- und Beobachtererinnerungen den Standpunkt, dass die Beobachter-Perspektive zwangsläufig die Versionen der ursprünglichen Ereignisse verändert, weil es unmöglich ist, sich selbst auf diese Weise in der Realität zu sehen. Untersuchungen haben ergeben, dass wir uns weit zurückliegender Ereignisse öfter aus der Beobachterperspektive entsinnen, während die jüngeren Erlebnisse in der Regel als Felderinnerungen ins Gedächtnis gerufen werden.

Die Kognitionspsychologen Georgia Nigro und Ulric Neisser führten Anfang der 1980er Jahre die ersten wissenschaftlichen Studien zu Feld- und Beobachtererinnerungen durch. Sie forderten eine Gruppe von Probanden auf, sich an Ereignisse aus ihrer persönlichen Vergangenheit zu erinnern und sich dabei bei jeder Episode auf ihre Gefühle zu konzentrieren. Eine zweite Gruppe wurde gebeten, ihre Aufmerksamkeit auf die objektiven Umstände der erinnerten Ereignisse zu richten. Die Wissenschaftler stellten fest, dass die Teilnehmer mehr Felderinnerungen erlebten, wenn sie auf ihre Gefühle achteten, aber mehr Beobachtererinnerungen, wenn sie sich auf die objektiven Umstände konzentrierten. Dieses Ergebnis deutet darauf hin, dass das Wesen unserer Erinnerungen – ob wir uns beispielsweise selbst als Handelnder bei einem wachgerufenen Ereignis sehen – vom Erinnerungszeitpunkt abhängt und von den Zielen und Absichten geprägt wird, die uns bewegen, wenn wir uns ein bestimmtes Erlebnis aus unserer Vergangenheit ins Gedächtnis rufen wollen.

Das subjektive Wesen der Erinnerung zeigt sich zudem an der Beobachtung, dass verschiedene Menschen sehr unterschiedliche Aspekte derselben Objekte oder Ereignisse erinnern. Die französische Künstlerin Sophie Calle interessierte sich dafür, welche Aspekte eines Gemäldes beim Betrachter, der mit dem Bild vertraut ist, haften bleiben. Um eine Antwort auf diese Frage zu finden, bat sie mehrere Mitarbeiter des Museums of Modern Art in New York, ihre Erinnerungen an René Magrittes Bild »Der bedrohte Mörder« zu beschreiben, nachdem es von seinem üblichen Platz im Museum entfernt worden war. Ein Sicherheitsbeamter erinnerte das Bild als »eine Mordszene, Männer in dunklen Anzügen, eine bleiche Frau und rote Blutspritzer«. Ein anderer, für die Säuberung des Gemäldes zuständiger Mitarbeiter konnte eine wesentlich detailliertere Beschreibung geben: »Es ist ein Bild mit einer glatten Oberfläche ... ungefähr 1,50 Meter hoch und 2 Meter lang. Gerahmt ist es mit glatten, dunkel-walnussfarbenen Leisten und hat etwas Strenges. Mir hat das Bild nie gefallen. Ich mag keine gemalten Geschichten.« Ein Dritter, ein Kurator, erinnerte das Bild folgendermaßen: »Es weckt Assoziationen mit dem *Film noir,* mit einem Kriminalroman ... Man entdeckt lauter kleine Hinweise, die wahrscheinlich alle ins Leere führen. Männer mit dunklen Umhangen und schwarzen Melonen, gekleidet wie Albert Finney in *Mord im Orient Express,* befinden sich in einem Zimmer mit einer Leiche. Im Zentrum des Bildes hebt die Gestalt, die der Täter zu sein scheint, die Nadel eines Grammophons an. Zwei seltsam aussehende Personen verstecken sich an der Seite. Vom Balkon schaut ein Gesicht herein. Und wenn man sie (die Frau, die auf der Couch liegt) genauer betrachtet, erkennt man, dass das Handtuch wahrscheinlich einen abgeschlagenen Kopf verbirgt.«

Schon die reine Vielfalt der Erinnerungen bei Calles Projekt bestätigt, dass unsere Erinnerungen an ein Objekt wie ein Gemälde davon abhängen, was für Gedanken und Gefühle wir ihm zum Zeitpunkt der Betrachtung entgegenbringen. Welche speziellen Elemente eines Objekts oder Ereignisses wir erinnern, hängt außerdem von der Art des vorher existierenden Wissens in unserem Langzeitgedächtnis ab. Der Kurator zum Beispiel konnte viele Details der Darstellung vergegenwärtigen und bezog sich dabei auf den Film noir, auf Kriminalromane und den Film *Mord im Orient Express.* Sein diesbezügliches Wissen erleichterte es ihm wahrscheinlich, ähnliche Elemente im Bild zu erkennen und zu erinnern.

Wie sich zeigt, rufen wir nicht einfach Fakten aus dem Gehirn ab, wenn wir etwas Vergangenes wachrufen, sondern rekonstruieren es und werden dabei von unserem Interesse, unserem Wissen und unseren Gefühlen zur Zeit des Ereignisses und zum Zeitpunkt des Erinnerns beeinflusst. Der Neurologe Antonio Damasio behauptet, dass wir uns auf diese Weise erinnern, weil es keine einzelne, genau lokalisierbare Hirnregion gibt, in der die Erinnerung an eine frühere Erfahrung abgelegt ist. Verschiedene Aspekte eines Erlebnisses aktivieren vielmehr unterschiedliche Hirnregionen, sodass das Erinnern ein Prozess ist, bei dem diese verteilten Elemente wieder zusammengefügt werden. Unsere Erinnerungen sind also Neuinterpretationen und keine exakten Nachbildungen des ursprünglichen Ereignisses. Damasio betont auch, dass schon der Akt des Erinnerns den Charakter unserer Erinnerungen beeinflusst: »Wenn wir uns einen bestimmten Gegenstand, ein Gesicht oder Ereignis ins Gedächtnis rufen, erhalten wir nicht eine exakte Reproduktion, sondern eine Interpretation, eine Rekonstruktion des Originals.«

Unsere Erinnerungen sind folglich laufende Prozesse, die von der Gegenwart mindestens ebenso beeinflusst werden wie von der Vergangenheit. Genau genommen entsteht bei jeder Erinnerung an die Vergangenheit etwas Neues, das aus der Interaktion zwischen sensorischen Fragmenten im Gehirn und der Situation, in der wir das ursprüngliche Ereignis erinnern, erschaffen wird. Der Harvard-Psychologe Daniel Schacter hat genauestens untersucht, wie sich die Merkmale unserer gegenwärtigen Umgebung auf unsere Erinnerungen auswirken können. In einer Studie wurden College-Studenten aufgefordert, sich Fotos von Personen anzusehen, während man diese zugleich mit freundlicher oder gereizter Stimme sprechen hörte. Anschließend legte man ihnen abermals die einzelnen Fotos vor und bat sie, sich den Tonfall der Person ins Gedächtnis zu rufen. Wenn die Studenten ein lächelndes Gesicht sahen, war es wahrscheinlicher, dass sie die Person in ihrer Erinnerung mit einer freundlichen Stimme verbanden, während sie bei Fotos von mürrischen Gesichtern dazu neigten, sich an eine unfreundliche Stimme zu erinnern. Diese Assoziationen entstanden trotz der Tatsache, dass kein Zusammenhang zwischen den Gesichtsausdrücken der Personen und ihrem Tonfall bestand. Die Erinnerung der Studenten wurde signifikant von den Merkmalen der Fotos beeinflusst, die man ihnen zum Erinnern vorlegte.

Sogar ganz persönliche, intime Erinnerungen sind eher komplexe Rekonstruktionen als Schnappschüsse von der Vergangenheit. Martin Conway und David Rubin, die den Bereich des autobiographischen Gedächtnisses erforschen, vertreten die Ansicht, dass das autobiographische Wissen des Einzelnen aus mehreren Schichten besteht und drei klar getrennte hierarchisch geordnete Ebenen umfasst. Die höchste Ebene in der Hierarchie enthält Erinnerungen, die Jahre oder Jahrzehnte umfassen, zum Beispiel die Schulzeit oder die Jahre, die man in einer bestimmten Stadt gelebt hat. Die mittlere Ebene enthält Erinnerungen an allgemeine Ereignisse, gemessen in Tagen, Wochen oder Monaten, etwa an einen Sommerurlaub oder den ersten Ferienjob. Die unterste Ebene umfasst Erinnerungen an einzelne Ereignisse, die Sekunden, Minuten oder Stunden währten, wie das erste Mal, als man eine Wassermelone probierte, oder einen Traum, den man kürzlich hatte.

Wissenschaftliche Untersuchungen dieser Erinnerungsarten zeigen, dass die drei autobiographischen Wissensebenen unterschiedlichen Zwecken dienen und möglicherweise sogar von unterschiedlichen Systemen im Gehirn rekonstruiert werden. Erinnerungen an allgemeine Ereignisse werden tendenziell häufiger beschrieben als die anderen Ebenen, wahrscheinlich weil sie sich auf frühere Ereignisse beziehen, die sich häufiger wiederholt haben und daher leichter abrufbar sind. Deshalb bilden sie natürliche Ansatzpunkte für unsere persönlichen Reminiszenzen. Erinnerungen an Lebensphasen – die höchste Ebene der autobiographischen Gedächtnishierarchie – helfen uns beim Aufspüren des autobiographischen Wissens, das auf den unteren Ebenen der allgemeinen oder ereignisspezifischen Erinnerungen gespeichert ist.

Conway und Rubin unterstützen die These, dass die Erinnerung eine komplexe, subjektive Rekonstruktion der Vergangenheit ist, und vertreten die Auffassung, dass es im Gehirn keine einzelne gespeicherte Repräsentation gibt, die in einer Eins-zu-eins-Beziehung zu den autobiographischen Erinnerungen der Person steht. Unsere Erinnerungen sind vielmehr stets Konstruktionen, die aus Informationsfragmenten der drei hierarchischen Ebenen des autobiographischen Wissens zusammengesetzt werden.

Angesichts der Nachweise für die rekonstruktive Komplexität und den Gefühlsreichtum unserer Erinnerungen verabschieden sich mehr und mehr Kognitionswissenschaftler von dem bekannten Vergleich des Gehirns mit einem Computer. Der Neurologe und Nobelpreisträger Gerald Edelman hat diese Haltung treffend mit folgenden Worten zum Ausdruck gebracht: »Das menschliche Gedächtnis umfasst eine vielschichtige Struktur erworbenen Wissens, das sich durch die verarmte Sprache der Computerwissenschaft – ›Speicher‹ ›Datenabruf‹ ›Input‹ ›Output‹ – nicht angemessen wiedergeben lässt.«

Ein besseres Gedächtnis

Das subjektive Wesen unserer Erinnerungen deutet darauf hin, dass es genauso viele Arten des Erinnerns geben könnte, wie es Menschen gibt, die sich erinnern. Eingedenk dieser Erkenntnis lege ich auf den folgenden Seiten eine Reihe von Vorschlägen dar, die man ausprobieren kann, um das eigene Gedächtnis zu verbessern. Ich erläutere diese Vorschläge, die sich auf gut belegte wissenschaftliche Modelle stützen, am Beispiel meiner persönlichen Erfahrungen sowie denen mehrerer Freunde, die mir großzügigerweise erlaubt haben, darüber zu berichten.

Das vielleicht wichtigste Element, um seine Gedächtnisleistung zu steigern, besteht darin, sich auf die Bedeutung einer Lernerfahrung zu konzentrieren, um sie so tief wie möglich zu enkodieren. Gedächtnisforscher haben nachgewiesen, dass eine Information später umso erfolgreicher abgerufen werden kann, je größer ihr enkodierter Bedeutungsgehalt ist. Bei Studien werden die Probanden zum Enkodieren angeleitet, indem sie spezifische Fragen nach der zu kodierenden Information beantworten müssen. Eine Frage wie: »Enthält ›Spinne‹ mehr Vokale oder mehr Konsonanten?« führt zu einer oberflächlichen, nichtsemantischen Kodierung des Wortes, bei der die Person nicht über die Bedeutung des Begriffs nachdenken muss, während sie bei einer Frage wie: »Bezeichnet *Spinne* eine Tierart?« dazu veranlasst wird, über die Bedeutung des Wortes »Spinne« nachzudenken, wodurch eine tiefere bedeutungsbezogene Enkodierung stattfindet. Wird nur die erste Frage gestellt, ist die Wahrscheinlichkeit, dass Probanden das Zielwort »Spinne« bei einem späteren Gedächtnistest abrufen können, wesentlich geringer.

Interessanterweise haben Wissenschaftler festgestellt, dass eine besonders hohe Gedächtnisleistung nur durch eine bestimmte Form der semantischen Verschlüsselung bewirkt wird, nämlich durch die sogenannte »elaborierte Enkodierung«, die der Person ermöglicht, neue Informationen mit bereits vorhandenem Wissen zu verbinden. Stellt man beispielsweise die Frage: »Ist *Spinne* ein Nahrungsmittel?«, muss der Befragte zwar auf die Bedeutung des Wortes achten, um antworten zu können, integriert aber das Zielwort nicht mit seinem bereits bestehenden Wissen über Spinnen. Deshalb schneiden Probanden überraschend schlecht ab, wenn sie bei nachfolgenden Erinnerungstests gefragt werden, ob man ihnen das Wort »Spinne« präsentiert hat.

Die elaborierte Enkodierung versetzt erfahrene Schauspieler in die Lage, sich lange Textpassagen sehr genau einzuprägen. Anstatt zu versuchen, ihren Text einfach auswendig zu lernen, analysieren die Schauspieler das Drehbuch, suchen nach der tieferen Bedeutung des Stoffs, um die Motive und Ziele ihrer Figuren besser zu verstehen. Studien bestätigen, dass Lernende, die aufgefordert werden, »alle körperlichen, mentalen und emotionalen Kanäle zu nutzen, um einer anderen (realen oder imaginären) Person die Bedeutung des Stoffs zu vermitteln«, erheblich besser in der Lage sind, sich den Text einzuprägen als Vergleichsgruppen, die den Text nur zum eigenen Verständnis lesen.

Auch ich nutze eine Form des elaborierten Kodierens, um mir Wörter, zum Beispiel fremdsprachige Vokabeln, besser einzuprägen. Als ich zum Beispiel das französische Wort *grenouille* (Frosch) lernte, machte ich mir bewusst, dass die Endung »-ouille« auch in Wörtern vorkommt, die ich bereits kannte, wie »la citrouille« (Kürbis) oder »je chatouille« (ich kitzle); außerdem verband ich den Wortanfang »gren-« mit dem Wort »grün«, weil Frösche häufig grün sind. Im folgenden Kapitel (über Spracherwerb) werde ich einige weitere Beispiele für die Art, wie ich Fremdsprachen lerne, vorstellen.

Wenn ich an französische Vokabeln denke, fällt mir eine Geschichte ein, die mir ein Freund über seine Urgroßmutter erzählt hat; sie kam nach dem Zweiten Weltkrieg aus Frankreich nach England, um als Köchin für eine englische Familie zu arbeiten. Da sie kein Englisch sprach, benutzte sie ihre eigene Methode, um sich die Wörter einzuprägen, die sie im Haus hörte, und verknüpfte sie mit dem, was sie am besten kannte – mit den französischen Bezeichnungen für verschiedene Nahrungsmittel. Auf diese Weise konnte sie sich einen Ausdruck wie »goodnight« einprägen, indem sie ihn mit »gousse d'ail« (Knoblauchzehe) assoziierte.

Ein weiterer Freund, der ein extrem gutes Gedächtnis für die Gesichter seiner früheren Mitschüler hat, nutzte diese Fähigkeit, um sich eine weitere sehr wichtige Wortgruppe, nämlich Namen, einzuprägen. Wenn er jemanden kennenlernt und den Namen hört, denkt er spontan an einen seiner Klassenkameraden zurück, der genauso hieß. So stellt er eine Verbindung zwischen dem Bild dieses alten Freundes aus Schultagen und der Person, die er gerade kennengelernt hat, her, und das hilft ihm, sich den neuen Namen zu merken.

Leichter abrufbar werden Informationen auch dann, wenn man sich beim Lernen um ein tieferes Verständnis bemüht, anstatt einfach Fakten auswendig zu lernen. Wenn ich mir zum Beispiel die Namen und historischen Daten von englischen Monarchen oder amerikanischen Präsidenten einprägen will, tue ich dies nicht, indem ich sie mir selbst immer wieder aufsage, sondern indem ich mir die Umstände bewusst mache, die sich hinter den Namen und

Daten verbergen. Dieser Kontext erweitert mein Verständnis, was meinem Gedächtnis auf die Sprünge hilft. Man kann sich besser merken, dass Eduard VI. nach Heinrich VIII. kam, gefolgt von Maria I. und dann Elizabeth I., wenn man weiß, dass Männer immer die Ersten in der Thronfolge sind, auch wenn sie später geboren werden (wie im Fall von Eduard). Nützlich zu wissen ist auch, dass Eduard der einzige Sohn von Heinrich war und ihm deshalb Frauen nachfolgten: Maria war die Tochter von Heinrichs erster Frau, Elizabeth die Tochter seiner zweiten. Deshalb folgte Maria ihm als Erste auf den Thron. Wenn man sich die Liste der Präsidentschaftsperioden im Weißen Haus einprägen will, ist es gut zu wissen, dass die amerikanischen Präsidenten für vier Jahre gewählt werden und maximal zwei Amtszeiten regieren dürfen (laut dem 22. Zusatzartikel der amerikanischen Verfassung) und dass nur Franklin Delano Roosevelt mehr als zwei Amtszeiten zugestanden wurden (er wurde zwischen 1932 und 1944 vier Mal gewählt).

Als Kind lernte und erinnerte ich vieles, indem ich meine Fantasie spielen ließ. Rollenspiele sind ein sehr effektives Mittel, um neue Informationen zu kodieren, denn dazu muss man gründlich nachdenken und über sich selbst reflektieren. »Wie mache ich das?« und »Wie würden andere es machen?« sind nützliche Fragen, die man sich selbst stellen kann, wenn man etwas Neues lernt. Eines der Lernspiele, denen ich mich gern zusammen mit meinen Geschwistern hingab, bestand darin, eine Regierung zu bilden – als der »Premierminister« musste ich mich mit allen Verbündeten beraten, Strategien entwickeln, ein Budget aufstellen, Steuern eintreiben, Wahlen organisieren und mich dabei auf das Wissen stützen, das ich aus Büchern über Politik, Wirtschaft und Wahlsysteme gewonnen hatte. Die praktische Umsetzung des Gelernten im Spiel half mir, diese neuen Ideen und Informationen im Gedächtnis zu behalten.

Der Gebrauch der Fantasie kann auch hilfreich sein, wenn man Faktenreihen lernen will, wie etwa die Planetenfolge in unserem Sonnensystem: Merkur, Venus, Erde, Mars, Jupiter, Saturn, Uranus, Neptun und Pluto.

Angenommen, Sie sind ein Astronaut, der die Erde verlässt, um andere Planeten unseres Sonnensystems zu erforschen. Beim Verlassen der Erdumlaufbahn schauen Sie durchs Fenster Ihrer Raumkapsel zurück und sehen die Sonne und zwei Planeten, die zwischen ihr und Ihrer Rakete liegen: Merkur und Venus, klein und rotglühend, weil sie der Sonne so nah sind. Sie drehen sich wieder um und fliegen weiter nach vorn zu dem Planeten, der der Erde am nächsten liegt – dem Mars. Wenn Sie ihn passieren, versperrt die schiere Masse des mittleren der neun Planeten, nämlich Jupiter, Ihnen die Sicht; Sie müssen in einen anderen Gang schalten, um einen Zusammenstoß zu vermeiden. Während Sie um Jupiter herumfliegen, bewundern Sie staunend die Ringe, die seine Nachbarn Saturn und Uranus umgeben. Erreichen Sie dann schließlich die äußeren Regionen unseres Sonnensystems, kommen Sie zu den letzten beiden Planeten, eiskalt und grünblau, weil sie so weit von der Sonne entfernt sind: Neptun und Pluto.

Musik ist ein weiteres Mittel, das man als Gedächtnisstütze nutzen kann. Denken Sie an das Lied, das man Ihnen wahrscheinlich im Unterricht beigebracht hat, damit Sie das Alphabet lernen; die Verwendung einer einfachen Melodie machte die Erinnerung erheblich leichter. In jüngerer Vergangenheit haben Wissenschaftler die Beziehung zwischen Musik und Gehirn genauer unter die Lupe genommen, um die Gründe dafür zu verstehen.

Beim Musikhören bewältigt das Gehirn eine ungeheuer komplexe Aufgabe – es erschafft Klang aus den Schwingungen der Luftmoleküle, die auf unser Trommelfell treffen; die Moleküle haben unterschiedliche Schwingungsraten, die das Gehirn misst, um ausgehend von dieser Frequenz eine innere Repräsentation – einen hohen oder niedrigen Ton – zu konstruieren. Darüber hinaus leitet unser Gehirn aus Klang auch Bedeutung und sogar Vergnügen ab. Der Neurowissenschaftler Daniel Levitin, Leiter des Laboratory of Music Perception, Cognition and Expertise in Montreal, führte eine sogenannte »funktionelle und effektive Konnektivitätsanalyse« durch, um zu untersuchen, wie Musik im Gehirn wirkt. Die Wissenschaftler stellten fest, dass die Ohren beim Musikhören nicht nur Signale zum auditiven Kortex weiterleiten – der Hirnregion, die Töne verarbeitet –, sondern auch zum Kleinhirn, einem der ältesten Teile des Gehirns (manchmal als »Reptilienhirn« bezeichnet), das an der räumlichen und zeitlichen Bewegungskoordination beteiligt ist. Levitins Team fand heraus, dass sich das Cerebellum zu Beginn eines Liedes auf den Takt einstimmt und dann versucht, ihn vorherzusagen. Es wird sehr aktiv, wenn es mit seiner Vorhersage richtig liegt, aber die Aktivität wird sogar noch stärker, wenn die Melodie den Erwartungen auf überraschende Weise zuwiderläuft. Das Cerebellum findet Vergnügen daran, diese fortlaufenden winzigen Anpassungen vorzunehmen, um synchron geschaltet zu bleiben.

Für mich ist die große Bedeutung des Kleinhirns bei der Musikalität und beim Erinnerungsvermögen besonders faszinierend, weil Musik und Rhythmus in meinem Leben immer eine wichtige Rolle spielten. Als ich ein kleines Kind war, stellten meine Eltern fest, dass sich meine häufigen Wutanfälle nur dann beschwichtigen ließen, wenn man mich in eine Wolldecke wickelte und sie rhythmisch hin- und herschwang. Bis heute schaukle ich häufig in meinem Stuhl vor und zurück, wenn ich lese. Seit ich denken kann, höre ich gern Musik – eine meiner frühesten Erinnerungen betrifft ein Musikvideo der Gruppe *Dire Straits*, das Anfang der Achtziger im Fernsehen lief.

Die Verbindung zwischen Musik und Gedächtnis erscheint aus mehreren Gründen plausibel. Wie Levitins Forschung nahelegt, gehört zum Musikhören, dass unser Gehirn kontinuierliche Vorhersagen über den Takt trifft. Tatsächlich stellt unser Gehirn ständig Vorhersagen an, die auf seinen Lernerfahrungen basieren, und Studien zeigen, dass diese Vorhersagefähigkeit entscheidend für ein gutes Gedächtnis ist. John Gabrieli und sein Team vom Massachusetts Institute of Technology konnten in Studien nachweisen, dass zwar eine bestimmte Hirnregion sehr aktiv ist, wenn Probanden etwas lernten, aber eine völlig andere Region aufleuchtet, wenn sie Vorhersagen darüber treffen, ob sie die Informationen später abrufen müssen. Das Vorhersagen ist ein wichtiges Element erfolgreichen Lernens, weil es uns ermöglicht, ein Urteil darüber zu fällen, ob wir genug gelernt haben oder den Stoff noch einmal wiederholen müssen. Deshalb können Menschen, die besonders präzise Vorhersagen treffen können, auch besser lernen.

Wiederholung ist ein weiterer wichtiger Bestandteil sowohl der Musik als auch des Gedächtnisses. Durch Wiederholung wird ein Musikstück verständlicher für den Zuhörer, auch wenn wir uns der speziellen Muster innerhalb eines Liedes normalerweise nicht bewusst sind. Komponisten erfinden immer wieder neue Mittel zum Aufbau von Wiederholungen, indem sie die festen Komponenten in ihrer Musik variieren und sie viele verschiedene Formen und Stimmungen annehmen lassen. Die Tatsache, dass Wiederholung der Erinnerung auf die Sprünge hilft, wurde empirisch von dem deutschen Psychologen Hermann Ebbinghaus nachgewiesen, der als erster Wissenschaftler umfangreiche Experimente zum menschlichen Gedächtnis durchführte. In seinem 1885 erschienenen Standardwerk *Über das Gedächtnis* zeigte er, dass sich Informationen umso besser einprägen, je öfter sie gelernt werden.

Die Musik stimmt das Gedächtnis außerdem auf Systeme ein, die durch Sprache allein nicht haften bleiben – Musik bringt wirkungsvoll Gefühle zum Ausdruck, von Glück und Freude bis hin zu Enttäuschung und Verzweiflung, und Gefühle spielen eine entscheidende Rolle bei der Bildung von starken, dauerhaften Erinnerungen. In den Jahrhunderten vor Erfindung der Schriftsprache haben deshalb viele Gesellschaften ihr Wissen mit Hilfe von epischen Gesängen, die reich an Abenteuern, Dramen und starken Gefühlen waren, von einer Generation an die nächste weitergegeben.

Ein Musikstück ist besonders einprägsam, wenn es eine klare hierarchische Struktur hat, wie man sie etwa in traditionellen epischen Gesängen findet; tatsächlich erleichtert dieser hierarchische Aufbau die Speicherung und den Abruf von Erinnerungen bei allen Arten von sequentiellen Informationen, von Einkaufslisten bis hin zu Telefonnummern.

Um eine Ziffernreihe wie 19897653113 zu erinnern, können wir die Zahlen zu bereits vertrauten Informationsblöcken höherer Ordnung gruppieren oder bündeln: 1989 (das Jahr) – 765 (fallende Ziffernfolge) – 3113 (ein Zahlenpalindrom). Der amerikanische Psychologe George A. Miller veröffentlichte im Jahr 1956 einen berühmten Aufsatz mit dem Titel: *The Magical Number Seven, Plus or Minus Two*, in dem er zeigte, dass das Kurzzeitgedächtnis bei einer Reihe von kognitiven Aufgaben eine Verarbeitungskapazität für 5 bis 9 Informationsblöcke (»chunks«) hat. Die Umwandlung der eben genannten 11-stelligen Zahl beispielsweise in drei getrennte Blöcke hilft uns daher, die Grenzen unseres Kurzzeitgedächtnisses zu erweitern.

Jede Gruppe von Elementen, die man miteinander verknüpfen kann, lässt sich in einen Block verwandeln: Beispiele sind etwa Noten, die einen Akkord bilden, oder Buchstaben, die ein Wort ergeben. Der Blockbildungsprozess steht für eine Interaktion und Kooperation zwischen Kurzzeit- und Langzeitgedächtnis. Die Verknüpfung, die zur Bildung eines einprägsamen Blocks beiträgt, entwickelt sich mit der Zeit zu einer Langzeiterinnerung, hat aber auch den Effekt, dass die Erinnerungslast im Kurzzeitgedächtnis verringert wird, weil die Anzahl der Elemente reduziert und somit Platz gespart wird.

Diese Blockbildung kann auf verschiedenen Ebenen stattfinden, was bedeutet, dass ein einzelner Block wiederum zu einem Element eines größeren Blocks werden kann, und ganze Blöcke auf niederen Hierarchieebenen zu Teilen von Blöcken auf höheren Ebenen werden können (zum Beispiel die Verbindung des Blocks »765« mit der Vorstellung eines Zahlenpalindroms bei einer Zahlenfolge wie 765567). Auf diese Weise erzeugt der Blockbildungsprozess die Formen von strukturierten Assoziationshierarchien, die bei einprägsamen Musikstücken auftreten.

Obwohl es sich bei diesen Blöcken um Strukturen des Langzeitgedächtnisses handelt, wird ihre Größe von der Kapazität des Kurzzeitgedächtnisses bestimmt (7 ± 2 Elemente). Doch die potenzielle

Menge an Informationen, die man durch die hierarchische Verdichtung speichern kann, ist beträchtlich. Bei einer hierarchischen Umbildung von Informationsblöcken könnten wir theoretisch durchschnittlich sieben Blöcke erinnern, wobei jeder aus durchschnittlich sieben Elementen besteht (zum Beispiel ein Satz aus sieben Wörtern, die jeweils aus sieben Buchstaben bestehen). Angenommen, dieser Prozess erstreckt sich noch auf durchschnittlich sieben Erinnerungsebenen, würde er eine Hierarchie von $7 \times 7 \times 7 \times 7 \times 7 \times 7 \times 7$ Elementen erzeugen (z. B. eine Geschichte mit sieben Kapiteln, die jeweils aus sieben Abschnitten bestehen, die jeweils sieben Verse umfassen, die jeweils sieben Absätze enthalten, die sich aus jeweils sieben Sätzen mit sieben Buchstaben zusammensetzen), womit wir uns insgesamt etwa einer Million einzelner Informationselemente annähern würden.

Vor diesem Hintergrund kann man sich viel leichter vorstellen, dass es dem menschlichen Gehirn möglich sein könnte, mehr als 22 500 aufeinanderfolgende Ziffern von Pi zu erinnern, insbesondere wenn – wie in meinem Fall – das Gehirn in der Lage ist, Zahlengruppen spontan in bedeutungsvolle visuelle Bilder aufzuspalten, die ihre eigene Assoziationshierarchie bilden.

Dass meine Fähigkeit, Zahlen als dreidimensionale Formen zu visualisieren (und Wörter in Farben wahrzunehmen), mir dabei hilft, mich an bestimmte Informationsarten leichter zu erinnern, ist keine große Überraschung für die Wissenschaft. 1969 konnte der kanadische Psychologe Allan Paivio nachweisen, dass Probanden konkrete Begriffe wie »Klavier« viel leichter erinnern konnten als abstrakte Begriffe wie »Gerechtigkeit«, die viel schwerer zu visualisieren sind. In einem weiteren Experiment zeigte Paivio später, dass man sich Bilder leichter einprägen kann als die Wörter, die für diese Bilder stehen.

In seinem Standardwerk *Der Mann, dessen Welt in Scherben ging* beschrieb der russische Psychologe Alexander Lurija detailliert seine jahrzehntelange Studie eines Mannes namens Schereschewski, der wie ich Zahlen und Wörter visualisieren und riesige Informationsmengen erinnern konnte. Schereschewski gab Lurija zum Beispiel die folgende Beschreibung, wie er die Zahlen 1 bis 8 sieht:

»Die 1 – das ist eine spitze Zahl, unabhängig von ihrer graphischen Darstellung, das ist etwas Abgeschlossenes, Festes. Die 2 ist etwas Flacheres, Viereckiges, Weißliches, manchmal auch ein wenig Graues ... Die 3 ist ein spitzes Segment und dreht sich. Die 4 ist wieder etwas Quadratisches, Stumpfes, das Ähnlichkeit mit der 2, aber mehr Substanz hat, dicker ist ... Die 5 ist die absolute Vollendung in Form eines Kegels, eines Turms, etwas Fundamentales. Die 6 – das ist die erste Zahl hinter der 5 und weißlich. Die 8 ist etwas Harmloses, Milchigblaues, das Ähnlichkeit mit Kalk hat.«

Schereschewski nahm auch Wörter in Bildern wahr:

»Wenn ich das Wort ›grün‹ höre, taucht ein grüner Topf mit Blumen auf, bei ›rot‹ erscheint ein Mann im roten Hemd, der zu ihnen hingeht. Ich höre ›blau‹ – und jemand schwenkt aus einem Fenster heraus ein blaues Fähnchen.«

Visuelle Wahrnehmungen von der Art, wie Schereschewski und ich sie erleben, sind eine Folge der Synästhesie – einer Querverschaltung der Sinnesmodalitäten im Gehirn, die meistens dazu führt, dass der Betreffende die Buchstaben des Alphabets und Zahlen in verschiedenen Farben sieht. Eine im Jahr 2002 durchgeführte Studie von Wissenschaftlern der University of Waterloo in Ontario liefert weitere Belege dafür, dass solche synästhetischen Wahrnehmungen das Zahlengedächtnis fördern. »C«, eine 21-jährige Studentin mit Zahlen-/Farben-Synästhesie, erhielt drei Blätter mit je 50 Zahlen, die sie sich einprägen sollte. Anschließend wurde sie gebeten, die Zahlen von jeder Vorlage zu erinnern. Die erste Vorlage bestand aus schwarzen Zahlen, die zweite setzte sich aus bunten Zahlen zusammen, die nicht mit C's synästhetischer Wahrnehmung von ihnen übereinstimmten, und die dritte enthielt farbige Zahlen, die C's eigener Farbwahrnehmung der Zahlen entsprachen. C konnte einen hohen Prozentsatz der Zahlen korrekt wiedergeben, wenn die Zahlen schwarz oder in den Farben gedruckt waren, die ihrer eigenen synästhetischen Wahrnehmung entsprachen, schnitt aber erheblich schlechter ab, wenn die Zahlen in Farben dargestellt waren, die nicht mit ihrer eigenen Farbwahrnehmung der Zahlen übereinstimmten.

Dieses Ergebnis wurde 2004 von Shai Azoulai und Ed Hubbard vom Center for Brain Studies in San Diego in einem Experiment bestätigt, bei dem die Beziehung zwischen meinen synästhetischen Wahrnehmungen von Zahlen und meinem Zahlengedächtnis untersucht wurde. Für mich haben die Zahlen 0–9 verschiedene Größen, die von 6 (am kleinsten) bis 9 (am größten) reichen. Die Wissenschaftler legten mir (jeweils drei Minuten) zwei Matrizen mit 100 Zahlen vor; eine, auf der die Zahlen in der Größe wiedergegeben waren, die meiner synästhetischen Wahrnehmung entsprach, und eine, bei der dies nicht der Fall war (zum Beispiel mit großen Sechsen und kleinen Neunen). Drei Tage später konnte ich 68 Zahlen von der ersten Vorlage, aber kaum Zahlen von der zweiten erinnern. Für mich war es extrem verwirrend und unangenehm, mir die Zahlen in der »falschen« Größe anzusehen und einzuprägen – so als würde man jemanden bitten, einen Text in einer völlig unbekannten Sprache zu lesen und später wiederzugeben!

Der korrekte und verlässliche Abruf von erlernten Informationen hängt nicht nur von dem Prozess des elaborierten Kodierens ab, sondern auch von einem daran anschließenden Prozess, den Wissenschaftler als Konsolidierung (Informationsfestigung) bezeichnen. Man unterscheidet zwischen zwei Formen der Konsolidierung: die eine führt dazu, dass spontane oder kurzfristige Erinnerungen, die Sekunden, Minuten oder einige Stunden alt sind, in dauerhaftere, langfristige Erinnerungen umgewandelt werden; die andere Form der Konsolidierung wirkt über wesentlich längere Zeiträume von Monaten, Jahren oder sogar Jahrzehnten. Aus diesem Grund scheinen einige Erinnerungen widerstandsfähiger gegen Störungen durch Hirnverletzungen oder Krankheiten zu werden. Ein Beispiel für diese Art der Erinnerungskonsolidierung zeigt sich bei Unfallopfern, die schwere Kopfverletzungen davontragen. Diese Personen haben normalerweise keinerlei Erinnerung an den eigentlichen Unfall und die Minuten, die ihm vorausgegangen sind. Manchmal verlieren sie auch vorübergehend die Erinnerung an die letzen Tage, Wochen oder Monate, erinnern sich aber an die weiter zurückliegende Vergangenheit.

Aus neueren Forschungsarbeiten geht hervor, wie wichtig ein gesunder Schlaf ist, um den Konsolidierungsprozess zu unterstützen. In einer Studie wurden die Probanden im Alter zwischen 18 und 30 in zwei Gruppen unterteilt und erhielten 20 Wortpaare, die sie lernen sollten. Diejenige Gruppe, die sich die Wörter um 9 Uhr abends einprägte und am folgenden Morgen getestet wurde, schnitt besser ab als die Gruppe, die sich um 9 Uhr morgens mit der Liste beschäftigte und sich um 21 Uhr desselben Tages daran erinnern sollte. Einige Minuten vor dem Gedächtnistest erhielten die Probanden außerdem eine Liste mit einigen neuen Wörtern, die sie sich einprägen sollten; die Teilnehmer, die eine Nacht geschlafen hatten, erinnerten 76 Prozent der ursprünglichen Wörter, während die andere Gruppe nur 32 Prozent erinnerte.

Auf der Grundlage solcher Studien haben Wissenschaftler drei Stufen ermittelt, die den »Lebenszyklus« einer Erinnerung bestimmen. Die erste, die Stabilisierung, dauert etwa sechs Stunden, in denen die Erinnerung besonders leicht wieder verloren geht. Die zweite, die Konsolidierung, tritt während des Schlafes auf. Durch die dritte und letzte Stufe, die Abruf-Phase, wird die Erinnerung wieder verfügbar, zugänglich und sogar modifizierbar.

Der Zugang zu unseren Erinnerungen, nachdem sie konsolidiert sind, hängt häufig von Abrufreizen ab (etwas, das unserem Gedächtnis auf die Sprünge hilft). Wissenschaftler haben festgestellt, dass nicht die tatsächliche Ähnlichkeit zwischen den Umständen, unter denen eine Erinnerung gebildet und später abgerufen wird, das Entscheidende ist, sondern vielmehr, ob ein Signal dazu führt, dass die subjektive Wahrnehmung eines Ereignisses wiederhergestellt wird, einschließlich der Gedanken und Folgerungen, die eine Person zu dem Zeitpunkt bewegten, als die Erinnerung entstand. Wissenschaftler, die Probanden den ziemlich gruseligen Satz »Die Waffe ragte aus der Leiche heraus« präsentierten, stellen zum Beispiel fest, dass viele Teilnehmer daraus folgerten, es müsse sich bei der Waffe um ein Messer handeln. Präsentierte man ihnen später das Wort »Messer«, fiel es ihnen leichter, sich an den Satz zu erinnern, als wenn man ihnen das Stichwort »Waffe« nannte, obwohl letzteres im ursprünglichen Satz vorkam.

Abrufreize sind häufig vom Kontext der Erinnerung abhängig. Man hört zum Beispiel irgendwo ein Lied und erinnert etwas, das scheinbar überhaupt keine Verbindung damit hat (weil das Lied als Signal für den Kontext wirkt, in dem man es ursprünglich gehört hat). Studien zufolge entsinnt man sich leichter an etwas, wenn die Umgebung oder Situation, in der man die Information abzurufen versucht, Ähnlichkeiten – etwa in Farbe oder Geruch – mit der ursprünglichen Erfahrungssituation aufweist. Wenn Schüler also bei Prüfungen in einem anderen Raum getestet werden als in dem Unterrichtsraum, in dem sie den Lernstoff aufgenommen haben, wirkt sich dies wahrscheinlich negativ auf ihre Fähigkeit aus, das Gelernte wiederzugeben.

Die andere Form des Abrufreizes ist zustandsabhängig, das heißt, die Wiederherstellung des ursprünglichen mentalen Zustands, den man in der Lernphase erlebte, kann dazu beitragen, einen späteren Erinnerungsversuch zu erleichtern. In einem 1977 durchgeführten Experiment erhielten die freiwilligen Teilnehmer entweder ein alkoholisches oder ein alkoholfreies Getränk, bevor man ihnen eine Liste mit Wörtern vorlegte, die sie sich einprägen sollten. Am folgenden Tag wurden die Teilnehmer, von denen ein Teil wieder angetrunken und ein Teil nüchtern war, aufgefordert, so viele Wörter wie möglich zu erinnern. Diejenigen Probanden, die sowohl beim Lernen wie beim Erinnern Alkohol tranken, schnitten besser ab als Teilnehmer, die nur bei einem Teil des Experiments beschwipst waren. Ähnliche Ergebnisse zeigten sich bei verschiedenen anderen Substanzen und Dosierungen.

Ein stark assoziatives Lernen, wie Kim Peeks komplex verwobenes »Netz« von Fakten und Zahlen oder meine eigene Hierarchie von Zahlen- und Wortassoziationen, verbindet sich automatisch mit eine Fülle möglicher Abrufreize und fördert von daher das Erinnerungsvermögen. Hier zwei simple Beispiele aus meiner eigenen Erfahrung: Vor drei Jahren besuchte ich einen Teil von Wales, in dem Walisisch gesprochen wird und in dem auch alle Straßenschilder auf Walisisch sind. Als ich über ein Jahr später in einem Gespräch mit einem Freund versuchte, mich an ein bestimmtes Wort zu erinnern, konnte ich die Form des Schildes und das darauf abgebildete Zeichen visualisieren, was mir wiederum half, die »Form« des eigentlichen Wortes abzurufen: mittellang mit dem Buchstaben »o« in der Mitte. Nach einigen Momenten tauchte das Wort in meinem Kopf auf: »henoed« (»ältere Leute«).

Das zweite Beispiel ereignete sich während eines Ratespiels, an dem ich mit einigen Freunden teilnahm. Eine der gestellten Fragen lautete: »Wer schrieb den Roman *Die Blütezeit der Miss Jean Brodie*?« Obwohl ich das Buch nicht gelesen hatte, wusste ich, dass es berühmt war und dass mir der Name des Autors sicherlich irgendwann untergekommen war. Nach einigen Sekunden hatte mein Gedächtnis einen Namen gefunden, nämlich »Starsky« (aus der Krimiserie »Starsky und Hutch«, die in den Siebzigerjahren im Fernsehen lief) und nach einigen weiteren Sekunden gelangte ich von dort zu dem ähnlich geformten Namen »Spark« und zur Antwort »Muriel Spark«.

Déjà vu und andere Verzerrungen

Manchmal können die Abrufreize, die unser Gehirn nutzt, um frühere Erfahrungen wachzurufen, unsere Erinnerung verzerren. Beim Déjà-vu-Erlebnis (französisch für »früher schon gesehen«) hat die Person das seltsame Gefühl, sie habe die gegenwärtige Situation schon einmal erlebt, obwohl sie weiß, dass es nicht so ist. Möglicherweise lässt sich das Déjà-vu-Phänomen damit erklären, dass Aspekte der gegenwärtigen Situation als Signale für eine Erinnerung an eine ähnliche, frühere Erfahrung wirken und dadurch ein seltsames Gefühl der Vertrautheit hervorrufen.

Das Wesen und die Ursachen von Erinnerungsverzerrungen werden seit Jahrzehnten wissenschaftlich erforscht. Der britische Psychologe Sir Frederic Bartlett konnte als Erster überzeugend nachweisen, dass die Erinnerung an ein komplexes Ereignis von den persönlichen Überzeugungen, Gefühlen und Schlussfolgerungen des Einzelnen geformt und manchmal auch verzerrt wird. In seinem berühmtesten Experiment, dessen Ergebnis 1932 veröffentlicht wurde, forderte er eine Gruppe von Probanden auf, eine Geschichte mit dem Titel »The War of the Ghosts« zu lesen; die Geschichte basierte auf einer Stammeslegende der Chinook, die im Flussgebiet des Columbia lebten. Später wurden die Teilnehmer gebeten, diese Geschichte aus der Erinnerung aufzuschreiben, und zwar zu verschiedenen Gelegenheiten, zwischen denen immer größere Zeitabstände lagen. Die Erzählung, die die Teilnehmer niederschrieben, war erheblich kürzer als die ursprüngliche Geschichte und wurde mit jeder Niederschrift noch kürzer. Geographische Ortsbezeichnungen, die den Teilnehmern unbekannt waren, gingen verloren, ebenso ungewohnte sprachliche Wendungen, die durch konventionellere Formulierungen wiedergegeben wurden. Bartletts Probanden wandelten die Geschichte so ab, dass sie zu ihren bestehenden Kenntnissen und Erwartungen passte, und behielten diese abgewandelten Versionen des Originals in Erinnerung.

Neuere Studien bestätigen Bartletts Theorie, dass unsere Erinnerungen und der aus früheren Erfahrungen gewonnene Wissensfundus unbewusst stets in einer Wechselbeziehung stehen und dass Erinnerungsverzerrungen auftreten können, wenn sich Schlussfolgerungen, die auf diesem Wissen basieren, in unsere Erinnerungsversuche einschleichen. Hier ein einfaches Beispiel dafür: Nehmen Sie sich zwei Minuten Zeit, um sich die folgende Wortliste einzuprägen: Bonbon, sauer, Zucker, bitter, gut, Geschmack, Zahn, schön, Honig, Limonade, Schokolade, Herz, Kuchen, essen und Pastete. Legen Sie jetzt die Liste beiseite und schreiben Sie so viele der Wörter auf, wie Sie erinnern können.

Betrachten Sie nun – ohne erneut auf den letzten Absatz zu

schauen –, die folgenden drei kursiv gedruckten Begriffe: *Geschmack, Punkt, süß.* Gehörten diese drei zu der Liste, die Sie gerade gelernt haben? Als die Psychologen Henry L. Roediger und Kathleen McDermott von der Washington University eine Gruppe von Testteilnehmern fragten, ob das Wort »süß« in der Liste enthalten gewesen sei, sagten viele ja – obwohl es nicht stimmt. Die Teilnehmer waren nicht nur überzeugt, dass das Wort »süß« dazugehörte, sondern behaupteten auch, sich lebhaft daran erinnern zu können.

Warum erliegen die Teilnehmer diesem Irrtum? Da »süß« im Zusammenhang mit so vielen Wörtern präsentiert wird, die man mit etwas Süßem assoziiert, wird möglicherweise die allgemeine Kategorie »süße Sachen« in unserem Kopf aktiviert. Als Professor Vilayanur Ramachandran vom Center for Brain Studies in San Diego diesen Test mit Kim Peek durchführte, erinnerte er sich korrekt, dass das Wort »süß« in der ursprünglichen Aufzählung nicht enthalten war. Der Grund ist vermutlich, dass die stärker detailorientierte Wahrnehmung und Erinnerung von Savants weniger anfällig für unbewusste, auf allgemeinen Kategorien beruhende Schlussfolgerungen ist.

Das Wesen der Erinnerungsverzerrung ist im Gerichtssaal besonders wichtig. In vielen Fällen ist die Aussage eines Augenzeugen der Hauptbeweis, auf den eine Jury ihre Entscheidung über Schuld oder Unschuld eines Angeklagten stützt. Die amerikanische Psychologin Elizabeth Loftus leitete eine Studie, die zeigte, dass Augenzeugen ihre Erinnerungen entsprechend den Fragen, die ihnen gestellt werden, konstruieren. Die Teilnehmer wurden gebeten, sich einen Videofilm von einem Autounfall anzuschauen, an dem zwei Fahrzeuge beteiligt waren, und erhielten später einen Fragebogen zu dem Unfall. Die Frage »Wie schnell fuhren die Autos ungefähr, als sie zusammenstießen?« wurde verschiedenen Teilnehmergruppen in jeweils abgewandelter Form vorgelegt, indem man das Verb »zusammenstießen« durch »zusammenkrachten«, »kollidierten«, »aufeinandertrafen« oder »sich berührten« austauschte. Obwohl alle

Teilnehmer denselben Videofilm gesehen hatten, variierte ihre Wahrnehmung der Geschwindigkeit beträchtlich, je nachdem wie die Frage formuliert war. Bei dem Verb »berührten« betrug die durchschnittliche Einschätzung des Tempos 51 km/h, bei »zusammenprallten« betrug sie 55 km/h, bei »kollidierten« 61 km/h, bei »zusammenstießen« 62 km/h und bei »zusammenkrachten« 65 km/h. In einer Folgestudie wurden die Probanden eine Woche später gefragt, ob es Glasschaden bei dem Unfall gegeben hätte (was nicht der Fall war). Die Teilnehmer, denen man das Verb »zusammenkrachten« vorgelegt hatte, »erinnerten« sich doppelt so häufig an Scherben am Unfallort wie diejenigen, denen man das Verb »zusammenstießen« präsentiert hatte.

Das vielleicht eindrucksvollste Beispiel für eine verzerrte Erinnerung tritt beim Phänomen der falschen Erinnerung (*false memory*) auf: Dabei entsinnt sich eine Person an Ereignisse aus ihrem Leben – mitunter in lebhaften Details und mit starken Gefühlen –, die sie in Wahrheit nie erlebt hat. In einem bemerkenswerten Fall von falscher Erinnerung ging es um eine Frau, die sich selbst Anna Anderson nannte. Ihre Geschichte ist mir besonders vertraut, weil ich für meine Geschichtsprüfung an der High School einen längeren Aufsatz darüber verfasste und das Thema gründlich recherchierte. Franziska Schanzkowska, wie der echte Name von Anna Anderson lautete, wurde 1896 in Pommern, im heutigen Polen, geboren und arbeitete während des Ersten Weltkrieges in einer Berliner Munitionsfabrik. Bei einem Zwischenfall in der Fabrik – Schanzkowska ließ versehentlich eine Granate fallen – starb eine Arbeitskollegin vor ihren Augen. Sie erlitt einen Schock und wurde in ein Sanatorium eingewiesen. Im Februar 1920, kurz nach ihrer Entlassung, stürzte sich Schanzkowska von einer Kanalbrücke, wurde aber von einem zufällig vorbeikommenden Polizisten gerettet und in eine psychiatrische Klinik in Dalldorf gebracht. Die Krankenschwestern gaben ihr den Spitznamen »Fräulein Unbekannt«, weil sie kaum sprach und sich weigerte, irgendwelche Informationen über sich selbst preiszugeben.

Schanzkowska blieb zwei Jahre in der Klinik und verbrachte einen Gutteil der Zeit damit, in Illustrierten Artikel über die russische Zarenfamilie zu lesen, die bald darauf (während des Sommers 1918) auf Anordnung von Lenins neuer bolschewistischer Regierung exekutiert wurde. Eine Mitpatientin in der Psychiatrie behauptete, in Schanzkowska eine der Großherzoginnen wiederzuerkennen, die sie auf Zeitschriftenfotos gesehen hatte. Kurz darauf fing Schanzkowska an, sich selbst »Anastasia« zu nennen, und war tatsächlich fest davon überzeugt, eine der Zarentöchter zu sein. Sie behauptete, ein Angehöriger des Erschießungskommandos habe Mitleid mit ihr gehabt, sie gerettet und sei anschließend mit ihr auf der Flucht vor den bolschewistischen Soldaten quer durch Europa gezogen.

Später fielen verschiedene Mitglieder der recht großen russischen Emigranten-Gemeinde in Berlin auf die Geschichte herein, und Schanzkowska erhielt zahlreiche Besuche von Personen, die die echte Großherzogin Anastasia persönlich gekannt hatten und hofften, dass sie tatsächlich mit dem Leben davongekommen sei. Während dieser Treffen zeigten die Besucher ihr viele Fotos und Gegenstände, die einst der russischen Zarenfamilie gehört hatten. Sie erzählten ihr außerdem viele Anekdoten aus Anastasias Kindheit, um gemeinsame Erinnerungen auszutauschen. Tatsächlich bildeten diese Begegnungen eine wichtige Grundlage für Schanzkowskas falsche Erinnerungen an ihr Leben als Anastasia, obwohl ein Großteil dieser Informationen und ihrer später darauf basierenden Erinnerungen unzutreffend waren. Olga Alexandrowna, eine Tante der echten Anastasia, traf Mitte der 1920er Jahre mit Schanzkowska zusammen und schilderte ihrem Biographen später Details dieser Begegnung:

»Sie (Schanzkowska) hatte eine Narbe am Finger und erzählte jedem, dass ein Bediensteter die Tür eines Landauers zu schnell zugeschlagen hätte und der Finger dabei eingequetscht worden sei. Ich erinnerte mich sofort an den Zwischenfall: Es war Marie, Anastasias ältere Schwester, die sich schlimm an der Hand verletzte, aber es geschah nicht in einer Kutsche, sondern im Zug des Zaren. Offenbar hatte jemand, der von dem Unfall gehört hatte, ihr eine fehlerhafte Version davon übermittelt.«

1938 strengten die Anwälte von Schanzkowska einen Prozess bei einem deutschen Gericht an, um ihre Identität als Großherzogin Anastasia offiziell anerkennen zu lassen. Die Richter hörten zahlreiche Handschriftenexperten, Forensiker und Historiker an, die ungeheure Mengen von Fotos und Dokumenten durchforstet hatten. Der Fall zog sich bis 1970 hin, als das Gericht schließlich zu dem Urteil kam, dass Schanzkowskas Anspruch *non liquet* (nicht bewiesen) sei.

Ende der Sechzigerjahre ging Schanzkowska, die inzwischen den Namen »Anna Anderson« angenommen hatte, in die Vereinigten Staaten und heiratete einen ihrer Unterstützer, einen amerikanischen Geschichtsprofessor. Bis zu ihrem Tod im Jahr 1984 erzählte sie Journalisten weiterhin von ihren Kindheitserinnerungen als Anastasia. Ein Jahrzehnt später ergaben DNS-Tests, die an einer konservierten Gewebeprobe Schanzkowskas durchgeführt wurden, dass sie mit einer Blutprobe, die Schanzkowskas Großneffe zur Verfügung gestellt hatte, übereinstimmten. Damit war die Frage geklärt und endgültig bewiesen, dass sie nicht die tragische russische Prinzessin gewesen sein konnte.

Vergessen

»Anna Anderson« war in der Lage, ihre unglückliche Vergangenheit als polnische Fabrikarbeiterin zu vergessen und den Großteil ihres Erwachsenenlebens eine neue, glamouröse Identität anzunehmen, die sich auf ihre »Erinnerungen« an eine in den Zarenpalästen Russlands verbrachte Kindheit stützte. Für die meisten Menschen erweist es sich allerdings eher als frustrierend, verstörend oder auch traumatisch, wenn sie frühere Erfahrungen vergessen.

Das Wesen des Vergessens gehört zu den besonders intensiv erforschten Themen der experimentellen Psychologie. Hermann

Ebbinghaus, der Wegbereiter der Gedächtnisforschung im 19. Jahrhundert, entwickelte als Erster präzise Untersuchungsmethoden, um festzustellen, wie das Vergessen abläuft, und wandte sie bei sich selbst als einzigem Probanden an. Er dachte sich Dutzende von Listen mit unsinnigen Wörtern aus, die er sich durch ständige Wiederholung einprägte, bis er sie fehlerlos aufsagen konnte. Anschließend testete er sein Gedächtnis über unterschiedliche Zeiträume, von 20 Minuten bis zu einem Monat, und maß bei jedem Intervall, wie viel er jeweils vergessen hatte. Da er sein Experiment mit vielen verschiedenen Listen durchführte, konnte er feststellen, dass die Vergesslichkeitsrate relativ gleichbleibend und exponentiell war – nach einem zunächst sprunghaften Anstieg pendelte sie sich mit der Zeit ein. Dank Ebbinghaus können Psychologen die durchschnittliche Vergessensrate als graphische Kurve für eine Vielzahl von unterschiedlichen Gedächtnisinhalten darstellen.

Es ist erstaunlich, was Menschen alles vergessen können, wenn ein genügend langer Zeitraum verstrichen ist. Die Psychologen JoNell Usher und Ulric Neisser befragten eine Gruppe von Probanden, deren Familien bestätigten, dass sie alle im Alter von vier Jahren die traurige Erfahrung gemacht hatten, dass ein Familienangehöriger gestorben war. Doch als sie danach befragt wurden, konnten sich über 20 Prozent der Teilnehmer an keinerlei Einzelheiten des Ereignisses erinnern.

Warum vergessen wir? Die älteste Theorie besagt, dass das Vergessen durch einen Zerfall der Erinnerungsspuren, die das Gehirn beim Erlernen von Informationen bildet, verursacht wird. Diese Theorie wird heute von den meisten Psychologen aus zwei Gründen verworfen: Erstens beschreibt die »Verfall-Theorie des Vergessens« lediglich die Tatsache des Vergessens und nicht die es verursachenden Prozesse. Wenn alle Erinnerungen sich im Laufe der Zeit unweigerlich verflüchtigten, wie die Theorie besagt, ist zudem nicht erklärbar, wieso man eine Information zu einem bestimmten Zeitpunkt vergessen haben kann, sie jedoch zu irgendeinem späteren Zeitpunkt problemlos abzurufen vermag.

Eine weitere vorgeschlagene Ursache ist die »Verdrängung«, ein Konzept, das im späten 19. Jahrhundert von Sigmund Freud eingeführt wurde. Nach dieser Theorie schiebt der Mensch unbewältigte Erlebnisse ins Unbewusste ab, wo die »verdrängten« Erinnerungen weiterhin das Verhalten unbewusst beeinflussen und zu unangenehmen Nebenwirkungen, von Versprechern bis hin zu anhaltender Krankheit, führen können. Die meisten Nachweise für Freuds Theorie finden sich allerdings in Fallstudien, die offen für ganz verschiedene Deutungen sind. Viele Gedächtnisforscher bezweifeln, dass die Verdrängung hinlänglich erklären kann, weshalb Menschen vergessen.

Die derzeit populärste Erklärung für das Vergessen ist, dass es durch Interferenz verursacht wird. Nach dieser Theorie werden Informationen, die wir erinnern wollen, mit anderen Informationen im Langzeitgedächtnis verwechselt oder durch sie gestört. Es gibt zwei Formen von Interferenzen: zur »proaktiven Interferenz« kommt es, wenn früher erworbene Kenntnisse oder Erfahrungen sich störend auf unsere Fähigkeit auswirken, neue Informationen zu erwerben. Ein Beispiel wäre, dass man in einem Schuljahr Spanisch lernt und im nächsten Italienisch. Bei einem anschließenden Italienischtest kann das zuvor erlernte Spanisch die Fähigkeit, sich an die korrekten italienischen Übersetzungen zu erinnern, beeinträchtigen. Zur »retroaktiven Interferenz« kommt es, wenn sich neu erlernte Informationen störend auf die Fähigkeit auswirken, sich an frühere Informationen oder Erfahrungen zu erinnern. Versuchen Sie zum Beispiel einmal, sich daran zu erinnern, was Sie vor fünf Tagen zu Abend gegessen haben. Die Mahlzeiten, die sie in den dazwischenliegenden Tagen eingenommen haben, stören wahrscheinlich Ihre Fähigkeit, sich an dieses spezielle Ereignis zu erinnern. Beide Formen der Interferenz können die Erinnerungsfähigkeit erheblich beeinträchtigen.

Doch Vergessen ist nicht immer etwas Schlechtes. Schließlich kann sich niemand alles merken, was ihm je geschehen ist. Das meinte auch der amerikanische Psychologe und Philosoph William

James, der schrieb: »Was den praktischen Gebrauch unseres Intellekts betrifft, ist das Vergessen genauso wichtig wie das Erinnern.« Andere haben argumentiert, das Vergessen bewahre uns davor, durch überholte Informationen, wie zum Beispiel alte Telefonnummern, beim Abruf aktueller, relevanter Informationen behindert zu werden.

Was wäre, wenn wir uns tatsächlich in allen Einzelheiten an die Vergangenheit erinnern könnten, ohne je irgendetwas zu vergessen? Der argentinische Schriftsteller Jorge Luis Borges schrieb eine fantastische Erzählung mit dem Titel »Das unerbittliche Gedächtnis« über einen Mann, dem genau das geschieht. Im Mittelpunkt von Borges' Geschichte steht Ireneo Funes, ein junger Mann aus Uruguay, der nach einem Reitunfall feststellt, dass sich sein Wahrnehmungs- und Erinnerungsvermögen plötzlich auf die kleinsten Details erstreckt. So leiht zum Beispiel der Erzähler der Geschichte dem jungen Funes mehrere lateinische Bücher und stellt wenige Tage später fest, dass Funes sie auswendig kann und »den ersten Abschnitt des 24. Kapitels des 7. Buches der *Naturalis historia* (von Plinius dem Älteren)« aus dem Gedächtnis rezitiert. Funes erklärt, dass sich seine Wahrnehmung der Welt durch eine schier überwältigende Klarheit und chaotische Detailfülle auszeichnet:

»Er kannte genau die Formen der südlichen Wolken des Sonnenuntergangs vom 30. April 1882 und konnte sie in der Erinnerung mit der Maserung auf einem Pergamentband vergleichen, den er nur ein einziges Mal angeschaut hatte, ebenso wie mit den Linien der Gischt, die ein Ruder auf dem Rio Negro am Vorabend des Quebracho-Gefechtes aufgewühlt hatte.«

Funes empfindet seine Unfähigkeit zu vergessen als unerträglich, denn sein Kopf ist mit Abertausenden von unwichtigen Einzelheiten gefüllt, die ihn an Verallgemeinerungen und am eigenständigen Denken hindern. Er hat sogar Schwierigkeiten, nachts zu schlafen, weil er »jeden Riss, jeden Sims der verschiedenen Häuser um ihn herum« erinnert.

Obwohl das Vergessen ein natürlicher und nützlicher Bestandteil unserer geistigen Prozesse ist, kann sich ein plötzlicher Verlust des Erinnerungsvermögens – wie er beispielsweise infolge einer Kopfverletzung oder Krankheit auftritt – verheerend auf den Einzelnen und sein Umfeld auswirken. Eine Gedächtnisstörung wie die Amnesie führt zu einem abnormen Grad an Vergesslichkeit und/oder der Unfähigkeit, sich an vergangene Ereignisse zu erinnern. Sie kann verschiedene Ursachen, wie etwa eine Hirnverletzung, einen Schlaganfall oder ein Trauma, haben. Neuere Forschungen deuten darauf hin, dass Menschen, die unter Amnesie leiden, auch unfähig sind, sich die Zukunft vorzustellen, weil wir Erinnerungen an frühere Erfahrungen nutzen, um uns künftige Szenarien auszumalen.

Unfähig, ihre Vergangenheit wachzurufen oder sich selbst in die Zukunft zu projizieren, sind Menschen mit Amnesie in einer ununterbrochenen Gegenwart gefangen. Ein dramatisches Beispiel dafür ist der tragische Fall von Clive Wearing, einem britischen Musikwissenschaftler, der infolge einer Hirninfektion in seinen Vierzigern einen akuten und dauerhaften Gedächtnisverlust erlitt. Seit seiner Erkrankung vor zwanzig Jahren vergisst Wearing alles, was gerade geschehen ist. Unfähig, sich länger als einige Minuten an etwas zu erinnern, ist er die ganze Zeit überzeugt, dass er gerade aus einem tiefen Schlaf erwacht sei. Wearings Fall veranschaulicht die Komplexität des Gedächtnisses: Wearing erkennt seine Frau, hat aber keine Erinnerung an ihren gemeinsamen Hochzeitstag. Er erkennt auch seine Kinder, kann sich jedoch nicht erinnern, wie viele er hat. Der ehemalige Musikproduzent und Chorleiter kann immer noch Klavier spielen, hat aber keine Erinnerung an alte Lieder und ist daher nicht in der Lage, zu improvisieren oder etwas Neues zu kreieren.

Im Gegensatz zu einem plötzlichen Gedächtnisverlust schreitet der Prozess bei verschiedenen Formen der Demenz häufig langsamer voran. Die Betroffenen leiden darunter, sich immer weniger bewusst zu sein, dass sie langsam die Erinnerungen, die ihre Lebensgeschichte und auch ihr Selbstgefühl ausmachen, verlieren. Die britische Schriftstellerin Iris Murdoch glitt in ihren letzten Lebensjahren in die Alzheimerkrankheit ab und hielt die Symptome anfangs für eine Schreibblockade. Sie verglich ihren Zustand damit, »an einem ganz schrecklich stillen, an einem dunklen Ort« zu sein.

Viele Menschen fürchten, mit zunehmendem Alter werde ihr Gedächtnis allgemein nachlassen. Studien zeigen zwar, dass der Alterungsprozess das Gedächtnis in der Tat beeinträchtigen kann, doch das Erinnerungsvermögen älterer Erwachsener schwankt je nach Situation sehr stark zwischen normal bis erheblich beeinträchtigt. Wenn man älteren Menschen zum Beispiel zwei getrennte Listen mit Sätzen zeigt und sie später auffordert, sich daran zu erinnern, ob ein Satz auf der ersten oder der zweiten Liste erschien, schneiden sie schlechter ab als jüngere Menschen. Doch wenn die Sätze auf der linken oder rechten Seite eines Bildschirms präsentiert werden, erinnern sich die älteren Leute genauso gut wie die Jüngeren daran, wo die Sätze standen.

Das Altern wirkt sich insbesondere auf die frontalen Hirnregionen aus, sodass die Stirnlappen stärker schrumpfen und schlechter durchblutet werden als andere Areale. Diese Hirnregionen spielen eine entscheidende Rolle für bestimmte Formen des Erinnerns, was erklären könnte, warum alte Leute einige, aber nicht alle Gedächtnisaufgaben bewältigen.

So sind zum Beispiel Gedächtnisleistungen, die vom Quellengedächtnis abhängen (der Fähigkeit, sich daran zu erinnern, woher man eine bestimmte Information erhalten hat), für ältere Erwachsene wesentlich schwieriger als für jüngere. In einer Studie wurden älteren und jungen Erwachsenen eine Reihe von fiktiven Fakten präsentiert, und zwar entweder von einem Mann oder von einer Frau. Die Wissenschaftler stellten fest, dass die älteren Testteilnehmer wesentlich größere Mühe hatten, sich daran zu erinnern, ob sie die Informationen von einem Mann oder einer Frau erhalten hatten, obwohl sie die Fakten als solche korrekt erinnerten.

Wenn ältere Erwachsene ihr umfangreiches, bestehendes Wissen anwenden, um neue Informationen mittels fantasievoller Assoziationen zu lernen, und man ihrer Erinnerung anschließend mit

Abrufreizen auf die Sprünge hilft, sind sie glücklicherweise zu etwa genauso guten Gedächtnisleistungen fähig wie junge Menschen. Das hängt damit zusammen, dass wir Fakten und Assoziationen im Allgemeinen auch mit zunehmendem Alter gut behalten.

Ältere Menschen »schwelgen gern in Erinnerungen«, was zeigt, dass unsere Fähigkeit, die Vergangenheit zu erinnern und sich damit zu beschäftigen, das ganze Leben lang größtenteils intakt bleibt, dennoch betrachtet man es häufig als negativ, wenn Menschen »in der Vergangenheit leben«. Studien von Gerontologen (Wissenschaftler, die erforschen, wie und warum wir altern) widerlegen diese Auffassung und verweisen im Gegenteil darauf, dass diese Neigung zu Reminiszenzen ein normaler, gesunder Teil des Alterungsprozesses ist. Studien zeigen, dass ältere Erwachsene, die gern in Erinnerungen schwelgen (insbesondere in solchen, die sich mit früheren Plänen oder Zielen befassen oder darauf ausgerichtet sind, die Vergangenheit mit der Gegenwart zu versöhnen), weniger zu Depressionen neigen und geistig gesünder sind als Menschen, die es nicht tun.

Vielleicht liegt es an diesem Hang zu Reminiszenzen (und den damit verbundenen Vorteilen), dass ältere Leute häufig eindrucksvolle Geschichtenerzähler sind. In vielen Gesellschaften werden ältere Erwachsene ermutigt, ihre Geschichten an die jüngere Generation weiterzugeben. Die älteren Stammesangehörigen der amerikanischen Ureinwohner zum Beispiel genossen großen Respekt als Hüter der kulturellen Erinnerung, die häufig in Form von Schöpfungsgeschichten erzählt wurde und lebenswichtige Informationen über die Ursprünge des Stammes, die Kunst des Jagens und den respektvollen Umgang mit der Natur enthielt. Wer so überheblich war, die Geschichten der Älteren zu ignorieren, von dem hieß es, er sei dazu verurteilt, die Fehler der Vergangenheit zu wiederholen.

Leider hat die Ankunft der Missionare und der westlichen Kultur viel dazu beigetragen, die erinnerungsorientierten Traditionen der amerikanischen Ureinwohner zu zerstören. Tatsächlich hat die Bedeutung, die dem Gedächtnis zugeschrieben wird, in vielen westlichen Industrienationen beträchtlich abgenommen, da sich die Überzeugung ausbreitet, es sei aufgrund von Computern und anderen technischen Spielzeugen nicht mehr notwendig, sich Erlebnisse oder Informationen einzuprägen. Doch Computer sind ein schlechter Ersatz für das differenzierte, kontextbezogene und interpersonale Wesen unserer Erinnerungen. Erinnern ist menschlich, weil die – individuelle und kollektive – Vergangenheit der Quell unserer Gegenwart und unserer Zukunft ist.

4. Eine Welt aus Worten

Ich bin ein *Linguaphiler* – ein Liebhaber von Worten und Sprache. Liebe ist die treffende Bezeichnung für das, was ich für Sprache empfinde. Es ist ihre Schönheit ebenso wie ihre Nützlichkeit, die mich dazu veranlasst, verschiedene Sprachen zu lernen und zu sprechen. Bestimmte Wörter oder Wortkombinationen empfinde ich als besonders schön und anrührend, wie etwa »buttercup« (Butterblume), »ljósmóðir« (isländisch für »Hebamme«, wörtlich: »Lichtmutter«) oder das finnische: »Aja hiljaa sillalla« (»fahr vorsichtig auf der Brücke«).

Ich fing mit dem Erlernen von Fremdsprachen erst kurz vor der Highschool an, weil ich wie so viele Engländer aus einer Familie stamme, die stur an ihrer Einsprachigkeit festhielt. Da ich kaum Hilfe von Muttersprachlern bekam, lernte ich zunächst nur aus Büchern und durch Kassetten. Anfangs motivierten mich ausschließlich die faszinierenden grammatischen Muster und ästhetisch ansprechenden Wörter, die ich in den verschiedenen Sprachen entdeckte, zum Lernen.

Meine Fremdsprachenkenntnisse haben mir Erfahrungen und Möglichkeiten eröffnet, die sich mir andernfalls nie geboten hätten. Litauisch zum Beispiel habe ich als Neunzehnjähriger gelernt: Damals arbeitete ich ein Jahr lang als ehrenamtlicher Englischlehrer in Litauen. Mit großem Vergnügen habe ich mir bestimmte litauische Diminutiv-Suffixe angeeignet (wie »-let« im englischen »booklet« oder »-lein« im deutschen »Büchlein«), um die Zuneigung für enge Freunde zum Ausdruck zu bringen: Birutė (meine beste Freundin) war für mich »Birutėlė« (was in etwa »liebe oder süße Birutė«, bedeutet). Meine litauischen Freunde nannten mich ihrerseits »Danieliukas« (»kleiner Daniel«).

Als Esperanto-Sprecher (eine Welthilfssprache, die im 19. Jahrhundert entwickelt wurde, um die internationale Verständigung zu erleichtern) schätze ich den Humor in solchen Worten wie »bonantagulo« (ein fauler Esperanto-Schüler), »krokodili« (in einer Fremdsprache reden, wenn Esperanto ein angemesseneres Verständigungsmittel wäre, wörtlich: »krokodilen«) und »volapukajô« (Unsinn, nach der künstlichen Sprache »Volapük«, einem Vorläufer von Esperanto).

Zu anderen Freuden, die sich einem durch Fremdsprachenkenntnisse erschließen, gehört zum Beispiel, den Kinderbuchklassiker *Le Petit Prince* im Original zu lesen oder sich während eines Urlaubs auf der schottischen Insel Skye in rudimentärem Gälisch mit einem der wenigen noch existierenden Muttersprachler kurz unterhalten zu können. Worauf ich an dieser Stelle hinaus möchte, ist, dass die Worte und die Grammatik den natürlichen Lebensrhythmen nicht fremd, sondern untrennbar mit all unseren vielfältigen Alltagserfahrungen verbunden sind. Das Erlernen von Sprachen hat mir geholfen, immer mehr darüber zu lernen, was Menschlichsein bedeutet.

Ein weiterer Grund dafür, weshalb Sprache eine so große und unwiderstehliche Faszination auf mich ausübt, ist ihre Komplexität und Tiefgründigkeit. Man denke nur an die schiere Anzahl der Wörter, die in der englischen Sprache (häufig als die wortreichste aller Weltsprachen bezeichnet) möglich ist. Richard Sproat, ein Computerlinguist, stellte all die verschiedenen Wörter zusammen, die in den Nachrichtentexten von Associated Press im Jahr 1988 vorkamen. Er listete insgesamt etwa 300000 unterschiedliche Wortformen auf, darunter solche Perlen wie »armhole« (Armloch), boulder-like« (felsbrockenartig) und »traumatological« (traumatologisch).

Tatsächlich ist die Anzahl möglicher Wörter in einer Sprache unendlich, was auf die gewaltigen Kombinationsmöglichkeiten zurückzuführen ist, die sich aus den Wortbildungsregeln ergeben: Denken Sie zum Beispiel an die unendliche Anzahl von möglichen Wörtern, die man einfach durch die kontinuierliche Hinzufügung der Silbe »Great« an Grandfather, Great-Grandfather, Great-great-grandfather usw. erzeugen kann (Ur-Großvater, Ur-Ur-Großvater, Ur-Ur-Ur-Großvater). Ein weiteres Beispiel: Nehmen Sie das Substantiv »ration«, dem man das Suffix »-al« anhängen kann, um das Adjektiv »rational« zu bilden. Fügt man »-ise« hinzu, erhält man ein Verb: »rationalise«. Wir kehren zu einem Substantiv zurück, indem wir das Suffix »-isation« anfügen. Im Prinzip gibt es keinen Grund, wieso wir auf diese Weise nicht unendlich viele neue Wörter bilden und etwa mit »rationalisational« fortfahren könnten (wofür Google nicht weniger als 127 Treffer angibt).

Auch die Anzahl von Sätzen ist potenziell unendlich. Das liegt daran, dass die Grammatik einer Sprache ein Beispiel für ein »diskretes kombinatorisches System« ist, bei dem eine endliche Anzahl diskreter Elemente (Wörter) zusammengestellt, kombiniert und zu unbegrenzt vielen größeren Strukturen (Sätzen) angeordnet werden kann. Ein Beispiel für einen potenziell unendlichen Satz stammt aus einem beliebten Kinderreim (ich beschränke mich auf die Anfangszeilen):

Dies ist der hölzerne Mann.
Dies ist das Haus des hölzernen Mannes.
Dies ist die Tür des Hauses des hölzernen Mannes.
Dies ist das Schloss der Tür des Hauses
des hölzernen Mannes.
Dies ist der Schlüssel zum Schloss der Tür
des Hauses des hölzernen Mannes.
Dies ist der Bart des Schlüssels zum Schloss

der Tür des Hauses des hölzernen Mannes.
Dies ist der Faden des Bartes des Schlüssels
zum Schloss der Tür des Hauses des hölzernen Mannes.

Das Erstaunliche an Sprache mit ihrer potenziell unendlichen Anzahl von Wörtern und Sätzen ist, dass überhaupt irgendjemand in der Lage ist, sich ihrer zu bedienen. Dennoch tun wir es alle (bis auf wenige Ausnahmen), unabhängig von Herkunft, Bildungsgrad, Kultur, sozialer Schicht oder ethnischer Zugehörigkeit. Tatsächlich ist das menschliche Vermögen, Sprache zu erwerben und anzuwenden, nichts Geringeres als eine überragende intellektuelle Leistung.

Zum Beweis dafür muss man sich nur mal anschauen, wie viel Wörter ein Durchschnittsmensch kennt. Die meisten Menschen schätzen, dass es sich dabei um eine Zahl in den Hunderten oder unteren Tausendern handelt, doch das erweist sich als grobe Unterschätzung. Psychologen ermitteln die tatsächliche Zahl, indem sie nach dem Zufallsprinzip Wörter aus einem Wörterbuch auswählen. Der Testperson wird jedes Wort aus der Stichprobe präsentiert, und sie muss aus einer Reihe von Alternativen das Synonym auswählen, das dem Wort am ehesten entspricht. Nachdem berücksichtigt wird, wie viel Antworten zufällig richtig sein könnten, wird der Anteil der richtigen Antworten mit der Seitenzahl des Wörterbuchs multipliziert. Unter Anwendung dieser Technik berechneten die Psychologen William Nagy und Richard Anderson, dass ein durchschnittlicher amerikanischer Highschoolabsolvent 45 000 Wörter kennt – drei Mal so viel, wie Shakespeare in seinen gesammelten Werken untergebracht hat! Bei Menschen, die viel lesen, liegt die Zahl vermutlich noch weit höher.

Man bedenke, wie schnell man diese Wörter erlernt haben muss, um im Alter von achtzehn Jahren einen so großen Wortschatz zu besitzen. Das Lernen von Wörtern beginnt etwa im Alter von einem Jahr, von daher muss sich der Highschoolabsolvent 17 Jahre lang durchschnittlich 7 bis 8 Wörter pro Tag angeeignet haben. Der in Harvard lehrende Psychologe Steven Pinker fasst dieses Ergebnis zusammen, indem er Kinder als »lexikalische Staubsauger« bezeichnet.

Der Sprachinstinkt

Kinder wachen nicht eines Morgens mit einer voll ausgebildeten Grammatik und einem fertigen Wortschatz in ihren Köpfen auf; der Spracherwerb erfolgt vielmehr in verschiedenen Phasen, wobei sich das Kind in jeder Phase der Sprache des Erwachsenen weiter annähert. Wissenschaftliche Studien über die Anfänge des Spracherwerbs bei Kindern in verschiedenen Teilen der Welt zeigen, dass diese Lernphasen überall sehr ähnlich und möglicherweise universell sind.

Die erste Phase in der kindlichen Sprachentwicklung beginnt im Alter von etwa sechs Monaten, wenn das Kind zu brabbeln beginnt (Lallphase). Gehörlose Kinder tun dies ebenso wie hörende Kinder, was darauf hindeutet, dass das »Lallen« nicht davon abhängt, dass sie die Eltern sprechen hören. Wissenschaftler sind sich nicht sicher, welche Rolle die Lallphase beim nachfolgenden Spracherwerb spielt, doch einer Theorie zufolge lernt das Kind in dieser Phase, zwischen den Lauten, die zu seiner Muttersprache gehören, und jenen, die nicht dazugehören, zu unterscheiden.

Als Nächstes kommt die sogenannte »holophrastische« oder Einwort-Phase (d. h. Sätze, die aus einem Wort bestehen): Etwa um den ersten Geburtstag herum fängt das Kind an, wiederholt dieselben Lautkombinationen für dieselben Objekte zu benutzen. Es hat gelernt, dass Laute mit Bedeutungen verbunden sind, und erzeugt seine ersten Wörter. Dabei handelt es sich im Allgemeinen um Benennungen wie »Mama«, »Hund« oder »Ball«. Während dieser Phase benutzt das Kind die Wörter häufig auf eine Weise, die entweder zu eng oder zu weit gefasst ist (sogenannte »Überdiskriminierung« und »Übergeneralisierung«): »Flasche« nur für Plastikflaschen; »Teddy« nur für einen bestimmten Teddybären; »Hund« für Katzen, Kühe und Lämmer ebenso wie für Hunde. Mit der Zeit entwickelt und verändert sich dieser Gebrauch von Kind zu Kind.

Etwa um den zweiten Geburtstag herum fängt das Kind an, Zweiwortsätze zu bilden. Hier einige Beispiele:

»Mama Arm.«

»Schiff weg.«

»Uhr Kamin.«

»Kati Socke.«

»Da Ball.«

In der Phase der »Zweiwortsätze« spielt die Grammatik keine große Rolle. Personalpronomina (er, wir, sie) zum Beispiel werden selten geäußert, obwohl viele Kinder »mir«, benutzen, um von sich selbst zu sprechen.

Die letzte Phase, die an die Erwachsenensprache heranführt, ist die sogenannte »telegraphische Phase«, in der das Kind anfängt, Sätze aus zwei, drei, vier, fünf oder mehr Wörtern zu bilden. Bei den ersten Sätzen in voller Länge fehlen meistens die »Funktionswörter« wie »ist« oder »der, die, das« – es werden nur »Inhaltswörter« benutzt. Aus diesem Grund klingen Kinder in dieser Phase, als würden sie ein Telegramm lesen (daher der Ausdruck »telegraphische Sprache«). Beispiele wären etwa:

»Katrin kein Sellerie essen«

»Dame Schokolade holen«

»Katze Tisch steht«

»Er Lied spielen«

»Nicht da sitzen«

Diese Sätze sind keine Aneinanderreihungen von willkürlich verteilten Wörtern, sondern zeigen ähnliche Strukturen wie die von Erwachsenen und offenbaren die Anfänge des kindlichen Verständnisses für die Regeln des Satzbaus.

Wenn die Sprachentwicklung weiter voranschreitet, übernimmt das Kind allmählich immer mehr grammatische Merkmale der Erwachsenensprache. Mit der Zeit benutzt es Präpositionen wie »in« oder »zu«, gefolgt von den regelmäßigen Pluralendungen wie »-s«

oder »-e«. Im Alter von fünf Jahren beherrschen die meisten Kinder die Sprache relativ sicher und drücken sich nahezu flüssig aus.

Verschiedene Theorien versuchen zu erklären, wie Kinder die Sprache der Erwachsenen erwerben. Einer Theorie zufolge ahmt das Kind nach, was es hört. Obwohl es in den Lernphasen tatsächlich zu einer gewissen Nachahmung kommt, zeigen die von Kleinkindern gebildeten Sätze, dass sie die Sprache der Erwachsenen nicht imitieren, weil Erwachsene nie Sätze bilden würden wie »Ein mein Stift« oder »zwei Fuß«.

Gegen die Vorstellung, dass Kinder Sprache ausschließlich durch Nachahmung erwerben, spricht auch, dass sie sich normalerweise weigern, sich in ihrer Grammatik von Erwachsenen verbessern zu lassen:

Kind: »Meine Lehrerin haltete die Baby-Kaninchen und wir haben sie gestreichelt.«

Erwachsener: »Meintest du, dass die Lehrerin die Kaninchen auf dem Arm hielt?«

Kind: »Ja.«

Erwachsener: »Und warum hat sie das gemacht?«

Kind: »Sie haltete die Baby-Kaninchen, und wir haben sie gestreichelt.«

Erwachsener: »Meintest du, dass deine Lehrerin die Kaninchen festhielt?«

Kind: »Nein, sie haltete sie lose.«

Nach einer ebenso unwahrscheinlichen Theorie lernen Kinder, korrekte Sätze zu bilden, wenn sie positive Verstärkung bei richtigen und negative Verstärkung bei falschen Sätzen erhalten. Doch Kinder verbessern ihre Sätze nicht, nicht einmal wenn sie ausdrücklich auf ihre Fehler hingewiesen werden.

Kind: »Keiner mag das nicht.«

Mutter: »Nein, das heißt: Keiner mag das.«

Kind: »Keiner mag das nicht.«

Mutter: »Hör mal zu. Sag: Keiner mag das.«

Kind: »Keiner mag das nicht.«

Tatsächlich scheinen kleine Kinder ihre Sprache zu erwerben, indem sie Muster in dem entdecken, was sie hören, und diese Regeln dann so oft wie möglich anwenden. Ein Nebeneffekt dieses regelorientierten Lernansatzes ist, dass das Kind manchmal »übergeneralisiert«, zum Beispiel unregelmäßige Verben und Substantive so behandelt, als wären sie regelmäßig. Hier einige Beispiele: »er singte« (statt »sang«), »sie hat geseht« (statt »gesehen«), »viele Käfers« und »Schwamms« (statt »Käfer« und »Schwämme«). Erst später lernen sie, dass es Ausnahmen von den Regeln gibt, verfeinern ihre Generalisierungen und überarbeiten entsprechend ihr Wissen von den Regeln.

Dass Kinder schnell und spontan komplexe Grammatikregeln aufnehmen, deutet darauf hin, dass sie von Natur aus mit einer besonderen Begabung zum Spracherwerb ausgestattet sein müssen. Charles Darwin, der Begründer der Evolutionstheorie, stimmte mit dieser Auffassung überein und beschrieb Sprache als einen menschlichen Instinkt, ähnlich dem für den aufrechten Gang. Ein Jahrhundert später wurde dieser Gedanke von dem amerikanischen Linguisten Noam Chomsky weiterentwickelt und populär gemacht. Er meinte, das menschliche Gehirn enthalte eine Menge unbewusster Regeln (die er »universale Grammatik« nannte) für die Sprachorganisation. Er erklärte seine Theorie folgendermaßen:

»Es ist eine seltsame Tatsache in der Geistesgeschichte der letzten paar Jahrhunderte, dass es für die körperliche und mentale Entwicklung ganz verschiedene Erklärungsansätze gegeben hat. Niemand würde die These ernst nehmen, der menschliche Organismus lerne erst durch Erfahrung, dass er Arme und keine Flügel hat oder dass die Grundstruktur eines Organs aus zufälligen Erfahrungen resultiert … Nun sind jedoch die kognitiven Systeme des Menschen, sofern man sie nur eingehend untersucht, gewiss nicht weniger faszinierend und kompliziert als die physischen Strukturen, die sich im Leben eines Organismus entwickeln. Warum sollten wir also den Erwerb einer kognitiven Struktur wie der Sprache nicht mit den mehr oder weniger gleichen Methoden untersuchen wie die Struktur komplexer physischer Organe?«

Laut Chomskys Theorie der universalen Grammatik ist (in jeder Sprache) der mentale Prozess, durch den ein Satz als grammatisch korrekt und ein anderer als falsch erkannt wird, universell und unabhängig vom Bedeutungsgehalt. Von daher können englische Muttersprachler sofort erkennen, dass ein Satz wie:»I milkshake want a« (Ich Milchshake will einen) kein korrektes Englisch ist. Gleichzeitig erkennen wir, dass ein Satz wie»Colourless ideas sleep furiously« (»Farblose Ideen schlafen wütend«) grammatisch korrekt ist, auch wenn er keinen Sinn ergibt.

Bis Chomsky seine Theorie vorstellte, das heißt bis in die 1960er Jahre, vertraten Sprachwissenschaftler im Allgemeinen die Auffassung, dass jedes Kind in geistiger Hinsicht praktisch als unbeschriebenes Blatt zur Welt kommt und dass es Sprache ausschließlich durch die Wechselbeziehung mit seiner Umwelt erlernt. Chomsky und seine Mitarbeiter stellten diese Auffassung vom menschlichen Geist als»unbeschriebenem Blatt« in Frage und revolutionierten das wissenschaftliche Verständnis vom Wesen und Prozess des Spracherwerbs.

Zu den Beweisen, die Chomskys Theorie bestätigen, gehört insbesondere die Entstehung der Kreolsprachen in verschiedenen Teilen der Welt. Die historischen Ursprünge vieler Kreolsprachen lassen sich auf die Zeit des Sklavenhandels zurückführen, als man Sklaven und Arbeiter unterschiedlichster geographischer und sprachlicher Herkunft auf den Plantagen zusammenbrachte. Um sich untereinander zu verständigen, mussten diese Arbeiter eine vereinfachte Form von Sprache, das sogenannte »Pidgin«, entwickeln, eine Mischung von Wörtern aus den verschiedenen Sprachen, die auf den Plantagen gesprochen wurden. Diesen extrem einfachen Pidgin-Sprachen fehlten viele grammatische Merkmale – wie etwa eine konsequente Wortstellung, Affixe oder Zeiten –, die in einer Muttersprache normalerweise vorkommen. Häufig waren die Kinder der Sklaven von ihren Eltern getrennt und wurden von Arbeitern aufgezogen, die Pidgin mit ihnen sprachen. Nicht damit zufrieden, die fragmentarischen Wortketten, die sie hörten, einfach zu wiederholen, erweiterten diese Kinder spontan die grammatische Komplexität und erschufen so innerhalb einer einzigen Generation eine brandneue, höchst expressive Sprache (Kreolsprache).

Der Linguist Derek Bickerton hat die Hypothese aufgestellt, dass Kreolsprachen, da sie größtenteils das geistige Produkt von Kindern seien, einen besonders klaren Einblick in die angeborenen grammatischen Mechanismen im Gehirn ermöglichen müssten. Wie er anführt, weisen Kreolsprachen in allen Teilen der Welt verblüffende Ähnlichkeiten miteinander auf und besitzen möglicherweise sogar dieselbe grundlegende Grammatik, auch wenn sie aus ganz verschiedenen Ursprungssprachen hervorgegangen sind. Diese grundlegende Grammatik taucht Bickerton zufolge sogar in den Sätzen von kleinen Kindern mit komplexeren Muttersprachen auf. Wenn etwa englischsprachige Kinder sagen: »Why he is leaving?« (= »Warum er geht?«) oder »Nobody don't likes me«, (= »Keiner mag mich nicht«), bilden sie unwissentlich Sätze, die in vielen Kreolsprachen der Welt grammatisch sind.

Wenn Sprache tatsächlich einem spontanen geistigen Prozess entspringt und nicht einfach eine Reaktion auf unsere Umwelt ist, dann müsste sie einen erkennbaren Sitz im Gehirn haben. Bislang hat noch niemand ein »Sprachorgan« oder »Grammatikgen« entdeckt, doch es gibt Beispiele für neurologische Schädigungen, bei denen die Sprache beeinträchtigt wird, die allgemeine Kognition jedoch erhalten bleibt. Dazu gehört zum Beispiel die Broca-Aphasie, die durch eine Schädigung im unteren Teil des linken Frontallappens verursacht wird. Charakteristisch für die Störung ist ein langsames bedächtiges Sprechen, bei dem viele Merkmale normaler grammatischer Sätze fehlen.

David Ford, Funker bei der Küstenwache, erlitt im Alter von neununddreißig Jahren einen Schlaganfall und entwickelte anschließend eine Broca-Aphasie. Drei Monate später führte der Psychologe Howard Gardner folgendes Gespräch mit ihm:

»Ich fragte Mr. Ford, welcher Beschäftigung er vor seiner Einlieferung ins Krankenhaus nachgegangen sei.

›Ich bin Sig … nein … Mensch … hm, ja … noch mal.‹ Diese Worte wurden langsam und mit großer Anstrengung ausgestoßen. Die Laute waren nicht deutlich artikuliert; jede Silbe wurde hart, explosiv und mit kehliger Stimme ausgesprochen. Mit der Zeit konnte man ihn besser verstehen, doch anfangs fiel es mir sehr schwer.

›Darf ich Ihnen helfen?‹, warf ich ein. ›Sie waren ein Signal …‹

›Ein Sig-nalmann, richtig?‹, beendete Ford meinen Satz triumphierend.

›Waren Sie bei der Küstenwache?‹

›Nein, äh, ja, ja … Schiff … Massa … chusetts … Küstenwache … Jahre.‹ Er hob zweimal die Hände und zeigte die Zahl 19 an.

›Oh, Sie waren neunzehn Jahre lang bei der Küstenwache.‹

›Oh … Mensch … richtig … richtig‹, antwortete er. …

›Könnten Sie mir sagen, Herr Ford, was Sie hier im Krankenhaus tun?‹

›Ja, natürlich. Ich gehe, äh, hm, Therapie neun Uhr, Sprache … zweimal … lesen … sch… schreiben, äh, schreiten, äh, schreiben … üben … wird … schon besser.‹

›Und dürfen Sie am Wochenende nach Hause?‹

›Nun ja … Donnerstag, äh, äh, äh, nein, äh, Freitag … Bar-bara … Frau … und, oh, Auto … fahren … Autobahn … wissen Sie … ausruhen und … T-V.‹

›Können Sie alles verstehen, was im Fernsehen läuft?‹

›Oh, ja, ja … gut … bei-na-he.‹« (Aus: Steven Pinker: *Der Sprachinstinkt*, S. 54–55, A. d. Ü.)

Aphasiker zeichnen sich also durch eine Sprechweise aus, bei der Inhaltswörter (Substantive, Verben und Adjektive) verwendet werden, aber viele Funktionswörter (wie »der, die, das«, »und«, »oder«) ausgelassen werden. Die Broca-Aphasie kann auch bestimmte ungewöhnliche Formen des »Agrammatismus« (die Unfähigkeit, grammatisch korrekte Sätze zu bilden) hervorrufen. Ford zum Beispiel konnte lesen und hatte dabei keine Schwierigkeiten mit Wörtern wie »bee« (»Biene«) und »oar« (Ruder), während ihm die gebräuchlicheren Wörter »or« und »be« große Mühe bereiteten.

Abgesehen von seinem sprachlichen Handicap waren Fords kognitive Fähigkeiten unbeeinträchtigt, wie Gardner in seiner Schilderung des Falles anmerkt: »Er war lebhaft und aufmerksam und war sich völlig bewusst, wo er war und warum. Intellektuelle Funktionen, die nicht eng mit der Sprache verbunden sind, wie die Unterscheidung zwischen rechts und links, die Fähigkeit ... zu zeichnen, zu rechnen, Karten zu lesen, Uhren zu stellen, etwas zu bauen oder Anordnungen zu befolgen, waren allesamt erhalten geblieben.«

Das Gegenteil der Broca-Aphasie, bei der die Sprache beeinträchtigt ist, alle anderen kognitiven Funktionen jedoch erhalten bleiben, zeigt sich beim sogenannten »Chatterbox-Syndrom« (chatterbox = Plaudertasche, Plappermaul), bei dem der Betreffende an einer Form geistiger Behinderung leidet, aber über relativ eindrucksvolle sprachliche Fähigkeiten verfügt. Eine berühmte Fallstudie handelt von einem amerikanischen Teenager namens Laura, die unfähig war, allein zurechtzukommen, und nicht einmal wusste, wie alt sie war: »Letztes Jahr war ich sechzehn, und jetzt bin ich einundzwanzig«, verkündete sie einmal. Doch Laura konnte fließend in grammatisch korrekten (wenn auch unsinnigen) Sätzen sprechen, und sie plapperte nicht einfach Sätze nach, die sie von anderen Leuten hörte, wie das folgende Beispiel ihrer Sprechweise zeigt:

»It was gaven by a friend. (Es kamte von einem Freund.)

These are two classes I've tooken. (Ich belag zwei Kurse.)

I don't know how I catched it. (Ich weiß nicht, wie ich es mir einfangte.)«

Diese Fehler zeigen, dass Laura ihre Sätze trotz ihrer geistigen Behinderung selbst hervorbringt. Ihr Fall bestätigt Chomskys These, dass unsere Fähigkeit, Sprache zu erzeugen und zu nutzen, durch angeborene Prozesse im menschlichen Gehirn bestimmt wird.

Sprach-Universalien

Wenn Sprache tatsächlich entsprechend einer unbewussten »Universalgrammatik« im menschlichen Gehirn strukturiert ist, dann müssten die meisten, wenn nicht alle Sprachen der Welt verschiedene elementare Merkmale gemeinsam haben. Viele Linguisten haben die »universalen Tendenzen« von Sprachen erforscht und eindrucksvolle Nachweise aus Tausenden von Sprachen gesammelt.

Der berühmteste und einflussreichste dieser Forscher war der amerikanische Linguist Joseph Greenberg. In seinem 1963 erschienenen Forschungsbericht führte er 45 Sprachuniversalien an, die auf einer Untersuchung von 30 Sprachen auf fünf Kontinenten basierten, einschließlich Baskisch, Walisisch, Yoruba, Suaheli, Berberisch, Hebräisch, Hindi, Japanisch, Maori, Quechua (ein Abkömmling der Inka-Sprache) und Guarani (eine südamerikanische Indianersprache). Zu den Universalien, die Greenberg entdeckte, zählten unter anderem:

Das Subjekt eines Satzes geht dem Objekt fast immer voraus.

Das bedeutet, dass es drei Hauptarten von Wortstellungen unter den Sprachen der Welt gibt. SPO-(Subjekt-Prädikat-Objekt)-Sätze wie im Englischen (»John eats a sandwich«); PSO-Sätze wie im Walisischen (»Edrychais i ar lawer o bethau«, »Ich habe viele Dinge gesehen«, wörtlich: »Gesehen ich viele Dinge«); SOP-Sätze wie im Japanischen (»Watashi wa hako o akemasu«, »Ich öffne die Kiste«, wörtlich: »Ich Kiste öffne«).

In Sprachen, in denen das beschreibende Adjektiv auf das Substantiv folgt, kann es eine kleine Anzahl von Adjektiven geben, die ihm normalerweise vorausgehen, aber in Sprachen, in denen die deskriptiven Adjektive vor dem Substantiv stehen, gibt es keine Ausnahmen.

Im Französischen stehen die meisten Adjektive hinter dem Substantiv: »le livre rouge« (»das rote Buch«, wörtlich: »das Buch rot«), aber es gibt in der Tat eine kleine Zahl von Adjektiven, die dem Substantiv für gewöhnlich vorausgehen wie in dem Satz »Je vois le petit enfant« (»Ich sehe das kleine Kind«). Im Gegensatz dazu steht in englischen Sätzen das Adjektiv vor dem Substantiv und nie danach (außer vielleicht in Gedichten).

Verfügt eine Sprache über Genera für Substantive, verfügt sie auch über Genera für Pronomen.

Viele Sprachen verwenden Genera, wie zum Beispiel das Französische mit »le« (maskulin) und »la« (feminin) oder das Norwegische mit »en« (maskulin), »en / ei« (feminin) und »et« (neutrum). Zu den Sprachen ohne nominale Genera gehört das Finnische, das auch keine Genera für die Pronomen hat und das Wort »hän« für »er« und »sie« benutzt. Seit Greenberg seinen Überblick veröffentlichte, haben weitere Linguisten buchstäblich Hunderte von zusätzlichen universalen Merkmalen entdeckt, wie etwa:

Es gibt elf elementare Farbbegriffe: schwarz, weiß, rot, grün, blau, gelb, braun, violett, rosa, orange und grau. Jede Sprache beschreibt Farben als Mischung, Schattierung oder Unterkategorie einer dieser elf grundlegenden Farbbegriffe.

Besitzt eine Sprache einen Begriff für »Fuß«, besitzt sie auch einen Begriff für »Hand«; wenn sie Wörter für »Finger« hat, hat sie auch Wörter für »Zehen«.

Sprachen neigen dazu, die folgenden semantischen Unterscheidungen in bestimmte Wörter einzubeziehen: trocken / nass (z. B. Schmutz / Matsch), jung / alt, lebendig / tot, lang / kurz, männlich / weiblich, hell / dunkel etc.

Ein weiterer Ansatz zur Untersuchung der Sprachuniversalität ist die Frage, ob bestimmte konkrete ebenso wie abstrakte Begriffe (z. B. »Tisch« und »Liebe«) gleiche oder identische Assoziationen bei Sprechern verschiedener Sprachen wecken. Der amerikanische Psychologe Mark R. Rosenzweig führte 1961 eine Befragung zu Wortassoziationen bei einer Gruppe von amerikanischen, französischen und deutschen Studenten durch, bei der sich bemerkenswerte Ähnlichkeiten bei den Assoziationen zeigten. Beim Stichwort »Mann« lautete die häufigste Antwort bei allen drei Gruppen »Frau«; bei »weich« lautete sie »hart«, und bei dem abstrakten Begriff »Krankheit« reagierten die meisten Teilnehmer mit »Gesundheit«. Die häufigste Antwort bei allen Studentengruppen war zwar nicht gleich, aber doch sehr ähnlich: Auf das Stimulus-Wort »Bad« lautete die häufigste Reaktion der deutschen Gruppe »Wasser«, bei der französischen Gruppe »Meer« und bei der amerikanischen Gruppe »sauber«.

Die Universalität der Sprachen in verschiedenen Teilen der Welt lässt sich schließlich nicht nur an Wörtern und grammatischen Regeln beobachten, sondern auch daran, worüber und auf welche Weise die Sprecher sich miteinander unterhalten. Der Anthropologe Donald E. Brown hat ethnographische Archive durchforstet und nach den universalen Mustern gesucht, die dem Verhalten aller dokumentierten Kulturen der Welt zugrunde liegen. Wie er in seinem Buch *Human Universals* darlegt, entdeckte er ein verblüffend hohes Maß an Gemeinsamkeiten über Tausende von Kulturen hinweg, von den Inuits und Samoanern bis hin zur englischen und amerikanischen Kultur. Zu den Hunderten von Universalien, die Brown entdeckte, gehören zum Beispiel:

- Antonyme: Wortpaare mit gegensätzlicher Bedeutung wie »heiß« und »kalt«
- Babysprache (auch bekannt als »motherese« oder »mamanaise«): eine Sprechweise, die von Erwachsenen benutzt wird, wenn sie mit Säuglingen oder Kleinkindern reden, normalerweise in hoher Stimmlage und in »gurrendem« Tonfall
- Klassifikationen von Alter, Körperteilen, Farben, Fauna, Flora, Emotionen, Verwandtschaft, Geschlecht, Raum, Werkzeugen und Wetter
- Folklore
- Klatsch
- Scherzhafte Beleidigungen und Witze
- Sprachliche Redundanz: die Wiederholung von Informationen, die es bei einer Nachricht zunehmend unwahrscheinlich macht, dass Irrtümer bei ihrem Empfang oder ihrer Weiterleitung auftreten. Englisch zum Beispiel ist schätzungsweise zu 75

Prozent redundant, was bedeutet, dass englische Sätze 75 Prozent länger sind, als wenn man das Alphabet so effizient wie möglich nutzen würde, um Mitteilungen zu kodieren.

- Logische Vorstellungen von »und«, »äquivalent«, »allgemein/ spezifisch«, »nicht«, »Gegenteil«, »Teil/Ganzes«, »gleich«
- Vergleiche
- Metaphern
- Metonyme: der Gebrauch eines einzelnen Merkmals, um ein komplexeres Ganzes zu identifizieren (wie »Schweiß« für »harte Arbeit« oder »Zunge« für Sprache)
- Zahlen (mindestens »eins«, »zwei« und »mehr als zwei«)
- Lautmalerei: ein Wort, das den Klang, den es beschreibt, nachahmt (wie »klicken« oder »Kuckuck«)
- Vergangenheit/Gegenwart/Zukunft
- Eigennamen
- Dichtung/Rhetorik
- Possessiva (»Johns Auto« oder »mein Buch«)
- Pronomen (ich, er, wir, sie etc.)
- Sprichworte, Redensarten
- Spezielle Sprache für besondere Anlässe
- Symbolisches Sprechen/Benehmen
- Synonyme (Wörter mit identischer oder ähnlicher Bedeutung)
- Zeit, zyklischer Verlauf, Zeiteinheiten

Brown hat seine Forschung genutzt, um seine Anthropologenkollegen dazu aufzufordern, nicht nur nach den Unterschieden, sondern auch nach den Gemeinsamkeiten zwischen menschlichen Kulturen zu suchen: »Menschen sind sensibel für Unterschiede und müssen es sein. Doch hinter einer zu starken Konzentration auf die Unterschiede lauern zwischenmenschliche Konflikte. Wir sollten Hoffnung aus der Erkenntnis schöpfen, wie reich und zahlreich unsere Gemeinsamkeiten sind.«

Eine zweite Sprache lernen

In Anbetracht der Universalität oder Beinahe-Universalität vieler Merkmale (Grammatik, Wortassoziationen, Begriffe), die sich in den Sprachen der Welt finden, scheint es erstaunlich, dass so viele Menschen das Erlernen einer Fremdsprache als schwierig und frustrierend erleben. Was könnte die Ursache sein?

Viele Menschen haben gelesen oder gehört, dass es für das Sprachenlernen eine »sensible Phase« in der Kindheit gibt und dass ein Erwachsener, der sich eine Fremdsprache aneignen will, erhebliche Probleme damit hat. Doch das beruht auf einem Missverständnis der von Sprachwissenschaftlern benutzten Begriffe »Zeitfenster« oder »sensible Phase«. Tatsächlich beziehen sich diese Begriffe auf den Erwerb der Muttersprache in der frühen Kindheit und nicht auf das Erlernen einer weiteren Sprache im späteren Leben.

Die Vorstellung einer »sensiblen Phase« für den Spracherwerb wurde von dem Linguisten Eric Lenneberg in den Sechzigerjahren populär gemacht. Lenneberg zufolge sind die ersten Kindheitsjahre entscheidend für den erfolgreichen Erwerb der Erstsprache. Wenn der sprachliche Input erst nach diesem Zeitraum erfolgt, wird das Individuum die Sprache nie vollständig beherrschen, dies gilt insbesondere für die Grammatik (Satzbildung).

Ein Beispiel dafür liefert der Fall von »Genie«, die die ersten dreizehn Jahre ihres Lebens von ihrem psychisch kranken Vater in ihrem Zimmer eingesperrt wurde. Als sie im Teenageralter von den Behörden entdeckt und in einer Pflegefamilie untergebracht wurde, war sie fast vollständig stumm, sie beherrschte gerade mal etwa 20 Wörter. In den folgenden Jahren arbeiteten Sprachwissenschaftler intensiv mit Genie und ihr Wortschatz nahm beträchtlich zu, aber sie blieb unfähig, grammatisch korrekte Sätze zu bilden. Als sie beispielsweise gebeten wurde, eine Frage zu formulieren, antwortete sie: »What red blue is in?« (Was rot blau ist in?)

Inwieweit die »sensible Phase« das Lernen einer zweiten Sprache beeinträchtigt, ist unter Linguisten nach wie vor heftig umstritten.

Obwohl es anscheinend zutrifft, dass nur wenige erwachsene Sprachschüler so fließend zu sprechen lernen wie jüngere, erreicht ein kleiner Prozentsatz von erwachsenen Zweisprachlern tatsächlich ein vergleichbares Maß an Sprachflüssigkeit, obwohl sie die Sprache erst nach Abschluss der Kindheit erlernt haben. Deshalb akzeptieren viele Linguisten, dass das Lernen einer zweiten Sprache keiner biologischen »sensiblen Phase« unterworfen ist.

Ein neueres Forschungsergebnis von Wissenschaftlern des Centre for Human Communication am University College London zeigt, dass sich das Erwachsenengehirn, sofern es die richtigen Stimuli erhält, tatsächlich so trainieren lässt, dass es sich die Lautmuster einer zweiten Sprache korrekt aneignet. Erwachsene Sprachschüler können nachweislich große Mühe haben, bestimmte Laute einer neuen Sprache zu unterscheiden: Deutsche Schüler finden es zum Beispiel häufig schwierig, zwischen dem englischen »v« in »vest« und dem »w« in »west« zu unterscheiden. Die Linguisten Paul Iverson und Valerie Hazan haben in Studien untersucht, ob es möglich ist, die Art und Weise, wie das erwachsene Gehirn Laute in einer zweiten Sprache verarbeitet, neu einzustellen. In einer Studie wurden japanische Probanden darauf trainiert, den Unterschied zwischen r's und l's zu hören (was japanischen Englischschülern besonders schwerfällt). Vor und nach dem Umlernen ließ man die Teilnehmer eine Reihe von Tests machen, um ihre Wahrnehmung akustischer Reize zu bewerten. Am Ende der zehnwöchigen Trainingsphase konnten die Probanden die beiden Laute um durchschnittlich 18 Prozent besser erkennen (d. h. ein Teilnehmer, der vor dem Training die Unterschiede zwischen »l« und »r« in 60 Prozent der Fälle erkennen konnte, war nach dem Training in 78 Prozent der Fälle dazu imstande).

Iversons Folgerung aus diesen Studien macht erwachsenen Sprachschülern Hoffnung: »Lernen im Erwachsenenalter scheint nicht schwierig zu werden, weil sich die neuronale Plastizität verändert … das Lernen wird mühsam, weil die Erfahrung mit unserer Erstsprache die Wahrnehmung ›verzerrt‹. Wir sehen alles durch die

Brille unserer Muttersprache und das verzerrt die Art, wie wir Fremdsprachen sehen … unsere Wahrnehmung verändert sich im Laufe der Kindheit und spezialisiert sich darauf, die Sprachlaute in unserer Erstsprache zu hören. Diese Spezialisierung kann die Fähigkeit, zwischen Lauten in anderen Sprachen zu unterscheiden, beeinträchtigen. Durch Umlernen können wir unsere ›Wahrnehmungsverzerrung‹ grundlegend ändern und so das Lernen einer zweiten Sprache erleichtern.«

Andere Studien deuten auf eine mögliche Ursache der zusätzlichen Schwierigkeiten hin, die Erwachsene im Gegensatz zu Kindern beim Erlernen einer neuen Sprache haben. Eine 1997 von den Neurowissenschaftlern Joy Hirsch und Karl Kim durchgeführte Studie fand heraus, dass Zweitsprachen, je nachdem, wann sie gelernt wurden, anders im menschlichen Gehirn gespeichert sind.

Hirsch stellte eine Gruppe von 12 zweisprachigen Probanden zusammen (die zehn verschiedene Sprachen repräsentierten). Die Hälfte hatte in früher Kindheit zwei Sprachen gelernt; die andere Hälfte hatte die Zweitsprache ungefähr im Alter von 11 Jahren gelernt und anschließend längere Zeit in dem Land gelebt, in dem diese Sprache gesprochen wurde. Die Teilnehmer wurden gebeten, komplexe Sätze zu bilden und zunächst in der einen Sprache und dann in der anderen zu beschreiben, was sie am vorigen Tag getan hatten. Dabei wurde bei jedem Probanden die Durchblutung im Gehirn mittels eines MRT-Geräts gemessen, um festzustellen, welche Hirnareale beim Denken in der jeweiligen Sprache aktiviert wurden.

Obwohl Elemente des Sprachenlernens im gesamten Gehirn verteilt sind, gibt es mehrere Regionen höherer Ordnung, die auf Sprache spezialisiert sind, wie das Wernicke-Areal, das für das Verständnis von Wortbedeutungen und gesprochener Sprache zuständig ist. Eine weitere Region ist das Broca-Areal, das die Sprechfähigkeit und einige wesentliche grammatische Elemente der Sprache steuert. Bei den Zweisprachlern, die beide Sprachen in früher Kindheit erworben hatten, wurden bei beiden Sprachen dieselben Hirnareale aktiv. Doch beim Hirnscan der Probanden, die ihre Zweit-sprache in der Adoleszenz erlernt hatten, zeigte sich, dass zwei getrennte Regionen des Broca-Areals, eines für jede Sprache, akti-viert wurden. Obwohl die beiden Regionen dicht zusammenlagen, arbeiteten sie immer getrennt.

Dieses Ergebnis deutet darauf hin, dass das Gehirn, wenn der Spracherwerb früh erfolgt, verschiedene Sprachen wie eine einzige behandelt, während eine später im Leben erlernte Zweitsprache vom Gehirn anders behandelt und deshalb gesondert gespeichert wird. Das impliziert, dass das Gehirn abhängig vom Alter unter-schiedliche Strategien für das Sprachenlernen einsetzt. Ein Säugling beispielsweise lernt in einer besonders stimulierenden Umwelt zu sprechen und benutzt dabei verschiedene Sinneswahrnehmungen – Hören, Sehen, Berührung und Bewegung –, die in festverdrahtete Schaltkreise im Gehirn, einschließlich des Broca-Zentrums, einflie-ßen. Sobald die Zellen auf eine oder mehrere Sprachen eingestimmt sind, verfestigen sie sich. Zwei Sprachen, die zu dieser Zeit gelernt werden, mischen sich. Wer später im Leben eine zweite Sprache erlernt, muss neue Fertigkeiten erwerben, um die komplexen Laute der neuen Sprache zu erzeugen, weil das Broca-Zentrum bereits auf die Muttersprache eingestellt ist; deshalb wird ein neues Hirnareal dafür rekrutiert. Auch Neurochirurgen haben Hinweise gefunden, die für die Vorstellung sprechen, dass mehrere Sprachen im Gehirn von Erwachsenen getrennt voneinander gespeichert sind. Der Neu-rologe George Ojemann von der School of Medicine an der Univer-sity of Washington operiert Menschen, die unter schweren epilepti-schen Anfällen leiden. Bei einer Studie mit zweisprachigen Patienten zeigte Ojemann jedem Teilnehmer ein Bild von einem Alltagsobjekt (zum Beispiel eine Banane) und bat ihn, dieses zu benennen. Durch eine äußerst präzise elektrische Stimulation einzelner Hirnregionen konnte Ojemann die Patienten dazu bringen, beispielsweise Spa-nisch und nicht Englisch zu reden, und dann durch die Stimulation einer angrenzenden Hirnregion das gegenteilige Ergebnis erzielen.

Von einem weiteren bemerkenswerten Beispiel für die Art, wie

125

das Gehirn zu unterschiedlichen Zeiten erlernte Sprachen speichert, erfuhr ich in einem Gespräch, das ich im Zuge der Recherchen für dieses Kapitel mit einem Neurowissenschaftler führte. Er schilderte den Fall einer jungen Vietnamesin, die zweisprachig aufwuchs – mit Vietnamesisch und Englisch – und dann im Erwachsenenalter einige Jahre lang Französisch lernte. Nach einem Autounfall verlor die Frau die Fähigkeit, ihre beiden Muttersprachen zu benutzen, aber ihr Französisch blieb erhalten. Jedes Mal, wenn ihr Ehemann, der ebenfalls ursprünglich aus Vietnam stammte, sie im Krankenhaus besuchte, musste der Neurowissenschaftler – ein Zweisprachler, der Französisch und Englisch beherrschte – als Dolmetscher fungieren, damit die Eheleute sich unterhalten konnten.

Obwohl die Wissenschaft noch einen weiten Weg vor sich hat, bevor endgültig aufgeklärt ist, wie das Gehirn Sprache speichert und verarbeitet, ist man sich zunehmend darüber einig, dass das Erlernen einer zweiten Sprache, ob in der Kindheit oder im Erwachsenenalter, eindeutig Vorteile bringt. Suzanne Flynn, Professorin für Linguistik und Zweitspracherwerb am Massachusetts Institute of Technology, erklärt, dass Menschen, die zwei Sprachen sprechen, einen »klaren Vorteil« gegenüber Einsprachlern haben, weil Zweisprachler von einem jungen Alter an »besser in der Lage sind, Informationen zu abstrahieren ... sie lernen früh, dass Bezeichnungen von Objekten etwas Willkürliches sind, setzen sich also sehr früh mit einem gewissen Maß an Abstraktion auseinander.«

Psychologen verwenden ein einfaches Spiel, das aus Lego- und Duplosteinen besteht, um Wahrnehmungsunterschiede zwischen einsprachigen und zweisprachigen Vierjährigen zu untersuchen. Zunächst lässt man die Kinder Türme aus Lego- oder Duplosteinen bauen (Duplosteine sind genau wie die bekannten Legosteine, außer dass sie etwa doppelt so groß sind). Dann erklärt der Testleiter den Kindern, dass jeder Stein, unabhängig von seiner Größe, für eine Familie steht. Die Kinder haben die Aufgabe, sich einen Turm anzuschauen und zu sagen, wie viele Familien er umfasst. Die korrekte Beantwortung der Frage hängt davon ab, wie gut das Kind die

visuelle Tatsache ignorieren kann, dass ein Turm aus sieben Lego-
steinen genauso hoch ist wie ein Turm aus vier Duplosteinen. Einsprachige Kinder können diese Aufgabe ab einem Alter von fünf
Jahren lösen, während zweisprachige Kinder dazu bereits mit vier
Jahren fähig sind. Sie sind also offenbar besser in der Lage, ihre Aufmerksamkeit zu bündeln und Ablenkungen zu ignorieren.

Die Beherrschung von mehr als einer Sprache könnte sogar dazu beitragen, eine verminderte geistige Leistungsfähigkeit im Alter
abzuwehren. Psychologische Studien in Kanada, Indien und Hong-
kong haben ergeben, dass zweisprachige Personen besser abschnitten als einsprachige, wenn sie Testaufgaben lösen mussten,
bei denen sie Ablenkungen ausgesetzt waren. Die Forscher setzten
den Simon-Test ein, mit dessen Hilfe man mentale Fähigkeiten
messen kann, die bekanntermaßen mit zunehmendem Alter nachlassen. Die Probanden sehen ein aufblitzendes rotes oder blaues
Viereck auf einem Computerschirm und werden aufgefordert,
einen Knopf auf der linken oder rechten Seite zu drücken, je nachdem, welche Farbe auftaucht. Drei Experimente zeigten, dass Probanden, die Kantonesisch und Englisch, Tamil und Englisch oder
Französisch und Englisch sprachen, durchweg besser abschnitten
als Probanden, die nur Englisch sprachen. Nach Auffassung der
Wissenschaftler könnte die Fähigkeit, zwei Sprachen gleichzeitig
im Kopf zu behalten, ohne dass Wortschatz oder Grammatik durch-
einandergeraten, die größere Kontrolle erklären, die notwendig ist,
um bei der Simon-Aufgabe gut abzuschneiden. Eine andere Möglichkeit ist, dass Zweisprachler über ein besseres Arbeitsgedächtnis
für die Informationsspeicherung und -verarbeitung verfügen.

Erfolgreiches Sprachenlernen

Zum Erlernen einer neuen Sprache gehören drei Hauptschritte:
Man muss sich die Laute aneignen (Phonologie), neue Wörter, ihre
Bedeutung und die Regeln der Wortbildung erlernen (Morpholo-
gie) und wissen, wie man die Wörter in grammatisch korrekten

127

Kombinationen anwendet, um Phrasen und Sätze zu bilden (Syntax). Eine nützliche Definition des Sprachenlernens findet sich in dem exzellenten Buch *An Introduction to Language* der Sprachwissenschaftler Victoria Fromkin und Robert Rodman: »Die Kenntnis einer Sprache bedeutet, dass man fähig ist, neue Sätze zu erzeugen, die man nie zuvor gesprochen hat, und Sätze zu verstehen, die man nie zuvor gehört hat.«

Ein Grund, weshalb es Erwachsenen viel schwerer fällt, die Laute einer zweiten Sprache zu meistern als die der ersten, ist der »Transfer«, die Störung (Interferenz) durch vorher erworbenes Wissen, wenn wir uns neue Informationen aneignen. Deshalb neigen viele Erwachsene dazu, die Laute ihrer Muttersprache zu benutzen, wenn sie die Laute einer Fremdsprache auszusprechen versuchen. Englischsprachige Personen zum Beispiel haben die Tendenz, einen Lufthauch zu erzeugen (der linguistische Begriff lautet »Aspiration«), wenn sie Wörter wie »come« und »quick« sagen. Zu dieser »Behauchung« neigen sie dann auch, wenn sie Spanisch lernen und ähnlich klingende Wörter wie »como« und »que« aussprechen, obwohl Spanier nicht auf die gleiche Weise aspirieren. Dasselbe Problem taucht natürlich auch umgekehrt häufig auf, wenn Spanier Englisch lernen.

Eine Methode, die ich anwende, um die Laute einer neuen Sprache zu üben, besteht darin, Sätze zu bilden, in denen sich ein bestimmter Laut mehrmals in schneller Folge wiederholt, wie in dem französischen Satz: »*Alain tient du pain aux grains dans sa main*« (Alain hält ein Getreidebrot in der Hand).

Eine gute Übung ist auch, sich Songs in der Zielsprache anzuhören und den Text mitzusingen. Das erleichtert es, den Sprachrhythmus nachzuahmen und trägt zu einer guten Aussprache bei.

Zu einer korrekten Aussprache gehört außerdem, dass man weiß, wie man einzelne Wörter betont. Englisch ist eine sehr komplizierte Sprache, was die Betonung angeht: Bei »White House« liegt die Betonung auf »White«, während sie bei »a white house« auf »house« liegt. Glücklicherweise haben viele Sprachen regelmäßige Betonungen. Bei finnischen Wörtern liegt die Betonung immer auf der ersten Silbe, während sie bei polnischen immer auf der vorletzten liegt.

Die Art, wie ein Satz gesprochen wird (die »Intonationskontur«), kann seine Bedeutung beeinflussen. Intonationssprachen wie Englisch und Französisch zum Beispiel nutzen die Tonhöhe, um einen Satz von einer Aussage in eine Frage zu verwandeln. Spricht man den Satz »John is here« (im Französischen »Jean est ici«) mit fallender Intonation, ist es ein Aussagesatz, während er bei steigender Intonation zur Frage wird: »John is here?« (»Jean est ici?«).

Die Phonologie einer Sprache wird nicht allein durch ihren Bestand an Sprachlauten bestimmt, sondern auch durch die Art und Weise, wie diese Laute zu Silben und die Silben zu Wörtern zusammengefügt werden. Das Wort »spletch« zum Beispiel ist kein englisches Wort, könnte es aber im Gegensatz zu »trfixoz« durchaus sein. Ein Muttersprachler weiß automatisch, welche Wörter in seiner Sprache möglich oder unmöglich sind, während dies bei einer Fremdsprache eine bewusste Lernanstrengung erfordert. Englische Muttersprachler können sich dieses Lernen erleichtern, wenn sie sich anschauen, wie englische Wörter, die von der Fremdsprache entlehnt wurden, in dieser geschrieben (und gesprochen) werden. Das englische Wort »ice cream« ist zum Beispiel als »aisukurimo« ins Japanische importiert worden und »girlfriend« als »garufurendo«.

Auch für das Verständnis ist es wichtig, die Lautkombinationen einer Sprache zu kennen. Ein Engländer, der »thisroad« hört, weiß, dass es sich dabei um »this road« handeln muss und nicht »the sroad« heißen kann, weil die Kombination »sr« im Englischen nicht vorkommt. Nach der sogenannten »Kohortentheorie« fängt der Hörer sofort unbewusst an, die möglichen Wörter, die er hören könnte, einzugrenzen. Bei einem Wort, das mit »el-« beginnt, kommen ihm automatisch alle bekannten Wörter mit diesen Anfangslauten in den Sinn (Elefant, elektrisch, Elektron, Element, Eleonore), was die bestehenden Möglichkeiten rasch eingrenzt, wenn sich die Lautfolge des Wortes weiter entfaltet: »el-ek« (elektrisch,

Elektron), bis das Wort erkannt wird (El-ek-tron). Mehrere Experimente haben diese vorhersagende Form der Worterkennung bestätigt, wie zum Beispiel Tests, die zeigen, dass die Worterkennung durch eine falsche Aussprache des ersten Buchstabens eines Wortes wesentlich stärker beeinträchtigt wird als durch die falsche Aussprache des letzten (weil es viel leichter ist, ein Wort aufgrund seiner ersten Hälfte vorherzusagen als aufgrund der letzten).

Viele Menschen, die eine Fremdsprache lernen, empfinden vor allem das Vokabellernen als beängstigende Aufgabe. Doch sich einen reichen und ausdrucksstarken Wortschatz in einer zweiten Sprache zu erwerben, ist gar nicht so schwierig, wie man vielleicht denkt. Auf den folgenden Seiten werde ich einige einfache Methoden dafür beschreiben, wie man neue Wörter schnell und effizient lernen kann. Vorher möchte ich allerdings noch einen verbreiteten Mythos hinsichtlich des Vokabellernens aufklären, nämlich dass es möglich sei, sich in einer Sprache »durchzuschlagen«, indem man einen stark eingeschränkten Wortschatz erlernt, der sich aus den 100 gebräuchlichsten Wörtern der Sprache zusammensetzt. So behauptet etwa Tony Buzan in seinem Buch *Use Your Memory* (Dt.: *Nichts vergessen!*), dass die Alltagssprache zu 50 Prozent aus lediglich 100 häufig benutzten »Strukturwörtern« bestehe. Hier ein Beispiel einer solchen Liste für das Englische:

A, an	After	Again	All
Almost	Also	Always	Am
And	Because	Before	Big
But	Can	Come	Either
Father	Find	First	Friend
From	Go	Good	Goodbye
Happy	Have	He	Hello

Here	How	I	If
Ill	In	Know	Last
Like	Little	Love	Make
Many	Mother	More	Most
My	New	Newspaper	No
Now	Of	Often	On
Only	Or	Other	Our
Out	Over	Person	Place
Please	Same	See	Small
Some	Sometimes	Still	Such
Tell	Thank you	That	The
Their	Them	Then	There
There is	They	Thing	Think
This	Time	To	Under
Up	Us	Use	Very
Want	We	What	When
Where	Which	Who	Why
With	Yes	You	Your

Das Problem, wenn man diesen Gedanken auf das Sprachenlernen anwendet, ist, dass es sich bei den aufgelisteten Wörtern in der Tat um sehr elementare Begriffe handelt, nur enthalten sie an sich sehr wenig Information. Das zeigt sich zum Beispiel, wenn man den Anfang eines sehr bekannten Kinderbuches zitiert und dafür nur den Grundwortschatz der 100 Strukturwörter benutzt:

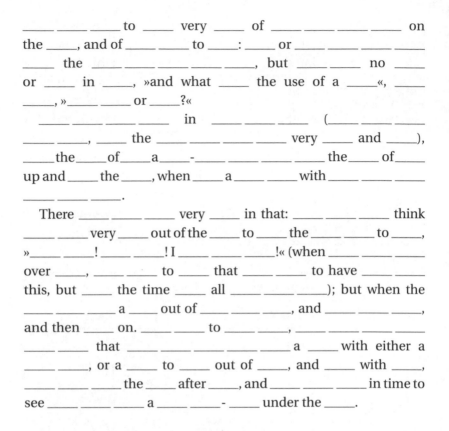

____ ____ ____ to ____ very ____ of ____ ____ ____ ____ on the ____, and of ____ ____ to ____: ____ or ____ ____ ____ ____ ____ the ____ ____ ____ ____ ____, but ____ ____ no ____ or ____ in ____, »and what ____ the use of a ____«, ____ ____, »____ ____ or ____?«

____ ____ ____ ____ in ____ ____ ____ (____ ____ ____ ____ ____, ____ the ____ ____ ____ ____ very ____ and ____), ____the____of____a____-____ ____ ____ ____ the____ of____ up and ____ the ____, when ____ a ____ ____ with ____ ____ ____ ____ ____ ____.

There ____ ____ ____ very ____ in that: ____ ____ ____ think ____ ____ very ____ out of the ____ to ____ the ____ ____ to ____, »____ ____! ____ ____! I ____ ____ ____!« (when ____ ____ ____ over ____, ____ ____ to ____ that ____ ____ to have ____ ____ this, but ____ the time ____ all ____ ____ ____); but when the ____ ____ ____ a ____ out of ____ ____ ____, and ____ ____ ____, and then ____ on. ____ ____ to ____ ____, ____ ____ ____ ____ ____ ____ that ____ ____ ____ ____ ____ a ____ with either a ____ ____, or a ____ to ____ out of ____, and ____ with ____, ____ ____ ____ the ____ after ____, and ____ ____ ____ in time to see ____ ____ ____ a ____ ____-____ under the ____.

Und hier der ganze Text:

Alice was beginning to get very tired of sitting by her sister on the bank, and of having nothing to do: once or twice she had peeped into the book her sister was reading, but it had no pictures or conversation in it, »and what is the use of a book«, thought Alice, »without pictures or conversation?«

So she was considering in her own mind (as well as she could, for the hot day made her feel very sleepy and stupid), whether the pleasure of making a daisy-chain would be worth the trouble of getting up and picking the daisies, when suddenly a White Rabbit with pink eyes ran close by her.

There was nothing so very remarkable in that: nor did Alice think

132

it so very much out of the way to hear the Rabbit say to itself, »Oh dear! Oh dear! I shall be late!« (when she thought it over afterwards, it occurred to her that she ought to have wondered at this, but at the time it all seemed quite natural); but when the Rabbit actually took a watch out of its waistcoat pocket, and looked at it, and then hurried on. Alice started to her feet, for it flashed across her mind that she had never before seen a rabbit with either a waistcoat pocket, or a watch to take out of it, and burning with curiosity, she ran across the field after it, and fortunately was just in time to see it pop down a large rabbit-hole under the hedge.

Auf Deutsch: Alice saß neben ihrer großen Schwester im Gras und langweilte sich. Ein paar Mal hatte sie in das Buch geschaut, das ihre Schwester las; aber es waren keine Bilder drin, und die Leute unterhielten sich nicht. Alice fragte sich: »Wozu macht man eigentlich Bücher ohne Bilder und in denen die Leute nicht miteinander reden?«

Dann überlegte sie (so gut es ging, denn es war ein heißer Tag, der schläfrig und duselig macht), ob sie vielleicht einen Kranz aus Gänseblumen flechten sollte – doch dann hätte sie aufstehen und die Gänseblümchen pflücken müssen.

Plötzlich lief ein weißes Kaninchen mit roten Augen an ihr vorbei. Das war nichts Besonderes. Alice fand es nicht einmal merkwürdig, dass das Kaninchen sagte: »O Gott, o Gott! Ich komme zu spät!« (Später allerdings wunderte sie sich, warum ihr das nicht gleich sonderbar vorgekommen war.) Doch als das Kaninchen eine Uhr aus der Westentasche zog, draufsah und schnell weiterlief, sprang Alice hoch. Jetzt war ihr klar: Ein Kaninchen mit einer Weste und obendrein einer Uhr in der Tasche – das war etwas Besonderes! Voller Neugier rannte sie ihm über die Wiese nach und sah gerade noch, wie es in einem großen Kaninchenloch unter der Hecke verschwand.

Obwohl man darauf hinweisen könnte, dass einige der Wörter in der Geschichte wie »waistcoat« und »daisy« relativ selten benutzt werden, tauchen viele weitere, die nicht zur »100-Wörter-Liste« gehören, sehr häufig auf, wie etwa »was«, »get«, »by«, »her« und »it«.

Man bedenke zudem die vielen anderen extrem gebräuchlichen Wörter, die auf der Liste fehlen, wie »man«, »woman«, »cat« oder »dog«, »hand« oder »foot«. Darüber hinaus ist das statistische Argument, dass 100 Wörter 50 Prozent der Alltagssprache ausmachten, irreführend. So zeigt etwa eine Analyse von Shakespeares »Macbeth«, dass 21 Prozent des Textes aus nur 9 Wörtern bestehen (the, and, to, of, I, a, macbeth, that, in); dies bedeutet jedoch keineswegs, dass ein Englischschüler, der nur diese wenigen Wörter kennt, ein Fünftel der Themen, Ereignisse oder Handlungsstränge des Stückes verstehen könnte.

Es ist schlichtweg unmöglich, sich mittels statistischer Listen einen wirklich ausdrucksstarken und nützlichen Wortschatz in einer Fremdsprache anzueignen; man braucht vielmehr eine Auswahl verschiedener Ansätze und Methoden. Das Lernen lautmalerischer Begriffe ist ein guter Anfang, weil sie in allen Sprachen vorkommen und sich spontan einprägen: das französische *boom* (knallen), das deutsche *klatschen* oder das Spanische *susurro* (flüstern).

Eine subtilere Form der Lautmalerei, die sogenannte Phonästhesie (bei der bestimmte Lautkombinationen mit bestimmten Bedeutungen assoziiert werden), bietet eine weitere Möglichkeit, neue Wörter zu lernen und zu erinnern. Ein Beispiel für Phonästhesie im Englischen ist die Lautfolge »gl« und ihre Verbindung mit Licht: glow, glimmer, glitter, gleam etc. Im Isländischen beschreiben Wörter, die mit »hn« beginnen, häufig runde Objekte wie »hnöttur« (Orbit oder Globus), »hné« (Knie), »hnúi« (Knöchel«, »hnappur« (Knopf), »hnútur« (Knoten) oder »hnipra« (zu einem Ball zusammenrollen).

Mehrere von Linguisten geleitete Experimente bestätigen ebenfalls die Vorstellung, dass bestimmte Laute/Wörter besser für die Bezeichnung bestimmter Gegenstände »passen« als andere. Bei einem 1954 durchgeführten Experiment forderte der deutsche Psycholinguist Heinz Wissemann eine Probandengruppe auf, Wörter für verschiedene Laute zu erfinden. Er stellte fest, dass die Probanden für schroffe Laute eher Wörter kreierten, die mit »p«, »t« oder »k« anfingen, und für weiche Laute eher Wörter, die mit »s« oder »z« anfingen. In einem neueren, von dem Linguisten Brent Berlin geleiteten Experiment, bei dem es um natürliche Sprache ging, wurden den englischsprachigen Probanden Fisch- und Vogelnamen aus der (in Peru gesprochenen) Huambisa-Sprache präsentiert. Berlin fand heraus, dass die Teilnehmer signifikant häufiger in der Lage waren, zwischen Fisch- und Vogelnamen zu unterscheiden, als bei reinen Zufallstreffern zu erwarten gewesen wäre, obwohl Huambisa keinerlei Ähnlichkeiten mit dem Englischen aufweist.

Testen Sie Ihr eigenes intuitives Gespür für Wortbedeutungen in verschiedenen Sprachen mit den folgenden Multiple-Choice-Fragen:

1. Beschreibt das Adjektiv »pambalaa« aus der afrikanischen Siwu-Sprache a) eine rundliche, dicke Person oder b) eine eckige, dünne Person?
2. Steht das baskische Wort »durrunda« für ein a) leises oder b) lautes Geräusch?
3. Bedeuten die japanischen Farbbezeichnungen »aka« und »midori« a) rot und grün oder b) grün und rot?
4. Bezieht sich das malayische Verb »menggerutu« auf jemanden, der a) lacht oder b) schimpft?
5. Bezeichnet das italienische »piro piro« a) einen Fisch oder b) einen Vogel?
6 Bedeuten die ungarischen Adjektive »nagy« und »kisci« a) groß und klein oder b) klein und groß?
7. Wenn ein Samoaner von »ongololo« spricht, meint er dann a) einen Tausendfüßler oder b) eine Ameise?
8. Bezieht sich das Wort »chichichi« aus der Yir-Yoront-Sprache der australischen Aborigines auf einen Hund, der a) sitzt oder b) läuft?

Lösungen: 1a, 2b, 3a, 4b, 5b, 6a, 7a, 8b

135

Eine weitere Methode, sich den Wortschatz einer Fremdsprache zu erschließen, besteht darin, Beziehungen zwischen ihren Wörtern zu finden. Mein von Natur aus assoziativer Denkstil bietet sich für diese Form des Lernens besonders an. Wenn ich beispielsweise an das französische Wort »jour« (Tag) denke, kommt mir sofort »bonjour« (»guten Tag«) und »journal« (Zeitung, täglich) in den Sinn; bei dem deutschen Wort »Hand« denke ich automatisch an »Handy« und »Handel«.

Man kann auch Wortgruppen innerhalb einer Sprache nutzen, um den Wortschatz bedeutungsvoller und einprägsamer zu machen. Im Französischen zum Beispiel sind die Begriffe für »Schuh«, »Socke« und »Slipper« – lauter Bezeichnungen für am Fuß getragene Dinge – bemerkenswert ähnlich, nämlich jeweils »chaussure«, »chaussette« und »chausson«.

Die Beziehungen zwischen Wörtern der eigenen Sprache und der Zielsprache sind ebenfalls hilfreich, um sich neue Vokabeln zu merken, auch wenn diese Verbindungen nicht immer sofort offensichtlich sind. Englische Muttersprachler könnten zum Beispiel ein französisches Wort wie »pneu« (Reifen) mit dem englischen Adjektive »pneumatic« (»gefüllt mit Luft«) in Beziehung setzen. Es folgen einige weitere Beispiele aus verschiedenen Sprachen:

Finnisch: joulu (Christmas/Weihnachten) – Yule/Julklapp; aptekki (pharmacy/Apotheke) – apothecary/Apotheke

Französisch: cœur (heart/Herz) – coronary/koronar

Gälisch: uisge (water/Wasser) – Whiskey

Deutsch: Vogel (bird) – fowl (Geflügel)

Litauisch: dantys (tooth/Zahn) – dental; senis (old man/alter Mann) – senile/senil; vyras (man/Mann) – virile/viril

Rumänisch: birou (desk, office/Tisch, Büro) – bureau/Büro; apă (water/Wasser) – Aqua

Spanisch: año (year/Jahr) – annual/Anno; azul (blau – azure/azur)

Walisisch: pen (head/Kopf) und gwin (white/weiß) – penguin/Pinguin; march (horse/Pferd) – mare/Mähre; talu (pay/zahlen) – toll/Taler

Natürlich teilen nicht alle ähnlich aussehenden Wörter die gleiche Bedeutung – solche irreführenden Ähnlichkeiten nennen sich »false friends« (falsche Freunde) und umfassen zum Beispiel Wörter wie das deutsche »Gift«, was im Englischen »Geschenk« bedeutet, oder »to become«, was nicht dem deutschen »bekommen« entspricht, sondern »werden« bedeutet. Sprachliche Stolpersteine für einen Engländer können das Spanische »contestar« (antworten) sein, das Assoziationen mit dem englischen »contest« (Wettbewerb) weckt, oder das isländische »sky«, das nicht dasselbe bezeichnet wie das englische »sky« (Himmel), sondern »Wolke« bedeutet.

Eine weitere Möglichkeit, Assoziationen zum Einprägen von Vokabeln zu benutzen, ist, Wörter zu lernen, die häufig gemeinsam benutzt werden, sogenannte »binomische Ausdrücke«, wie das englische »bread and butter« (Brot und Butter), »bucket and spade« (Eimer und Schaufel) oder »table and chair« (Tisch und Stuhl). Zu Beispielen aus dem Französischen gehören: »mari et femme« (Mann und Frau), »poivre et sel« (Pfeffer und Salz) oder »chien et chat« (Hund und Katze). Beachten Sie, dass diese Ausdrücke in anderen Sprachen manchmal in umgekehrter Reihenfolge verwendet werden.

Komposita sind eine gute Vokabelquelle für Sprachschüler. Tatsächlich erhält man durch das Erlernen eines zusammengesetzten Begriffs quasi »einen umsonst«. Als ich im Jahr 2004 innerhalb einer Woche Isländisch lernen musste, um in Reykjavik bei einem Fernsehinterview mitzuwirken, das ausschließlich in der Landessprache geführt werden sollte, stellte ich fest, dass es viele Komposita im Isländischen gibt, und das half mir, meinen Wortschatz schnell zu erweitern. Beispiele sind: »járnbraut« (Eisenbahn), das sich aus »járn« (Eisen) und »braut« (Weg) zusammensetzt; »hvítlaukur« (Knoblauch), das aus »hvít(ur) (weiß) und »laukur« (Zwiebel) besteht, sowie »orðabók« (Wörterbuch), eine Kombination aus den Wörtern »orð« (Wort) und »bók« (Buch). Einige Komposita können sogar Teile weiterer Komposita bilden, wie im Isländischen »alfræðiorðabók« (Enzyklopädie), das die Wörter »al« (alle) und »fræði« (Wissen) zu dem Kompositum für Wörterbuch hinzufügt. Indem ich die Ausdruckskraft von Komposita nutzte, konnte ich nach wenigen Tagen Sprachstudium sogar meine eigenen Begriffe schöpfen, die von den Einheimischen mühelos verstanden wurden, wie »orðafossi« (die Erfahrung, in eine Fremdsprache einzutauchen – wörtlich »Wort-Wasserfall«) und »broðurmál« (eine zweite Sprache, zu der man eine besondere Affinität hat – wörtlich »Bruder-Zunge«).

Zur Bereicherung seines Wortschatzes empfiehlt sich auch das Erlernen von fremdsprachigen Affixen – Lautkombinationen, die man dem Wortstamm voranstellt oder anhängt, um neue Bedeutungen zu erzeugen. Ein Beispiel aus dem Französischen ist das Suffix »-ier«, das in Verbindung mit den Bezeichnungen für verschiedene Früchte oder Nüsse auf den Baum oder Strauch verweist, an dem sie wachsen: »pomme« (Apfel), »pommier« (Apfelbaum); »poire« (Birne), »poirier« (Birnbaum); »groseille« (Johannisbeere), »grosseillier« (Johannisbeerstrauch); »châtaigne« (Kastanie) und »châtaignier« (Kastanienbaum). Ein weiteres Beispiel, diesmal aus dem Spanischen, zeigt, wie der Gebrauch verschiedener Affixe bei einem einzigen Substantiv eine Fülle neuer Bedeutungen erschaffen kann: »manteca« (Schweinefett), »mantequilla« (manteca + illa, Butter); »mantequero« (manteca + ero, Butterdose); mantecada« (manteca + ada, Buttertoast und Honig) und »mantecado« (manteca + ado, Butterkuchen).

Man kann seine Ausdrucksfähigkeit auch steigern, indem man die verschiedenen möglichen Bedeutungen lernt, die bestimmte gebräuchliche Begriffe je nach dem Kontext, in dem sie verwendet werden, annehmen. Im Französischen zum Beispiel kann das Wort »seul« sowohl für die Bedeutungen »allein« und »nur« stehen, und »toujours« kann entweder »immer, ständig« oder »immer noch« bedeuten (wie in »Il est toujours au chômage« – »er ist immer noch arbeitslos«). Ein weiteres Beispiel ist das deutsche Wort »Schuld«, das Fehler, Verantwortung oder finanzielle Schulden bedeuten kann. Man sollte sich allerdings davor hüten, ein Wort mit vielfältigen Bedeutungen direkt aus der Muttersprache in eine Fremdsprache zu übersetzen, weil das selten funktioniert. Das englische Verb »work« beispielsweise lässt sich in verschiedenen Bedeutungen anwenden wie in »She works as a teacher« und »the elevator does not work«, doch im Französischen gibt es unterschiedliche Verben für die beiden Bedeutungen: »elle travaille comme professeur«, aber »l'ascenseur ne fonctionne pas«.

Ein besonderes Schreckgespenst für viele Sprachschüler (vor allem für englische Muttersprachler) ist der in vielen Sprachen übliche Gebrauch eines grammatischen Geschlechts. Die meisten europäischen Sprachen haben zwei oder drei Genera (wie »der, die, das« für Maskulinum, Femininum und Neutrum im Deutschen), obwohl diese Zahl nahezu bedeutungslos erscheint, wenn man weiß, dass Yanyuwa, eine Sprache der Aborigines, über nicht weniger als 16 Genera verfügt, die sich nach den verschiedenen Funktionen der in dieser Gemeinschaft benutzten Objekte richten! Was viele Sprachschüler zur Verzweiflung treibt, ist die scheinbare Willkürlichkeit der Genuszuordnung. Während im Deutschen zum Beispiel »der Mond« maskulin ist, ist er im Französischen feminin (la lune). Mark Twain brachte in seinem Reisebuch *Bummel durch Europa* einmal seine Verwunderung über die Geschlechterverteilung bei deutschen Substantiven zum Ausdruck: »In Deutschland hat ein Fräulein kein Geschlecht, während eine weiße Rübe eines hat ... Ein Baum ist männlich, seine Knospen sind weiblich, seine Blätter sind sächlich; Pferde sind geschlechtslos, Hunde männlich, Katzen sind weiblich – einschließlich des Katers.«

Studien der Kognitionspsychologen Lera Boroditsky, Lauren A. Schmidt und Webb Phillips deuten darauf hin, dass Muttersprachler, deren Sprache nominale Genera aufweist, sich die verschiedenen Genera für die einzelnen Substantive einprägen, indem sie auf jeweils unterschiedliche Merkmale achten, je nachdem ob das Substantiv »männlich« oder »weiblich« ist. In einer dieser Studien wurden die deutschen und spanischen Muttersprachler gebeten, sich Adjektive zu überlegen, um einen Schlüssel zu beschreiben. Deutsche, bei denen das Wort »Schlüssel« maskulin ist, nannten

Adjektive wie »hart«, »schwer«, »gezackt« und »metallen«, während Spanier, bei denen Schlüssel feminin ist, Antworten gaben wie »golden«, »klein«, »hübsch« und »glänzend«.

Eine gute Methode für Fremdsprachenschüler, die sich das Genus eines Substantivs einprägen wollen, besteht darin, jedes Nomen zusammen mit seinem Artikel und/oder mit einem Adjektiv zu lernen, das auf das Geschlecht verweist. So kann man sich beispielsweise viel leichter merken, dass das französische Substantiv »coccinelle« (Marienkäfer) weiblich ist, wenn man es als Teil eines Ausdrucks wie »la petite coccinelle« (»der kleine Marienkäfer«) lernt. In vielen Sprachen lässt sich das Genus eines Nomens auch an seiner Endung ablesen. Im Deutschen sind Substantive, die auf »-chen« oder »-lein« enden, immer Neutrum (das Mädchen), während jene, die auf »-ik« enden, häufig feminin sind (die Klinik, die Musik, die Panik), und jene, die auf »-ismus« enden, maskulin (der Journalismus, der Kommunismus).

Die abschließende Phase beim Spracherwerb besteht darin, die Wörter zu bedeutungsvollen Blöcken (Phrasen) zusammenzusetzen, die sich ihrerseits wieder zu längeren Wortsequenzen (Sätzen) kombinieren lassen. Für mich ist das Lesen in der Zielsprache ein wesentlicher Bestandteil dieses Prozesses, weil das Erlernen von Wörtern in einem Kontext es mir erleichtert, sie zu erinnern und in meinen eigenen Sätzen korrekt zu verwenden. Bei meinem einwöchigen Isländisch-Studium las ich so viel wie möglich und lernte dabei viele nützliche Wortgruppen, mit denen ich meine eigenen Sätze bilden konnte. Im Folgenden sind fünf kurze Sätze auf Isländisch wiedergegeben:

Ég las góða bók um helgina. (Ich habe am Wochenende ein gutes Buch gelesen.)

Hún er alltaf með hatt á höfðinu. (Sie hat immer einen Hut auf dem Kopf.)

Ég heyri fuglana syngja. (Ich höre die Vögel singen.)

Stundum kemur regnbogi þegar það rignir. (Manchmal erscheint ein Regenbogen, wenn es regnet.)

Hann fer á fætur klukkan sjö. (Er steht um sieben Uhr auf.)
Indem ich Wortblöcke aus diesen Sätzen neu kombiniere, kann ich sofort eigene Sätze wie die folgenden (und andere) bilden:

Stundem heyri ég fuglana syngja klukkan sjö. (Manchmal höre ich um sieben Uhr die Vögel singen.)

Hún er með góða bók. (Sie hat ein gutes Buch.)

það rignir alltaf Þegar ég fer á fætur. (Wenn ich aufstehe, regnet es immer.)

Hann kemur um helgina. (Er kommt am Wochenende.)

Je mehr Sätze in der Zielsprache man liest, desto mehr Wortkombinationen und grammatischen Mustern begegnet man; das hat den Vorteil, dass man fast sofort seine eigenen vollständigen, grammatisch korrekten Sätze bilden kann, ohne Verbtabellen oder grammatische Regelverzeichnisse zu Rate ziehen zu müssen.

Bei dieser Vorgehensweise vermeidet man Probleme, die sich häufig ergeben, wenn man versucht, Wörter eins nach dem anderen und losgelöst vom Kontext zu lernen. Zu solchen Problemen gehört zum Beispiel, dass ansonsten sehr kompetente Englischschüler Fehler machen wie »the ripe man« (anstatt »the mature man« für »reifer Mann«) oder »the sea was profound« (statt »deep« für »tief«). In vielen Sprachen weisen auch Alltagsausdrücke wichtige grammatische Unterschiede zu den muttersprachlichen Pendants auf und lassen sich daher am besten durch Beispiele lernen wie die folgenden französischen Ausdrücke:

Le garçon s'est lavé les dents (wörtlich: Der Junge wusch sich die Zähne).

Il fait froid (wörtlich: »Es macht kalt« für »Es ist kalt«).

J'ai mal à la tête (wörtlich: Ich habe Schmerz am Kopf).

Ganze Phrasen und Sätze zu lernen und die Vokabeln in verschiedenen Kombinationen zu lernen, funktioniert sehr gut, weil es den Prozess nachahmt, durch den wir alle unsere erste Sprache lernen. Schließlich erwirbt kein Kind seine Muttersprache, indem es deren Grammatik paukt oder Wortlisten erstellt. Ein Wort-für-Wort-Ansatz beim Erlernen einer zweiten Sprache ist unnatürlich, weil ihn eben diese Genauigkeit zu fragmentarisch macht: Wir wollen nicht lernen, die Vokabeln zu wiederholen, die wir in einem Buch gelesen oder auf einer Kassette gehört haben, sondern wir wollen lernen, eine Sprache zu sprechen, um unsere Gedanken, Gefühle, Erfahrungen und Ideen zu vermitteln – lauter Dinge, die komplexe, wohlgesetzte Sätze verlangen. Wenn man die in diesem Kapitel beschriebenen Ideen und Methoden nutzt, ist es meiner Ansicht nach jedem Menschen möglich, erfolgreich eine neue Sprache zu erlernen und – was genauso wichtig ist – Freude und neue Erkenntnisse aus dieser Lernerfahrung zu ziehen.

Sterbende Stimmen

Ich bin mir des praktischen ebenso wie des persönlichen Wertes sehr bewusst, der in der reichen sprachlichen Vielfalt unserer Welt und den damit verbundenen Wissens- und Erkenntnismöglichkeiten liegt. Deshalb finde ich es zutiefst schockierend und traurig, wenn ich höre, dass die Hälfte der etwa 6000 Sprachen auf der Welt ernsthaft vom Aussterben bedroht ist. Einigen Schätzungen zufolge werden wahrscheinlich 90 Prozent der Sprachen unserer Welt im Laufe dieses Jahrhunderts verschwinden. Der Linguist Michael Krauss bezeichnet diesen potenziellen Verlust sprachlicher Vielfalt als »katastrophal« und weist darauf hin, dass diese Vorstellung ebenso beängstigend sein sollte wie die Aussicht, 90 Prozent der biologischen Spezies zu verlieren.

Hier nur ein Beispiel von vielen: Während meiner Arbeit an diesem Buch verstarb eine ältere Dame namens Marie Smith Jones und damit die letzte Sprecherin von Eyak, der Sprache der Ureinwohner Alaskas. Marie Smith Jones arbeitete mit Wissenschaftlern zusammen, die sich mit bedrohten Sprachen befassen, und setzte sich für die Rechte der Ureinwohner und die Bewahrung ihres kulturellen Erbes ein. Sie half der University of Alaska ein Eyak-Wörterbuch zusammenzustellen, in der Hoffnung, dass künftige Generationen die Sprache wiederbeleben würden. Wie die Tochter von

Marie Smith Jones berichtet, hatte ihre Mutter zwar neun Kinder, doch keines lernte Eyak, weil sie »zu einer Zeit aufwuchsen, als man es für falsch hielt, irgendetwas anderes als Englisch zu sprechen«.

Dass Minderheitssprachen historisch als minderwertig oder unzivilisiert wahrgenommen worden sind, ist einer der Gründe hinter dem dramatischen Rückgang der Sprecher, der bei vielen Sprachen zu verzeichnen ist. In den Vereinigten Staaten und in Kanada galten die Sprachen der amerikanischen Ureinwohner früher als »barbarisch« und Schüler, die ihre Muttersprache benutzten, wurden bestraft. Die Strafen reichten von Prügeln bis hin zum Auswaschen des Mundes mit Seife.

Ebenso wie Pflanzen- und Tierarten verschwinden auch Sprachen, wenn die natürlichen Lebensräume ihrer Sprecher zerstört werden, ob durch Bevölkerungsdruck, Genozid oder die Ausbreitung der Industrialisierung. Weitere Ursachen sind politische Unterdrückung (wie sie meine litauischen Freunde während der sowjetischen Ära erlebten, als Zeitungen und Straßenschilder ausschließlich auf Russisch waren) und die Verbreitung von fremdsprachigen elektronischen Medien, die von einem Linguisten als »kulturelles Nervengas« bezeichnet wurde.

Nun ist der Verlust einiger Sprachen wie der von Tier- und Pflanzenarten ein durchaus natürlicher und vorhersehbarer Prozess. Auch Sprachen wachsen, breiten sich aus und verändern sich mit der Zeit, bis einige von ihnen schließlich an Lebenskraft verlieren und aussterben. Die moralischen und praktischen Probleme der Sprachbewahrung sind komplex: Wie Ludwig Zamenhof, der Erfinder der internationalen Sprache Esperanto, anmerkte, können sprachliche Unterschiede zwischen Gemeinschaften entzweiend wirken und zu einer Quelle von Missverständnissen, Spannungen und sogar offener Feindseligkeit werden. Es ist nicht schwer zu erkennen, warum viele junge Menschen aus sprachlichen Minderheiten lieber eine der europäischen Hauptsprachen oder auch Russisch, Arabisch oder Chinesisch sprechen wollen, die wirtschaftliche und soziale Vorteile verheißen.

Es gibt allerdings gute Gründe, weshalb uns allen das Problem der bedrohten Sprachen am Herzen liegen sollte. Sprachen sind nicht nur Ansammlungen von Wörtern, sondern auch das Mittel für die Weitergabe einer Kultur, die sich an einzigartige umweltspezifische, soziologische und historische Umstände angepasst hat. Worte, die eine bestimmte Vorstellung oder kulturelle Praxis beschreiben, lassen sich selten gut in eine andere Sprache übersetzen. Viele bedrohte Sprachen verfügen über reiche mündliche Traditionen an Liedern und Geschichten, die für immer verloren gehen könnten.

Ein weiterer Grund, sich für den Erhalt bedrohter Sprachen einzusetzen, ist das in ihnen enthaltene Wissen über die Natur und die damit verbundenen Möglichkeiten wissenschaftlicher Erkenntnis. Gruppen von Ureinwohnern, die seit Jahrhunderten oder Jahrtausenden in engem Kontakt mit der Natur leben, haben profunde Kenntnisse über einheimische Pflanzen, Tiere und Ökosysteme in ihre Sprachen einfließen lassen – und ein Großteil dieses Wissens ist bislang nicht aufgezeichnet worden. Die Erforschung dieser Sprachen fördert also sowohl Bemühungen um den Schutz der Umwelt als auch unser Verständnis davon, wie Menschen Wissen speichern und vermitteln.

Da ich Optimist bin, glaube ich, dass immer noch Hoffnung für die vielen verschiedenen Sprachen unserer Welt besteht. Zum einen gibt es Beispiele von ausgestorbenen oder sterbenden Sprachen, die wieder zum Leben erweckt wurden. In Großbritannien sind die einst toten Sprachen Manx und Cornish so erfolgreich wiederbelebt worden, dass der Unterricht in einigen Vor- und Grundschulen auf der Isle of Man ausschließlich in Manx stattfindet. Nachdem die Zahl der Walisisch sprechenden Personen jahrzehntelang rückläufig war, stieg die Zahl der Sprecher kürzlich erstmals wieder an. Die bei weitem erfolgreichste Wiederbelebung einer Sprache verzeichnet das Hebräische, das nach zwei Jahrtausenden im 19. Jahrhundert reaktiviert wurde und heute die offizielle Sprache des Staates Israel ist und von mehr als 7 Millionen Menschen gesprochen wird.

Der kürzlich verstorbene Linguist Ken Hale vom Massachusetts Institute of Technology erklärte einmal: »Der Verlust von Sprachen gehört zu dem allgemeineren Verlust, unter dem die Welt leidet – dem Verlust der Vielfalt in allen Bereichen.« Da ich Hales Leidenschaft für Sprachen teile, stimme ich ihm aus vollem Herzen zu. Wir müssen dafür sorgen, dass eine rasant schrumpfende Welt nicht zur Verdrängung zahlreicher einzigartiger Sprachen führt, weil mit ihnen auch für immer verloren geht, was Menschen seit Generationen über das Wesen und die Bedeutung der Welt und ihres Platzes in ihr wahrgenommen, gedacht, geträumt und einander mitgeteilt haben. Weisheit werden wir nur erlangen, wenn wir uns dafür entscheiden, zuzuhören und zu lernen, und aus diesem Grund sollte jede Stimme – in jeder Sprache – das Recht haben, gehört zu werden.

5. Der Zahleninstinkt

Als Kind hat mich die Schönheit, Ordnung und Komplexität von Zahlen verzaubert. Noch jetzt, nach zwanzig Jahren, ist diese Faszination ungebrochen, aber was mich heute vielleicht sogar noch stärker fasziniert, sind die Fragen, die durch meine charakteristische Art des inneren Zahlenerlebens aufgeworfen werden. In meinem Kopf nehmen Zahlen komplexe Formen an, die so aufeinander einwirken, dass ich die Lösungen von Rechenaufgaben als neugebildete Formen vor meinem inneren Auge sehe, doch wie läuft dieser numerische Visualisierungs- und Rechenprozess im Einzelnen ab? Und resultiert meine ungewöhnliche Fähigkeit zumindest teilweise aus einem »Zahlensinn«, der allen Menschen gemeinsam ist?

Im Folgenden lege ich zahlreiche Nachweise vor, die die Vorstellung unterstützen, dass die meisten Menschen mit einer fest verdrahteten Fähigkeit zum Zählen, analog dem im letzten Kapitel beschriebenen »Sprachinstinkt«, geboren werden. Dieser angeborene »Zahleninstinkt« nimmt vielerlei Formen an – von den allen Menschen gemeinsamen Rechenmethoden bis hin zu ganz persönlichen inneren Darstellungen der Zahlenwelt. Meine eigene Theorie zu den besonderen rechnerischen Fähigkeiten von Savants ist, dass sie das Ergebnis von rein natürlichen (d. h. nicht computerähnlichen) Prozessen im Gehirn sind. Sollte meine Theorie zutreffen, sind meine mathematischen Fähigkeiten das Nebenprodukt eines mentalen Verarbeitungsprozesses, der bei den meisten Menschen tagtäglich ebenso spontan wie mühelos abläuft.

Jeder zählt

Nur zwei Jahre nach ihrem Universitätsabschluss versetzte die Kognitionswissenschaftlerin Karen Wynn die akademische Welt in Erstaunen, als sie 1992 die Befunde ihrer bemerkenswerten Studie veröffentlichte, in der sie nachwies, dass fünf Monate alte Säuglinge intuitive Zählfähigkeiten besitzen. Die Ergebnisse erwiesen sich tatsächlich als so bedeutsam, dass sie eine Fülle von Studien über den scheinbar angeborenen »Zahlensinn« des Menschen auslösten.

Um die Rechenfähigkeiten von Säuglingen zu ermitteln, entwickelte Wynn eine originelle Methode, bei der sie Sichtschutzschirme, Mickymausfiguren und die scheinbar grenzenlose Neugier ihrer Probanden nutzte. Bei einer Aufgabe beobachteten fünf Monate alte Säuglinge einen Testleiter, der eine Mickymausfigur auf einen Tisch legte und eine Sichtblende davorschob. Dann sahen die Babys, wie der Testleiter eine zweite Mickymaus hinter den Schirm legte. Was die Säuglinge nicht wussten, war, dass sich hinter der Sichtblende ein zweiter Wissenschaftler verbarg, der wie durch Zauberhand Figuren entfernen oder hinzufügen konnte. Bei der Hälfte des Experiments zeigte man den Babys nach der Entfernung des Schirms die korrekte Anzahl der Mickymausfiguren, aber bei der anderen Hälfte stimmte die Anzahl der Figuren nicht mit den sichtbar durchgeführten Handlungen überein (man zeigte ihnen also in Zahlen ausgedrückt $1 + 1 = 1$ oder $2 - 1 = 2$).

Die Säuglinge betrachteten die falsche Anzahl von Mickymausfiguren erheblich länger als die korrekte. Wynn führte dies darauf zurück, dass die Babys, die automatisch länger auf neue oder überraschende Dinge schauen als auf vertraute, in der Lage waren, die Figuren hinter dem Schirm zu zählen, und von den falschen Resultaten überrascht waren.

147

Wynns Ergebnisse stützten sich nicht nur auf Versuche mit Gegenständen, sondern auch auf Experimente mit Handlungen und Tönen. Bei einem Test zeigte man einer Gruppe von Säuglingen eine Puppe, die wiederholt zwei Mal hochhüpfte. Später zeigte man ihnen noch einmal dieselbe Puppe, nur dass sie dieses Mal manchmal zwei und manchmal drei Hüpfer machte. Die Säuglinge sahen die neue Anzahl an Sprüngen länger an, was darauf hindeutete, dass sie gezählt hatten, wie viele Sprünge bei jeder Sequenz vorkamen. Bei einem ähnlichen Experiment hörten sieben Monate alte Säuglinge, wie einige Puppen eine Folge von zwei oder vier Tönen von sich gaben. Die Babys schauten bedeutend länger auf die Puppe, wenn sie die Tonsequenz von sich gab, die sie zuvor nicht gehört hatten.

Säuglinge schneiden nachweislich auch sehr gut bei Aufgaben ab, die erheblich größere Zahlen als 1, 2 oder 3 umfassen. Die Psychologen Elizabeth Spelke und Fei Xu leiteten eine Studie mit sechs Monate alten Babys, bei der sie Darstellungen von Punkten unterschiedlicher Form und Größe einsetzten. Obwohl alle Reihen exakt denselben Raum einnahmen, konnten die Säuglinge zwischen Darstellungen von 8 und 16 Punkten unterscheiden. In einer ähnlichen Studie konnten Kinder im Kindergartenalter erkennen, dass in einem Bild mit 21 Punkten, gefolgt von einem Bild mit 30 Punkten, zusammengenommen mehr Punkte enthalten waren als in einem einzelnen Bild mit 30 Punkten.

Spelke konnte diese Ergebnisse kürzlich in einer weiteren Studie bestätigen und ausweiten: Sie wies nach, dass kleine Kinder, die wissen, wie man zählt, auch schon annäherungsweise addieren und subtrahieren können, bevor sie Rechenregeln erlernt haben. Ihr Forschungsteam unterzog Gruppen von Fünf- und Sechsjährigen einem audiovisuellen Test, bei dem Fragen wie die folgenden gestellt wurden: Sarah hat 15 Bonbons und sie bekommt 19 dazu. John hat 51 Bonbons. Wer hat mehr Bonbons? Erstaunlicherweise beantworteten die Kinder solche Fragen in 63 bis 73 Prozent der Fälle korrekt.

Wenn ein gesonderter, spezialisierter »Zahleninstinkt«, ähnlich dem Chomsky'schen Sprachinstinkt, in jedem von uns angelegt ist, dann müsste er auch im Gehirn zu lokalisieren sein und sich von allgemeinen logischen Denkfähigkeiten abheben. Tatsächlich wird diese These von einigen medizinischen Fällen gestützt. So erlitt Signora Gaddi, eine Italienerin Ende fünfzig, einen Schlaganfall, der den linken Parietallappen schädigte, was dazu führte, dass sie eine »Akalkulie« entwickelte – eine erworbene Unfähigkeit im Umgang mit Zahlen. Bei nachfolgenden Untersuchungen zeigte sich, dass sie fähig war, fließend zu sprechen und ein eigenständiges Leben zu führen (einschließlich der Leitung eines eigenen Hotels), aber nur bis vier zählen konnte, und auch das nur, indem sie sehr langsam und mühevoll ein Objekt nach dem anderen abzählte.

Weitere Unterstützung erfährt die Vorstellung eines eigenständigen »Zahleninstinkts« durch Fälle, in denen Menschen über sehr gute numerische Fähigkeiten verfügen, aber in ihren allgemeinen kognitiven Funktionen erheblich eingeschränkt sind. Ein Beispiel ist Mr. Bell, ein Patient im Londoner National Hospital for Neurology and Neurosurgery, der an einer degenerativen Hirnstörung, der sogenannten Pick-Krankheit, litt. Die Sprache von Mr. Bell war fast vollständig verschwunden, und er beherrschte nur noch einige feste Wendungen wie »Ich weiß nicht« und – skurrilerweise – »Millionärsfreundchen«. Sein Verständnis von gesprochener oder geschriebener Sprache war ebenfalls nahezu inexistent. Dennoch zeigten Tests, dass er immer noch korrekt addieren, subtrahieren und multiplizieren konnte. Außerdem war er imstande zu sagen, welches Paar aus zwei- und dreistelligen Zahlen größer war.

Es gibt weitere Anhaltspunkte für einen allen Menschen angeborenen Zahleninstinkt. So finden wir, ähnlich wie bei der Sprache, zu allen Zeiten und in allen Teilen der Welt unzählige verschiedene Formen des Zählens und Rechnens. Lassen Sie uns diese Vielfalt genauer betrachten und sehen, was sie uns über die Beziehung zwischen Geist und Mathematik sagen kann.

1, 2, 3 um die Welt

In seinem Buch *The Mathematical Brain* argumentiert der Kognitions- und Neurowissenschaftler Brian Butterworth überzeugend, dass ein angeborenes »Zahlenmodul« im menschlichen Gehirn existiert. Zur Untermauerung seiner These weist er auf die offenbar universale menschliche Fähigkeit hin, eine Anzahl von 1 bis 4 Gegenständen sofort zu erkennen, ohne sie zählen zu müssen (ein Prozess, der in Anlehnung an das lateinische »subitus«, das heißt »plötzlich«, als »Subitisieren« bezeichnet wird).

Viele Sprachen liefern Anhaltspunkte für ein angeborenes Zahlenmodul, weil sie die Zahlen 1 bis 4 verglichen mit größeren Zahlen gesondert behandeln und ihnen häufig spezielle grammatische Formen geben, die für größere Zahlen nicht existieren. So unterscheiden etwa einige Sprachen zwischen einer Gruppe von exakt zwei Gegenständen und allen größeren Objektgruppen. Im schottischen Gälisch benutzt man das Wort »cloich« (Steine) nur dann, wenn ihm die Zahl zwei vorausgeht (oder größere Zahlen, die auf zwei enden, wie »twenty-two«); für alle anderen Zahlen verwendet man die reguläre Pluralform »clachan«. Das Englische bietet ein weiteres Beispiel für diese sprachlichen Unterscheidungen bei den kleinsten Zahlen. Die Ordinalzahlen (wie »seventh« oder »eighty-ninth«) werden durch die Hinzufügung von »-th« gebildet, doch die Zahlen eins bis drei haben spezielle Formen (»first«, »second« und »third«), die sich nicht an diese Regel halten.

Einige der eindrucksvollsten sprachlichen Anhaltspunkte für eine angeborene Neigung zu den kleinsten Zahlen finden sich in der isländischen Sprache. Im Isländischen werden die Zahlen eins bis vier wie Adjektive behandelt und nehmen eine Vielzahl von Formen an, je nachdem, wie sie in einem Satz benutzt werden. Höhere Zahlen haben dagegen nur eine einzige Form – was darauf hindeutet, dass sie als weniger deskriptiv gelten als die kleinsten Zahlen. Der Ausdruck für »vier« wird zum Beispiel (wie alle Adjektive im Isländischen) immer so abgewandelt, dass er mit dem von ihm beschriebenen Objekt übereinstimmt: Also »fjórir menn (vier Männer), aber »fjögur börn« (vier Kinder) und »eitt af fjórum« (einer von vier). Im Gegensatz dazu wird das Wort für »fünf« (und die Wörter für alle größeren Zahlen) nicht verändert: »fimm menn (fünf Männer), »fimm börn« (fünf Kinder), »eitt af fimm« (einer von fünf). Solche Beispiele legen nahe, dass das Gehirn die kleinsten Zahleneinheiten auf ganz ähnliche Weise wahrnimmt wie die Farbe, Form oder Temperatur eines Objekts, nämlich als fassbare Eigenschaften von Objektgruppen (sie also als »Dreiheit« oder »Vierheit« auffasst).

Historische und anthropologische Nachweise deuten ebenfalls auf eine universale, angeborene Fähigkeit zum Zählen und Rechnen hin. Die Sumerer und Babylonier benutzten Zahlen seit mindestens 3000 v. Chr. – man hat Tontafeln aus dieser Zeit entdeckt, auf denen Multiplikationstabellen, Quadrat- und Kubikwurzeln abgebildet sind. Zu den erstaunlichen Funden zählen ferner Strichlistenzeichen, die vor 30 000 Jahren auf Knochenstücken und Höhlenwänden entstanden sind – vielleicht ein Hinweis darauf, dass der Zahleninstinkt genauso alt ist wie das sprachliche und künstlerische Ausdrucksbedürfnis des Menschen.

Anthropologen haben den Gebrauch von Zählwörtern für praktisch jede Kultur der Welt belegt. Obwohl einige der abgelegensten Kulturen nur wenige Wörter für Zahlen hatten (normalerweise für »eins«, »zwei« und manchmal »drei« und »viele«), haben sie dennoch verschiedene Methoden entwickelt, um über diese niedrigen Werte hinauszuzählen. Die südafrikanischen Buschmänner zählen »xa« für eins, »t'oa« für zwei und »'quo« für drei – für vier verwenden sie »t'oa-t'oa« (wörtlich: zwei-zwei), fünf ist »t'oa-t'oa-ta« (zwei-zwei-eins) und sechs ist »t'oa-t'oa-t'oa« (zwei-zwei-zwei). Varianten dieser Zählmethode hat man auch in Südostasien, Nordamerika, Zentralafrika und im Pazifikraum nachgewiesen.

Um über fünf oder sechs hinauszugelangen, zählen viele Menschen in Papua-Neuguinea nicht nur ihre Finger ab, sondern auch die Zehen und andere Körperteile. Der Stamm der Oksapmin zum Beispiel nutzt ein Zählsystem, das bis 27 geht: Es beginnt beim rechten Daumen und führt über die Nase, die für 14 steht, und endet schließlich beim linken kleinen Finger. Die Wörter für jede Zahl sind die Namen der Körperteile, sodass »acht« in der Sprache der Oksapmin wörtlich übersetzt »rechter Ellenbogen« bedeutet. Der Kulturanthropologe Geoffrey Saxe schilderte seine Beobachtung eines Oksapmin-Ladenbesitzers, der 14 plus 7 Shillinge addierte, indem er für die 14 zunächst bis zur Nase zählte, dann weiter über das linke Auge (15), den rechten Daumen (1), das linke Ohr (16), den rechten Zeigefinger (2) und so fort, bis er schließlich bei der korrekten Gesamtsumme (dem linken Unterarm) angelangt war.

Dass man Bezeichnungen von Körperteilen zum Zählen nutzt, ist nicht auf abgelegene Kulturen wie die in Neuguinea beschränkt. Einige Linguisten meinen, dass die englischen Wörter »four« und »five« mit der Wortwurzel für Finger verwandt sind. Das gotische Wort »fimf« könnte denselben Ursprung haben (»figgrs« bedeutet Finger). In slawischen Sprachen ist das Wort für fünf mit dem Wort für Faust verwandt. Studien legen zudem nahe, dass das ursprüngliche indogermanische Wort für »zehn« wörtlich »zwei Hände« bedeutete.

Hier noch eine Randbemerkung zu dem Thema: Untersuchungen zufolge können die im Englischen – und vielen weiteren europäischen Sprachen – benutzten Zahlwörter bei einigen Kindern eine negative Wirkung auf die rechnerischen Fähigkeiten haben. Studien zeigen immer wieder, dass asiatische Kinder früher und weiter zählen lernen als ihre amerikanischen Altersgenossen und die einfache Addition und Subtraktion schneller meistern. Der Grund: Die Zahlwörter von 11 bis 19 und die Zehnerzahlen von 20 bis 90 sind im Englischen und anderen Sprachen unregelmäßig und für Kinder schwer zu lernen. Im Gegensatz dazu sind die Zahlwörter in den meisten asiatischen Sprachen wesentlich einheitlicher: Im Chinesischen lautet das Wort für elf »zehn eins«, zwölf ist »zehn zwei«, dreizehn ist »zehn drei« und so weiter. Dieses Muster setzt sich bis in die Zehner fort: zwanzig ist »zwei zehn«, dreißig ist »drei zehn« und fünfundvierzig ist »vier zehn fünf«. Eine Rechnung wie

»elf plus zwölf ist dreiundzwanzig« lautet im Chinesischen: »zehn eins plus zehn zwei ist zwei zehn drei«. Statt es ihnen zu erschweren, erleichtert die Sprache den Kindern das Dezimalsystem (ein Zahlensystem mit der Basis 10) zu verstehen.

Dass wir in Zehnern rechnen (Basis 10) ist wahrscheinlich darauf zurückzuführen, dass wir zehn Finger und zehn Zehen besitzen. In anderen Kulturen sind im Laufe der Geschichte allerdings auch andere Grundlagen gebräuchlich gewesen, was zeigt, dass Zählen und Rechnen nicht das Ergebnis einer einzigen Erfindung waren, die sich über die ganze Welt verbreitete, sondern eher auf spontan erschaffene und vielfältige Methoden zur Bildung hoher Zahlen zurückzuführen sind – ein weiterer Hinweis auf einen universalen Zahleninstinkt.

Das Englische enthält Hinweise auf einige dieser alternativen Basissysteme, wie das auf der Zahl 12 basierende Duodezimalsystem für das Zählen von Geld (12 Pennies auf einen Shilling), von Längen (12 inches auf einen foot) und von Quantität (Dutzend). Das englische Wort »score« (was 20 bedeutet) verweist auf ein Vigesimalsystem (Basis 20). Das französische Wort für 80 lautet »quatre-vingts« (wörtlich: vier Zwanziger), und das dänische Wort für 60 »tre-synds-tyve« (drei Mal zwanzig). Die alte Maya-Kultur hatte sogar Wörter für die ersten vier Potenzen von 20: »hun« (20), »bak« ($20 \times 20 = 400$), »pik« ($20 \times 20 \times 20 = 8000$) und »calab« ($20 \times 20 \times 20 \times 20 = 160\,000$).

Die Babylonier gingen sogar noch weiter und benutzten ein Sexagesimalsystem (Basis 60), das sich bis heute in der Methode erhalten hat, mit der wir Zeit und Winkel messen. Die Basis ist sehr angenehm für bestimmte Rechnungen, weil sie viele Faktoren hat, die zur Vereinfachung von Rechenoperationen beitragen: 2, 3, 4, 5, 6, 16, 10, 12, 15, 20 und 30.

Die alten Ägypter hatten ihre eigene intuitive Multiplikationsmethode, bei der man einfach nur addieren und verdoppeln musste. Um zum Beispiel auszurechnen, was 42×14 ergibt, verdoppelt man nacheinander 42 wie folgt:

1	42
2	84
4	168
8	336

Hier halten wir inne, weil die Verdopplung von 8 (16) größer wäre als 14. Da 8 + 4 + 2 = 14 ist, addieren wir die entsprechenden Summen und gelangen so zur Lösung: 336 + 168 + 84 = 588.

Für das Dividieren nutzte man die gleiche Methode. Eine Aufgabe wie 143 : 11 stellten sich die Ägypter in Form der Frage: »Welche Zahl, die man mit 11 multipliziert, ergibt 143?«

1	11
2	22
4	44
8	88

An dieser Stelle bricht man ab, weil die nächste Verdopplung 176 ergeben würde, was größer wäre als 143. Die Zahlen in der rechten Spalte, die 143 ergeben, sind 11, 44 und 88 (11 + 44 + 88 = 143) und die Addition der entsprechenden Zahlen in der linken Spalte ergibt die Lösung: 1 + 4 + 8 = 13.

In weit voneinander entfernten ländlichen Gegenden Äthiopiens, Russlands und der arabischen Welt ist diese uralte Methode noch heute gebräuchlich.

Zahlen im Gehirn

Akzeptiert man die Nachweise für einen allen Menschen gemeinsamen Zahleninstinkt, stellt sich die Frage, wie Zahlen im Gehirn repräsentiert werden. Erzeugen Zahlen ähnlich wie bestimmte Wörter (zum Beispiel solche, die im Englischen mit -sl beginnen und offenbar negative Gefühle auslösen) bestimmte Formen, Gefühle oder andere Assoziationen in uns?

Eine der bemerkenswertesten Studien zu dem Thema, wie Menschen Zahlen mental bewerten, fand im Jahr 1967 statt, als Robert Moyer und Thomas Landauer eine verblüffende Entdeckung machten. Die Wissenschaftler hatten eine Probandengruppe aus gesunden Erwachsenen gebeten, zu entscheiden, welche von zwei einstelligen Zahlen (z. B. 7 und 5), die auf einem Bildschirm aufleuchteten, größer sei, und dabei die Reaktionszeit sorgfältig gemessen. Sie stellten fest, dass die Erwachsenen häufig mehr als eine halbe Sekunde brauchten, um diese einfachen Vergleichsfragen zu beantworten, und selbst dann waren die Antworten nicht immer korrekt. Noch überraschender war allerdings die Tatsache, dass die Probanden bei zwei Zahlen, die sehr unterschiedliche Mengen bezeichneten, wie 2 und 9, schnell und korrekt antworteten, aber bei dichter zusammenliegenden Zahlen wie 5 und 6 erheblich mehr Zeit brauchten und in zehn Prozent der Fälle Fehler machten. Sogar wenn der Abstand zwischen den Zahlen gleich war, verlangsamte sich die Reaktionszeit bei höheren Zahlen (d. h. die Einschätzung des Größenunterschieds zwischen 7 und 9 dauerte länger als bei 2 und 4).

Ein ähnlicher Effekt wurde nachgewiesen, als Probanden gebeten wurden, zweistellige Zahlen zu vergleichen. Die Wissenschaftler stellten fest, dass die Testteilnehmer länger brauchten und mehr Fehler machten, wenn sie aufgefordert wurden, die größere Zahl in einem Paar wie 71 und 65 zu benennen, als in einem Paar wie 69 und 61. Eigentlich hatte man erwartet, dass die Probanden mit dem ersten Zahlenpaar weniger Mühe haben würden, weil man nur jeweils die erste Ziffer jeder Zahl betrachten muss, um die größere Zahl zu erkennen.

Was hat es mit diesen Unterschieden in Tempo und Genauigkeit bei simplen Vergleichsaufgaben auf sich? Moyer und Landauer zogen den Schluss, dass die Probanden die Zahlen auf einen mentalen Zahlenstrahl übertrugen, den sie für den quantitativen Vergleich nutzten. Spätere Studien haben diese Ergebnisse bestätigt.

Wie ist dieser mentale Zahlenstrahl im Gehirn aufgebaut? Es gibt mehrere Hinweise. Einer findet sich, wenn man Leute bittet, sich eine beliebige Zahl zwischen 1 und 50 auszudenken. Obwohl man annehmen könnte, dass bei den Antworten jede Zahl zu etwa 2 Prozent (1 : 50) vorkäme, lässt sich bei einer ausreichend großen Personengruppe eine systematische Voreingenommenheit beobachten: Die Leute nennen häufiger kleine Zahlen als große. Das deutet darauf hin, dass die mentale Repräsentation von Zahlen eher der logarithmischen Skala auf einem Rechenschieber entspricht, wo der Abstand zwischen 1 und 2, zwischen 2 und 4 oder zwischen 4 und 8 gleich ist. Unser »mentales Lineal« komprimiert quasi größere Zahlen auf kleinerem Raum, weshalb kleinere Zahlen mental leichter zugänglich sind.

Ein weiteres Experiment zeigt, dass Zahlen in unserer Vorstellung räumlich repräsentiert sind. Der Proband sitzt vor einem Computer und wird aufgefordert, auf Zahlen, die am Bildschirm erscheinen, durch die Betätigung einer linken oder rechten Taste zu reagieren. Wie man festgestellt hat, reagieren Teilnehmer im Durchschnitt mit der linken Taste schneller auf kleine Zahlen und mit der rechten Taste schneller auf große Zahlen. Derselbe Effekt tritt sogar dann ein, wenn die Probanden die Arme kreuzen oder nur eine Hand für beide Tasten benutzen.

Nach Meinung des Neurowissenschaftlers Stanislas Dehaene, der diesen räumlichen Effekt erstmals 1993 entdeckte, ist er darauf zurückzuführen, dass wir uns Zahlen spontan auf einem mentalen Zahlenstrahl vorstellen, auf dem die kleinen Zahlen immer links stehen. Dehaene stellte auch fest, dass der kulturelle Hintergrund der Probanden ebenfalls eine Rolle spielt; bei Teilnehmern, die von rechts nach links lesen (wie etwa Iraner), zeigt sich derselbe, aber umgekehrte Effekt, sie reagieren mit der rechten Taste schneller auf kleine und mit der linken Taste schneller auf große Zahlen. Forschungen haben ergeben, dass 10 bis 15 Prozent der Menschen ihren mentalen Zahlenstrahl visualisieren und ein kleinerer Prozentsatz berichtet, dass sich die Zahlen durch Farben, Strukturen und sogar Persönlichkeiten auszeichnen. Der Psychologe Francis Galton, ein Cousin von Charles Darwin, war der Erste, der dieses Phänomen 1880 entdeckte. Galton ließ einen Fragebogen bei Freunden und Bekannten herumgehen und bat sie, anzugeben, ob sie Zahlen »sehen«, und wenn ja, auf welche Weise. Die Antworten, die er erhielt, bieten einen faszinierenden Einblick in die Vielfalt mentaler Zahlenrepräsentationen, auch wenn viele Zahlenstrahlen bestimmte übereinstimmende Merkmale aufwiesen: etwa zwei Drittel verliefen von links nach rechts und häufiger in Aufwärts- als in Abwärtsrichtung. Einige der Zahlenlinien waren kurvig und gebogen, einige waren auf den Kopf gestellt oder liefen in sich zurück. Ein Mann berichtete, dass er eine »Art wollige Knäuel bei den Zehnern« sehe, ein anderer betonte, die 9 sei ein »wunderbares Wesen, das mir fast ein wenig Angst macht«, und hielt die 6 für »sanft und aufrichtig«. Ein Arzt gab an, dass er Zahlen in Form eines Hufeisens wahrnehme, mit der 0 unten rechts, der 50 an der Spitze und der 100 links unten. Ein Jurist erklärte, er visualisiere die Zahlen 1–12 wie auf dem Ziffernblatt einer Uhr und die nachfolgenden Zahlen in einem zurückgehenden, wellenförmigen Strom, bei dem die Zehner (20, 30, 40) jeweils an den Biegungen lägen:

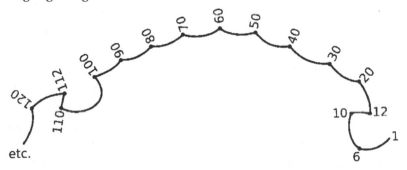

Ein neueres Experiment bestätigte die objektive Realität solcher mentalen Zahlenstrahlen. Denken Sie noch einmal an das Experiment, bei dem sich herausstellte, dass Probanden typischerweise langsamer reagieren, wenn die Zahlen dichter beieinander liegen (z. B. 53 und 55), als wenn der Abstand größer ist (z. B. 53 und 95). Wissenschaftler haben festgestellt, dass bei Personen, die von einem charakteristischen mentalen Zahlenstrahl berichten, die Reaktionszeiten für Zahlenvergleiche nicht je nach Zahlendistanz variieren, wie bei den meisten Menschen, sondern je nach dem räumlichen Zahlenabstand auf ihrem persönlichen Zahlenstrahl.

Einige dieser Personen berichten auch, dass sie ihre mentalen Zahlenlinien zur Lösung von Rechenaufgaben nutzen. Eine Frau erklärte den Forschern, dass sie an jedem beliebigen Ort Zehnergruppen in Linien visualisieren könne, eine über der anderen. Wenn sie zum Beispiel beim Einkaufen sei, wandere sie ihren Zahlenstrahl auf und ab und könne auf diese Weise ihr Wechselgeld berechnen.

Wie ich selbst rechne

Alle bislang betrachteten Nachweise stützen meine Behauptung, dass die rechnerischen Fähigkeiten von Savants wie mir zum breiten Spektrum eines natürlichen Zahlensinns gehören, über den fast jeder in der einen oder anderen Form verfügt. Doch um sicherzugehen, muss ich alternative Erklärungen für diese Fähigkeiten untersuchen. Zwei Theorien im Besonderen gehen von einem völlig anderen Mechanismus als dem bislang erörterten aus.

Die bekannteste dieser Erklärungen ist die »Sacks-Hypothese«, die ich so nenne, weil sie von dem Autor und Psychiater Oliver Sacks durch seine Schriften populär gemacht wurde. Wie in Kapitel 1 ausgeführt, schildert Sacks seine Beobachtung, dass autistische Zwillinge mit einem Blick 111 zu Boden gefallene Streichhölzer zählen – die Szene wurde später für den Film *Rain Man* adaptiert, wo man die Streichhölzer durch Zahnstocher ersetzte und die von Dustin Hoffman sofort erkannte Anzahl auf 246 erhöhte. Sacks' Darstellung hat auch eine Reihe von Kognitionsforschern beeinflusst, die unter anderem die Theorie aufstellten, dass Savants sogar sehr große Zahlen als Mengen einzelner Punkte vor ihrem geistigen Auge visualisieren können, die sie dann im Kopf manipulieren, um Berechnungen durchzuführen.

Allan Snyder, Leiter des Centre for the Mind in Sydney, versuchte kürzlich, die »savantartige Numerosität« unter Laborbedingungen zu reproduzieren. Snyder forderte zwölf gesunde Erwachsene auf, Punkte zu zählen, die kurz auf einem Bildschirm aufblitzten (jeweils zwischen 50 und 150 Punkten). Vorher hatten die Teilnehmer sich einer kurzen, schmerzlosen Magnetstimulation des linken Schläfenlappens unterzogen; diese Methode, die sogenannte repetitive Transkranielle Magnetstimulation (rTMS) soll vorübergehend eine autismusähnliche, detailorientierte Wahrnehmung replizieren. Die Probanden machten 20 Tests, die jeweils 1,5 Sekunden dauerten. Die räumliche Verteilung ebenso wie die Anzahl der Punkte wurden bei jedem Test nach dem Zufallsprinzip von einem Computer ausgewählt. Snyder bewertete einen Versuch als erfolgreich, wenn die vom Teilnehmer genannte Zahl nicht mehr als 5 Punkte über oder unter der korrekten Anzahl lag. Vor der TMS-Anwendung schätzten die Probanden die Anzahl der Punkte durchschnittlich in etwa 15 Prozent der Fälle korrekt ein (innerhalb der Spanne von ± 5), verglichen mit etwa 25 Prozent nach der TMS-Anwendung.

Die Theorie, dass Savants blitzartig sehr große Quantitäten zählen können und diese Begabung nutzen, um Berechnungen anzustellen, hat eine große Schwäche: In den mehr als zwanzig Jahren, die vergangen sind, seit Sacks sie postuliert hat, ist diese Fähigkeit durch kein einziges wissenschaftliches Experiment bestätigt worden. Die mit TMS behandelten Probanden in Snyders Studie konnten signifikanterweise nur grobe Schätzungen abgeben und waren dabei durchschnittlich nur in einem Viertel der Fälle erfolgreich, was schwerlich mit der angeblichen Fähigkeit vergleichbar ist, sofort und präzise 111 Streichhölzer zu zählen. Von Savants, die an wissenschaftlichen Studien teilgenommen haben, einschließlich meiner eigenen Person, ist nicht bekannt, dass sie große Mengen auf diese Weise wahrnehmen und zählen können.

Nach der anderen, noch spekulativeren Theorie, die von der Psychiaterin Diane Powell und dem Informatiker Kenn Hennacy entwickelt wurde, stehen die rechnerischen Fähigkeiten von Savants irgendwie in Zusammenhang mit der Quantenphysik. Powell und Hennacy sind der Auffassung, dass die derzeitigen Modelle für Gehirn, Gedächtnis und Lernen keine hinreichende Erklärung für die Savant-Fähigkeiten liefern. Sie argumentieren, dass Savants, um zu ihren rechnerischen Ergebnissen zu gelangen, viele mögliche Lösungen gleichzeitig im Sinn haben müssen, etwas, das nur auf einer Quantenebene des Bewusstseins geschehen könne. Die Theorie von Powell und Hennacy ist von anderen Wissenschaftlern heftig kritisiert worden, so etwa von Peter Slezak, einem Philosophen von der University of New South Wales, dessen Spezialgebiet die Philosophie des Geistes ist. Slezak weist darauf hin, dass es keinerlei empirische Beweise für die Quantentheorie des Bewusstseins gebe, behauptet aber auch, dass die rechnerischen Fähigkeiten von Savants in ihrer Komplexität den Sprachfähigkeiten der meisten Menschen ähneln.

»In einer Hinsicht sind wir interessanterweise alle Savants ... in unserem Sprachverständnis ... diese Fähigkeit zeichnet sich durch ein außergewöhnliches Maß an Komplexität aus, das wir noch nicht vollends verstehen ... aufgrund unserer Entwicklung sind wir dazu automatisch und instinktiv, intuitiv und mühelos in der Lage. Das ist genau das, was auch Savants tun, nur in einem anderen Bereich ... man würde nie zur Quantenphysik greifen, um Sprache zu erklären, obwohl sie auf denselben gleichermaßen komplexen Formen von schnellen Berechnungen beruht.«

Ich teile Slezaks Auffassung – tatsächlich stützt sich meine eigene Theorie für die rechnerischen Fähigkeiten von Savants auf eben diese Analogie zwischen der mathematischen Komplexität von Sprache und der von Savant-Kalkulationen.

Um diese Theorie zu beschreiben, muss ich zunächst ein wenig ausführen, wie das Gehirn der meisten Menschen funktioniert. Man geht davon aus, dass bei den meisten Menschen die Mehrzahl kognitiver Aufgaben – wie Sprache, Zahlenverständnis, Wahrnehmung usw. – hochspezialisiert sind und getrennt voneinander in verschiedenen Hirnregionen ausgeführt werden. Diese Spezialisierung von verschiedenen mentalen Aktivitäten wird durch einen Prozess bewirkt, der als »Inhibition« bezeichnet wird und verhindert, dass Hirnregionen sich gegenseitig in ihren Aktivitäten stören.

Verschiedene Wissenschaftler haben die Möglichkeit in Betracht gezogen, dass ein niedriges Inhibitionsniveau in Zusammenhang mit mehreren neurologischen Störungen, von Autismus und Epilepsie bis hin zur Schizophrenie, steht und zu einer abnormalen Cross-Kommunikation zwischen normalerweise getrennten Hirnregionen führt. Nach Ansicht des Kognitionswissenschaftlers Ed Hubbard könnte diese Aktivität innerhalb des Gehirns auch die multi-sensorische Erfahrung der Synästhesie erklären. Ein niedriges Inhibitionsniveau spielt möglicherweise auch eine Rolle bei den Savant-Fähigkeiten: Der Savant Kim Peek wurde ohne Corpus callosum geboren – das ist der dicke Faserstrang, der die linke mit der rechten Hirnhälfte verbindet und zudem als wichtigste Leitungsbahn für die Inhibition im Gehirn dient.

Meiner Ansicht nach ist diese abnormale Kommunikation zwischen üblicherweise getrennten Hirnbereichen der Ausgangspunkt für eine Erklärung der rechnerischen Fähigkeiten von Savants wie mir. Höchstwahrscheinlich funktioniert mein eigenes Gehirn auf diese Weise: Abgesehen vom high-functioning Autismus litt ich als kleines Kind unter epileptischen Anfällen und mein Vater hatte lange Zeit mit Schizophrenie zu kämpfen – was stark dafür spricht, dass die ungewöhnliche Funktionsweise meines Gehirns genetische Ursachen hat. Meine Fähigkeit, Zahlen und Worte in verschiedenen Formen und Farben zu sehen, ist ein zusätzliches Symptom dieser ungewöhnlichen »überregionalen Gespräche« zwischen meinen verschiedenen Hirnarealen.

Meine Hypothese ist, dass meine rechnerischen Begabungen das Ergebnis einer abnormalen Cross-Kommunikation zwischen den Zahlen- und Sprachregionen meines Gehirns sind. Insbesondere bin ich überzeugt, dass meine rechnerischen Fähigkeiten mit der Aktivität in jener Hirnregion verknüpft sind, die für den Syntaxaufbau in der Sprache (die Bildung von grammatischen Sätzen) zuständig ist.

Es gibt mehrere Anhaltspunkte für diese Theorie. Erstens liegen die Hirnregionen, die Wissenschaftlern zufolge auf Zahlen (linker

Parietallappen) und auf Sprache (linker Frontallappen) spezialisiert sind, nebeneinander in der linken Hirnhälfte. Der linke Parietallappen ist an Reihenbildungen und logisch-räumlichen Fähigkeiten beteiligt und scheint die Fähigkeit zur Durchführung von Berechnungen zu vermitteln, während im linken Frontallappen – insbesondere dem Broca-Areal – die Fähigkeit zur Erzeugung syntaktischer Sätze lokalisiert wird. Meine entscheidende Behauptung ist die: Meine Fähigkeit, Zahlenformen mental zu zerlegen und zu bearbeiten, um verschiedene Berechnungen durchzuführen, entspricht der Zerlegung und Verarbeitung von Wörtern und Ausdrücken zu bedeutungsvollen Sätzen.

Einen zweiten Anhaltspunkt liefern meine enormen sprachlichen Fähigkeiten: Ich beherrsche ein Dutzend Sprachen, lerne eine neue Sprache innerhalb einer Woche so gut, dass ich mich mühelos in ihr unterhalten kann, und arbeite sogar an der Entwicklung einer eigenen Sprache (mehr darüber im folgenden Kapitel). Von daher erscheint es mir einleuchtend, dass irgendeine übergreifende mentale Aktivität meine sprachlichen Fähigkeiten mit meinen rechnerischen verknüpft, vor allem da beide Fähigkeiten für komplexe Berechnungsformen stehen. Die Alternative, also dass zwischen meinen sprachlichen und rechnerischen Fähigkeiten keinerlei Verbindung besteht, erscheint mir angesichts dieser Fakten als unwahrscheinlich.

Drittens laufen meine rechnerischen Fähigkeiten schnell, intuitiv und größtenteils unbewusst ab – genauso wie die Syntaxberechnung bei den meisten Menschen, wenn sie einen geschriebenen oder gesprochenen Satz erzeugen. Ich will diese grundlegende Analogie – von der »Sprachlichkeit« meiner Zahlenberechnungen – anhand mehrerer spezifischer Beispiele näher erläutern.

Man könnte die Syntax schlicht als Regelwerk beschreiben, das die Stellung verschiedener Elemente (Wörter) und ihre Wechselbeziehungen untereinander festlegt. Mit Hilfe der sprachlichen Syntax benennen wir nicht einfach nur Dinge, sie hilft uns zu beschreiben und zu analysieren, in welcher Beziehung die verschiedenen

Elemente gesprochener Sprache zueinander stehen. Syntaktische Konstruktionen, ob für Wörter oder – wie ich für meinen Fall behauptet habe – auch für Zahlen machen aneinandergereihte Informationen, die andernfalls ein wirres Durcheinander ergäben, analysierbar und bedeutungsvoll.

Ein weiterer wichtiger Punkt ist, dass Wörter für die meisten Menschen sofort Bedeutungsträger sind, zum einen weil wir die Begriffe häufig mit mentalen Bildern assoziieren, zum anderen weil Wörter semantische Beziehungen zu andern Wörtern haben – wenn Sie an das Wort »Giraffe« denken, wird wahrscheinlich sofort ein Bild vor Ihrem geistigen Auge auftauchen. Vermutlich kommen Ihnen auch spontan weitere Wörter in den Sinn, die etwas mit »Giraffe« gemeinsam haben, wie »groß« oder »Hals« oder Ähnliches. Dieser Prozess findet jedoch bei den meisten Menschen nicht statt, wenn sie an eine Zahl denken oder sie vor sich sehen. Anders als bei Wörtern taucht hier kein Bild vor ihrem inneren Auge auf, wie es bei mir geschieht. Sie assoziieren eine Zahl auch nicht spontan mit anderen Zahlen, die eine damit verwandte Bedeutung haben, so wie das Wort »Giraffe« ganz spontan andere damit zusammenhängende Wörter wie »Hals« oder »groß« wachruft. Wenn man Menschen fragt, an welche Zahlen sie denken, wenn man ihnen die Zahl 23 vorlegt, antworten viele mit der vorausgehenden Zahl – 22 – oder der nachfolgenden – 24 – oder auch, indem sie die Ziffern umkehren: 32. Besonders bedeutungsvolle (semantische) Beziehungen sind das nicht. Es ist eher so, als würde man auf das Wort »god« mit einem Wort antworten, das ihm vorausgeht, wie »go«, oder mit einem Wort, das ihm folgt, wie »got«, oder indem man es umkehrt und zu »dog« macht. Wenn ich dagegen an 23 denke, kommen mir sofort bedeutungsvolle (semantische) Beziehungen in den Sinn, wie 529 (23 im Quadrat) oder 989 (das letzte Vielfache von 23 vor 1000).

Dazu bin ich fähig, weil Zahlen nicht isoliert für sich, sondern in bedeutungsvollen Beziehungen zu anderen Zahlen stehen – genauso wie Wörter »semantische Kategorien« mit anderen Wörtern bilden, die zu ihrer gegenseitigen Erklärung beitragen. So wie es unmöglich wäre, über das Wort »Giraffe« zu reden, ohne andere Wörter wie »Hals« oder »groß« heranzuziehen, so ist es für mich unmöglich, bedeutungsvoll über die Zahl 23 zu reden, ohne mich auf Assoziationen wie 529 oder 989 zu beziehen.

Mir sind diese semantischen Beziehungen zwischen Zahlen ebenso bewusst wie die Bedeutungszusammenhänge zwischen Wörtern, weil ich die Zahlen als bedeutungsvolle (semantische) Formen visualisieren kann. Wer das Wort »Stuhl« hört, kann es mit anderen Wörtern wie »Hocker« und »Sofa« in Verbindung bringen, weil er die visuelle Ähnlichkeit zwischen ihnen kennt und versteht. Auf die gleiche Weise trägt meine Fähigkeit, Zahlen zu visualisieren, dazu bei, dass ich die verschiedenen Wechselbeziehungen zwischen ihnen erkennen kann.

Hier stellt sich die wichtige Frage, wie meine Zahlenformen entstehen – und die schlichte Antwort ist, dass ich es nicht mit Sicherheit weiß. Ich weiß nicht, warum ich mir 6 als etwas Winziges und 9 als sehr groß vorstelle oder warum Dreien rund und Vieren spitz sind. Es gibt allerdings bestimmte Muster, die abermals zeigen, dass meine Formen bedeutungsvoll und nicht willkürlich sind: 1 ist hell, 11 ist rund und hell, 111 ist rund, hell und klumpig, 1111 ist rund, hell und dreht sich. Das sagt mir, dass mein Gehirn eine kleine Anzahl von synästhetischen Erfahrungen für die niedrigsten Zahlen genommen und sie auf unterschiedlichste Weise kombiniert hat, um Tausende von Formen zu erzeugen – genauso wie Sprache eine kleine Anzahl von Buchstaben und Lauten nimmt und Tausende von Wörtern daraus erzeugt.

Natürlich kann nicht einmal der größte Wortschatz jedes Wort enthalten und mein »Vokabular« an numerischen Formen reicht bis 10 000, aber nicht darüber hinaus. Wie löse ich dann eine Rechenaufgabe, deren Ergebnis größer ist als 10 000 – wenn das Ergebnis also außerhalb meines »numerischen Grundwortschatzes« liegt? Einen hilfreichen Vergleich bietet eine Partie Scrabble, die ich jüngst mit einigen Freunden spielte. In der Mitte des Spiels wurde mir bewusst, dass ich meine gesamten restlichen Buchstaben mit einem Schlag loswerden (und dadurch 50 Bonuspunkte einstreichen) konnte, aber ich war nicht ganz sicher, ob das Wort, an das ich dachte – »agedness« (Betagtheit) –, tatsächlich ein Wort war. Der Grund für diese Unsicherheit war, dass »agedness« nicht zu meinem aktiven englischen Wortschatz gehörte, was bedeutete, dass ich es noch nie zuvor benutzt, gelesen oder gehört hatte, was wenig überraschend ist, wenn man bedenkt, wie selten es vorkommt. Die »Wordcount«-Website, die die 86 000 gebräuchlichsten Wörter der englischen Sprache auflistet, enthält keinen entsprechenden Eintrag. Es ist trotzdem ein Wort – eine schnelle Suche bei WordNet, einer lexikalischen Datenbank der Princeton University, definiert »agedness« als »die Eigenschaft hohen Alters«. Zum Glück folgte ich meiner Intuition und setzte die Steine aufs Brett, was meinen Punktestand hochschnellen und mich das Spiel gewinnen ließ.

Doch wie konnte mir ein Wort in den Sinn kommen, das ich noch nie zuvor gehört hatte? Die Antwort ist, dass ich zwar das Wort an sich nicht kannte, aber seine Komponenten: das Adjektiv »aged« (betagt) und die Suffix-Endung »-ness« (-heit). Als englischer Muttersprachler war ich mir auch intuitiv der morphologischen Regeln bewusst, die es bei bestimmten Adjektiven erlauben (etwa bei »left-handed« oder »broken«, aber nicht bei »strong« oder »intelligent«), dieses spezielle Suffix anzuhängen. Derselbe Prozess des intuitiven Erspürens neuer Lösungen aus bestehendem Wissen hilft mir bei der Lösung von Rechenaufgaben, auch wenn das Ergebnis die Grenzen meines Zahlenvokabulars überschreitet. Wenn ich zum Beispiel die Aufgabe 37×469 erhalte, sehe ich sofort, dass dies dasselbe ist wie 37×169 (wozu ich unmittelbaren Zugang durch meinen Zahlenform-Wortschatz habe) plus 37×300 oder $6253 + (111 \times 100) = 6253 + 11100 = 17353$.

Diesen Vorgang, bei dem ich eine Rechenaufgabe aufnehme und sie in meinem Kopf zu bedeutungsvollen Zahlenformen und -mustern verarbeite, um die Lösung hervorzubringen, halte ich für einen syntaktischen Prozess, der demjenigen entspricht, durch den die meisten Menschen ein Gedankenwirrwarr in ihrem Kopf mühelos in eine zusammenhängende, grammatische und bedeutungsvolle Ordnung bringen, um sie dann in Form eines Satzes auszudrücken. Aus irgendeinem Grund sind die meisten Menschen nicht fähig, auf vergleichbare Weise mit Zahlen umzugehen – sie scheinen sich von hohen Zahlen einfach überwältigt zu fühlen und sind nicht in Lage, darüber genauso nachzudenken, wie sie über die Wörter in einem Satz nachdenken. Ich hingegen kann die Zahlen einer Rechenaufgabe (37×469) aufnehmen und sie mental in bedeutungsvolle Formen (6253 und 111×100) aufspalten, die ich dann zu einem »Satz« manipuliere, der grammatisch ist (d. h. der die korrekte Lösung ergibt).

Meine zweite wichtigste Zahlenbegabung neben dem Multiplizieren ist das Faktorisieren und das Erkennen von Primzahlen. Das Faktorisieren ist der Prozess, durch den eine Zahl in Primzahlen zerlegt wird, die, multipliziert, die ursprüngliche Zahl ergeben: Die Zahl 42 wird zum Beispiel in die Faktoren $2 \times 3 \times 7$ zerlegt. Dass ich die Zahlen als semantische Formen sehe, hilft mir, sie sehr schnell in Faktoren zu zerlegen – bei 6253, dem gerade erörterten Beispiel für die Multiplikation, kann ich zum Beispiel sofort »sehen«, dass ihre Form aus der Kombination von 13×13 (169) $\times 37$ abgeleitet ist. Diese Fähigkeit, eine semantische Zahlenform sofort in ihre Teile aufzugliedern, gleicht der Fähigkeit eines englischen Muttersprachlers, ein zusammengesetztes Wort wie »incomprehensibly« (unverständlicherweise) in die Bestandteile »in+comprehend+ible+ly« zu zerlegen. Ich faktorisiere hohe Zahlen (über 10000), indem ich sie in bedeutungsvolle (visualisierbare), zusammenhängende Teile aufspalte: eine Zahl wie 84187 zerlege ich in 841 (29×29) und 87 (3×29), was mir sofort sagt, dass die Zahl durch 29 teilbar ist – ebenso wie durch 2903, eine Primzahl.

Meine Fähigkeit, alle Primzahlen bis 10000 sehr schnell zu erkennen, ist eine natürliche Begleiterscheinung meines hochstrukturierten, semantischen Zahlenwissens. Meine Intuition sagt mir, dass es sich bei 2903 wahrscheinlich um eine Primzahl handelt, aber um mich zu vergewissern, verschaffe ich mir mentalen Zugang zu derjenigen »Region« meiner numerischen Landschaft, in der sich die Zahlen zwischen 2900 und 3000 befinden. Wenn ich mich dort umschaue, fällt mir als Erstes die faszinierende Zahlenform von 2911 ins Auge – 41 multipliziert mit 71. Das sagt mir, dass die Zahlen davor (2000–2910) alle entweder leicht teilbar (durch 2, 3 oder 5) oder Primzahlen sind. Im Gegensatz zu zusammengesetzten Zahlen, die sich durch gezackte Formen auszeichnen, visualisiere ich die Primzahlen als glatte und runde »Kiesel« in meiner Zahlenlandschaft. Ich kann größere Primzahlen mit 5, 6, 7 oder sogar 8 Stellen hervorbringen, indem ich mich auf mein intuitives Gespür dafür verlasse, wie Primzahlen »aussehen«, so wie ein englischer Muttersprachler sofort erkennen kann, dass ein Wort wie »glubr« nicht existiert, aber eines wie »gluber« theoretisch möglich ist. Eine sehr einfache Regel, um zu erkennen, ob es sich um eine Primzahl handelt (oder nicht), lautet: »Wenn die Zahl mehr als eine Ziffer enthält und auf 2 oder 5 endet, ist es keine Primzahl« (weil sie offensichtlich mindestens durch 2 und/oder 5 teilbar ist). Eine etwas komplexere Regel lautet: »Wenn die Zahl vierstellig ist und die Anfangs- und Endziffer ungerade (außer 5) und identisch sind und die mittleren beiden Ziffern ein Vielfaches von 7, 11 oder 13 bilden (wie bei ›1141‹ oder ›9529‹), dann handelt es sich nicht um eine Primzahl« (weil Zahlen dieser »Form« immer durch 7 oder 11 oder 13 teilbar sind).

Ich will an einem Beispiel erläutern, wie ich solche intuitiven Regeln nutze, um eine größere Primzahl hervorzubringen: Ich fange bei einer dreistelligen Zahl an, von der ich weiß, dass sie in kleinere Faktoren zerlegbar ist (wie 323, was 17×19 entspricht), wiederhole den Vorgang, um eine sechsstellige Zahl (323323) zu bekommen, an deren Form ich sofort erkenne, dass sie ebenfalls in drei weitere kleine Faktoren (7, 11 und 13) zerlegbar ist; dann füge ich eine weitere Ziffer hinzu, die nicht durch einen der bislang genannten Faktoren teilbar ist, und gelange so durch die simple Hinzufügung von zum Beispiel »1« zu 3 233 231. Diese siebenstellige Zahl ist tatsächlich eine

Primzahl. Betrachten wir ein weiteres Beispiel, diesmal unter Verwendung einer vierstelligen Zahl: 4199 (13 × 17 × 19). Diese Faktoren eliminieren wir, indem wir eine einzelne Ziffer, die 9, an das Ende der Zahl anhängen und somit 41999 erhalten. Ich füge die 9 hinzu, weil ich – wenn ich die Zahl in 419 und 99 aufgliedere – sehen kann, dass sie nicht durch 11 teilbar ist (wie es bei 99 der Fall ist, aber nicht bei 419, die eine Primzahl ist). Außerdem erkenne ich, dass 41999 nicht durch 7 teilbar sein kann, weil sie eins weniger ist als 42000 und 42 durch 7 teilbar ist. Indem ich die Zahl in 41 und 999 aufspalte, kann ich außerdem sehen, dass man sie nicht durch 41 teilen kann (da 999 nicht durch 41 teilbar ist) und auch nicht durch 37 (999 ist 3 × 3 × 3 × 37). 41999 ist eine Primzahl. Ich kann den Prozess sogar wiederholen, indem ich eine weitere 9 ans Ende von 41999 anhänge, um 419999 zu erhalten, was ebenfalls eine Primzahl ist.

Natürlich ist ein solcher intuitiver Ansatz nicht unfehlbar. Manchmal irre ich mich und denke, dass eine Zahl wie eine Primzahl »aussieht«, obwohl sie keine ist, oder umgekehrt. In der Wissenschaft ist seit langem bekannt, dass sich Savants entgegen dem verbreiteten Mythos von ihrer Unfehlbarkeit beim Erkennen möglicher Primzahlen mitunter irren. So berichtet etwa die Psychologin Beate Hermelin in ihrem Buch *Bright Splinters of the Mind* von einer Studie über einen autistischen Savant namens Howard:

»Als Howard aufgefordert wurde, eine Primzahl zwischen 10500 und 10600 zu nennen, antwortete er in weniger als sechs Sekunden mit der Zahl 10511. Er erklärte dem Testleiter, dass 10511 nicht durch 3 oder 7 teilbar sei. Auf weitere Fragen ... antwortete er: ›13 geht in 611 und 10511 minus 611 ergibt 9900, was nicht durch 13 teilbar ist‹ ... diese Störung (Autismus) scheint jenen, die darunter leiden, einen privilegierten Zugriff auf Segmente und Bestandteile von Informationen zu eröffnen ... durch seinen Autismus kann er einen kognitiven Stil nutzen, der ihm die Zerlegung von Zielzahlen in ihre Komponenten ermöglicht, was ihn dann befähigt, mögliche Divisoren anzuwenden. Bei einigen Gelegenheiten sagte Howard über bestimmte Zahlen, dass sie sich einfach wie Primzahlen anfühlten. Sein intuitives Gespür war allerdings nicht unfehlbar und manchmal irrte er sich.«

Tatsächlich ist 10 511 keine Primzahl, auch wenn sie so »aussieht«, denn sie ist durch 23 und 457 teilbar. So wie es einem englischen Muttersprachler, der sich auf die im Allgemeinen unbewussten, intuitiven Wortbildungsregeln verlässt, schwerfallen kann, zwischen tatsächlichen englischen Wörtern und nicht existierenden zu unterscheiden, so ist auch die Fähigkeit eines Savants, intuitiv Primzahlen aufzuspüren, nicht unfehlbar. Hier ein kleiner Test zur Veranschaulichung: Können Sie sagen, bei welchen der folgenden Wörter es sich um tatsächliche englische Wörter handelt und bei welchen nicht?

Tsktsking

Syzygy

Ooecia

Gleever

Leiotrichous

Keine leichte Aufgabe, wenn man bedenkt, wie viele Wörter das Englische umfasst. Dasselbe gilt für Primzahlen: Bis zum siebenstelligen Bereich sind es nicht weniger als 664 579. Die Lösung lautet: Außer »gleever«, das aussieht, als wäre es ein englisches Wort, sind alle genannten Begriffe tatsächlich existierende englische Wörter.

Die Schönheit der Mathematik

Jede Erklärung meiner rechnerischen Fähigkeiten wäre unvollständig, würde ich nicht auch beschreiben, wie viel mir – und vermutlich jedem anderen Savant – Zahlen bedeuten. Menschen, die unter der einen oder anderen Form von Autismus leiden, haben häufig mit Einsamkeit und sozialer Isolation zu kämpfen, sind oft frustriert und verwirrt von einer Welt, die ihnen zu groß, zu fremd und zu chaotisch erscheint. Zahlen können sich als Zuflucht erweisen – als eine innere Welt der Logik, Ordnung und Schönheit. Im letzten Abschnitt dieses Kapitels möchte ich versuchen, dem Leser etwas von der ungeheuren Schönheit nahezubringen, die die Mathematik für mich besitzt.

Beginnen wir mit einer einfachen Frage: Was ist die größte Zahl? Einige Kinder amüsieren sich köstlich mit dieser Frage und reagieren auf alle vorgeschlagenen Zahlenkandidaten mit den zwei Wörtchen: »plus 1«. Es gibt keine größte Zahl, weil die Menge der Zahlen unendlich ist.

Seit Jahrhunderten zeigen sich Mathematiker und Philosophen von der Vorstellung der Unendlichkeit fasziniert. Galileo Galilei war der Erste, der eine erstaunliche Tatsache bemerkte, die mit dem paradoxen Wesen der Unendlichkeit verbunden ist. Wenn man die Menge der natürlichen Zahlen (1, 2, 3, 4, 5 etc.) nimmt und exakt die Hälfte der Zahlen entfernt, bleibt eine genauso große Menge wie zuvor übrig. Angenommen, man nimmt alle ungeraden Zahlen weg und vergleicht dann die Menge der übriggebliebenen (geraden) Zahlen mit der Menge aller natürlichen Zahlen, indem man die einzelnen Zahlen jeder Menge miteinander paart: 1 mit 2, 2 mit 4, 3 mit 6, 4 mit 8, 5 mit 10 usw.

$$
\begin{array}{ccccccc}
1 & 2 & 3 & 4 & 5 & \ldots & n & \ldots \\
\updownarrow & \updownarrow & \updownarrow & \updownarrow & \updownarrow & & \updownarrow & \\
2 & 4 & 6 & 8 & 10 & \ldots & 2n & \ldots
\end{array}
$$

Es ist klar, dass wir die Zahlen aus beiden Mengen unendlich paaren können – was bedeutet, dass man beide Mengen als gleich groß bezeichnen kann. Tatsächlich ist dies genau das Prinzip, das heutige Mathematiker anwenden, um eine Zahlenmenge als unendlich zu definieren: Eine Menge ist unendlich, wenn man einige ihrer Zahlen entfernen kann, ohne ihre Größe zu verringern.

Ein schönes Beispiel für das kontraintuitive Wesen der Unendlichkeit ist das »Grand Hotel«-Paradox, das von dem Mathematiker David Hilbert erfunden wurde. Stellen Sie sich ein Hotel mit einer unendlichen Anzahl von Zimmern vor. Was geschieht, wenn ein neuer Gast einchecken will, aber alle Zimmer bereits belegt sind? Tatsächlich ist es immer möglich, einen neuen Gast unterzubringen; man verlegt einfach den Gast, der Zimmer 1 belegt, auf Zimmer 2, den Gast von Zimmer 2 auf Zimmer 3 und so weiter, und macht damit Zimmer 1 für den Neuankömmling frei. Was ist, wenn eine unendliche Zahl von neuen Gästen im Hotel eintrifft? Auch ihnen kann geholfen werden: Man verlegt den Gast, der Zimmer 1 belegt, in Zimmer 2, den Gast von Zimmer 2 auf Zimmer 4, den Gast von Zimmer 3 auf Zimmer 6 und so weiter und vergibt die Zimmer mit den ungeraden Zahlen an diese neuen Gäste.

Auch die Anzahl der Primzahlen ist unendlich – eine Tatsache, die erstmals von dem griechischen Mathematiker Euklid vor mehr als 2000 Jahren bewiesen wurde. Euklids Beweis lautet etwa folgendermaßen: Angenommen, es gibt eine endliche Zahl von Primzahlen, die wir alle in einer (sehr langen) Liste aufschreiben. Nehmen wir als Nächstes an, wir multiplizierten alle diese Primzahlen »t« miteinander und addierten dann 1 hinzu. Jetzt haben wir eine neue Zahl, »P«, die entweder eine Primzahl oder keine Primzahl ist. Ist P eine Primzahl, dann fehlt sie in unserer ursprünglichen Liste mit Primzahlen. Ist P keine Primzahl, dann muss sie durch zwei oder mehr Primzahlen teilbar sein. Nun ist sie aber durch keine der Primzahlen auf unserer Liste teilbar, ohne dass ein Rest von 1 zurückbleibt. Doch jede Primzahl, durch die sie teilbar sein könnte, fehlt ebenfalls auf unserer Liste. So oder so war die endliche Liste unvollständig, was bedeutet, dass es eine unendliche Anzahl von Primzahlen geben muss.

Primzahlen haben etwas Geheimnisvolles, das sie für Savants ebenso wie für Mathematiker faszinierend macht: Sie sind scheinbar zufällig über den Zahlenstrahl verteilt und doch fähig, wundervolle Muster zu erzeugen. Ein gutes Beispiel dafür ist die Ulam-Spirale, benannt nach dem polnischen Mathematiker Stanislaw Ulam, der sie entdeckte, als er einmal vor sich hinkritzelte, um sich die Zeit während einer langen Vorlesung zu vertreiben. Gelangweilt malte Ulam ein Zahlengitter, das mit 1 in der Mitte anfängt und dann spiralförmig nach außen verläuft.

145—144—143—142—141—140—(139)—138—(137)—136—135—134—133
146 (101)—100 —99—98—(97)—96—95—94—93—92—91 132
147 102 65—64—63—62—(61)—60—(59)—58—57 90 (131)
148 (103) 66 (37)—36—35—34—33—32—(31) 56 (89) 130
(149) 104 (67) 38 (17)—16—15—14—(13) 30 55 88 129
150 105 68 39 18 (5)— 4 —(3) 12 (29) 54 87 128
(151) 106 69 40 (19) 6 1 —(2) (11) 28 (53) 86 (127)
152 (107) 70 (41) 20 (7)— 8 — 9 —10 27 52 85 126
153 108 (71) 42 21—22—(23)—24—25—26 51 84 125
154 (109) 72 (43)—44—45—46—(47)—48—49—50 (83) 124
155 110 (73)—74—75—76—77—78—(79)—80— 81 —82 123
156 111—112—(113)—114—115—116—117—118—119—120—121 —122
(157)—158—159—160—161—162—(163)—164—165—166—(167)—168—169…

Anschließend kreiste er alle Primzahlen in dem Gitter ein.

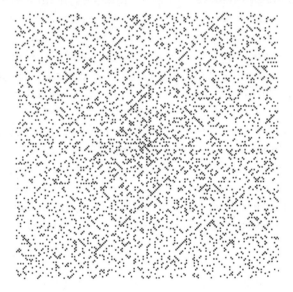

Erstaunt stellte er fest, dass die eingekreisten Zahlen mehrere lange diagonale Linien zu bilden schienen. Spätere Tests zeigten, dass der Effekt auch dann auftritt, wenn man sehr viele Zahlen darstellt. Ulams Entdeckung kam so überraschend für Mathematiker, dass seine Spirale später auf dem Titelblatt von *Scientific American* erschien.

Primzahlen sind nicht nur wunderschön, sie sind auch nützlich für die Kryptographie (Ver- und Entschlüsselungstechnik). Wenn man beispielsweise einen Kauf übers Internet tätigt, wird die Sicherheit der übermittelten Informationen durch die Anwendung der sogenannten RSA-Technik gewährleistet (der Name leitet sich aus den Initialen der Erfinder ab). Ihre Wirksamkeit basiert auf einer extrem großen Zahl (mit z. B. 200 bis 300 Stellen), dem Produkt zweier sehr großer Primzahlen, die man beide herausbekommen müsste, um die verschlüsselten Informationen zu »knacken«. Da die Anzahl der Schritte, um eine Zahl mittels aller bekannten Algorithmen in ihre Faktoren zu zerlegen, mit der Größe der Zahl exponentiell wächst, kann der Kryptograph dem Computer des Kriminellen immer einen Schritt voraus bleiben. Sogar wenn Computer schnell genug werden, um die derzeit verwendeten Zahlen für die Verschlüsselung zu faktorisieren, lassen sich immer noch größere Zahlen an ihre Stelle setzen.

Wir beenden diesen kurzen Überblick über die Schönheit der Mathematik mit einer meiner Lieblingsentdeckungen aus dem Bereich der sogenannten Netzwerk-Theorie, die sich damit befasst, wie Netzwerke in Gesellschaften gebildet werden und funktionieren.

Das »Kleine-Welt«-Phänomen, das bekannteste Konzept der Theorie, beruht auf einer Idee, die ursprünglich von dem ungarischen Autor Frigyes Karinthy im Jahr 1929 beschrieben wurde. Karinthy stellte sich ein Szenario vor, in dem jeder Mensch auf der Welt mit jedem anderen über eine Kette von höchstens fünf Bekanntschaftsbeziehungen verbunden ist. Vier Jahrzehnte später entwickelte der Psychologe Stanley Milgram ein konkretes Experiment, um die Anzahl von Verbindungen zwischen zwei beliebigen Menschen zu zählen. Milgram wählte mehrere Personen aus verschiedenen US-amerikanischen Städten wie Omaha in Nebraska und Wichita in Kansas, aus, die als Startpunkte dienten. Als Zielstadt wurde aufgrund der großen sozialen und geographischen Entfernung Boston in Massachusetts festgelegt. Dann sandte man zufällig ausgewählten Personen in Omaha oder Wichita Informationspakete, denen man

ein Schreiben beilegte, das den Zweck der Studie erklärte und Basis-
daten über eine Zielperson in Boston enthielt. Wenn der Empfänger
die Zielperson persönlich kannte, sollte er den Brief direkt an diese
Person schicken. In dem wahrscheinlicheren Fall, dass er sie nicht
kannte, sollte er überlegen, welcher persönliche Bekannte die Person möglicherweise kennen könnte, und den Brief an diesen weiterleiten. Die Sendungen wurden jedes Mal abgezeichnet, wenn sie
weiterverschickt wurden, damit die Wissenschaftler zählen konnten, durch wie viele Hände sie gegangen waren.

Milgrams Experiment litt allerdings unter einigen Schwächen,
insbesondere weil viele der Leute sich weigerten, den Brief weiter-
zuleiten. Bei den Sendungen, die es bis zur Zielperson schafften,
betrug die durchschnittliche Anzahl der Mittler 5 bis 6. Daraus folgerten die Wissenschaftler, dass jeder Mensch auf der Welt durch
durchschnittlich lediglich sechs Personen von jedem anderen Menschen getrennt ist.

Die Mathematik hinter dieser Idee ist ziemlich einfach. Angenommen, eine Person kennt im Durchschnitt 100 Menschen, von
denen jeder 50 weitere Leute kennt, die wiederum weitere 50 Menschen kennen und so weiter bis zur sechsten Stufe. Das entspricht:
$100 \times 50 \times 50 \times 50 \times 50 \times 50 = 31\,250\,000\,000$ oder über 31 Milliarden.
Die derzeitige Weltbevölkerung liegt bei knapp 7 Milliarden, sodass
sechs Stufen mühelos ausreichen, um alle abzudecken.

Eine neuere Studie von Wissenschaftlern der Columbia University hat weitere Beweise für das Phänomen der »kleinen Welt« erbracht. Das Experiment mit dem Namen »Small World Experiment«
wurde online durchgeführt und jeder Teilnehmer erhielt nach dem
Zufallsprinzip eine Zielperson zugeteilt – jeweils eine von 18 weltweit verteilten Personen. Die Teilnehmer wurden aufgefordert, die
Verbindung zur Zielperson durch eine E-Mail-Kette von Freunden
und Bekannten aufzunehmen. Etwa 60 000 Personen aus 170 Ländern nahmen teil. Gestützt auf Hunderte von erfolgreich hergestell-
ten Ketten kamen die Forscher zu dem Ergebnis, dass die durchschnittliche Anzahl von Verbindungen tatsächlich bei sechs liegt.

Forscher haben festgestellt, dass der »Small-World-Effect« in jedem großen Netzwerk von miteinander verbundenen, dynamischen Elementen auftreten kann – vom nationalen Elektrizitätsnetz über das Internet bis hin zum menschlichen Gehirn und Genom. Steven Strogatz, Professor für angewandte Mathematik an der Cornell University, ist ein Experte für dieses Phänomen und hat bahnbrechende Entdeckungen über die sogenannte »universale Architektur« der Verbundenheit gemacht. Strogatz und sein Mitarbeiter Duncan Watts berechneten, dass eine kleine Zahl von Abkürzungen zwischen wenigen Komponenten genügt, um den Effekt zu erzeugen – und ein überraschend engmaschiges Verbindungsnetz zwischen Menschen, Websites oder Hirnzellen zu finden. Die Wissenschaftler untersuchten mehrere real existierende Systeme, um ihre Theorie zu überprüfen. In einer Studie untersuchten Strogatz und Watts fast eine viertel Million Schauspieler, die in der Internet-Film-Datenbank aufgelistet sind. Die Ergebnisse bestätigten ihre Theorie: eine kleine Anzahl von bekannten und erfolgreichen Schauspielern erwiesen sich als Schnittstellen eines hochstrukturierten Netzwerks, über das alle möglichen Schauspieler über wenige Schritte miteinander verbunden werden konnten. So lässt sich etwa Alfred Hitchcock über lediglich drei Schritte mit Demi Moore verbinden: Hitchcock trat zusammen mit Orson Welles in dem Dokumentarfilm *Show Business At War* (1943) auf; Welles trat in *A Safe Place* (1971) zusammen mit Jack Nicholson auf; und Nicholson spielte neben Demi Moore eine Rolle in *A Few Good Men* (Dt.: *Eine Frage der Ehre*). In einer weiteren Studie fanden die Wissenschaftler heraus, dass sich jede der 282 Nervenzellen eines Fadenwurms über ihre 2462 synaptischen Verbindungen in durchschnittlich 2 bis 3 Schritten mit jeder anderen Nervenzelle verbinden ließ.

Kein Wunder, dass solche Ergebnisse so viele Menschen in Staunen und Begeisterung versetzen: Wir alle sind enger miteinander verbunden, als wir denken. Unsere Welt ist viel kleiner – und viel numerischer –, als den meisten Menschen bewusst ist.

6. Die Biologie der Kreativität

Inwiefern unterscheiden sich die Prozesse in meinem Kopf von denjenigen, die aus dem universalen Sprach- und Zahleninstinkt resultieren? Was befähigt mich, aus einer willkürlichen Zahlenkette numerische Landschaften (wie die für Pi) zu erschaffen, meine eigenen Wörter und Begriffe in zahlreichen Sprachen zu erfinden oder eine Rechenaufgabe zu lösen, indem ich sie mir als Manipulation der komplexen visuellen Formen in meinem Kopf vorstelle? Meiner Ansicht nach liegt die Antwort zum Teil in der ungewöhnlichen vernetzten Kommunikation zwischen unterschiedlichen Hirnregionen, die ich im letzten Kapitel angesprochen habe. Das deutet darauf hin, dass seltene Formen kreativer Fantasie aus einer außergewöhnlichen Verknüpfung von normalerweise unverbundenen Gedanken, Erinnerungen, Gefühlen und Ideen entstehen. Wie ich im Laufe dieses Kapitels zeigen werde, könnte diese »Hyperkonnektivität« innerhalb des Gehirns durchaus ursächlich für alle Formen außergewöhnlicher Kreativität sein.

Geistesblitze

Seit Urzeiten diskutieren Philosophen über das geheimnisvolle Wesen und die Ursachen der Fähigkeit, durch plötzliche Eingebungen oder »Geistesblitze« etwas Neues aus dem Nichts zu erschaffen. Platon hielt solche kreativen Sprünge im Denken oder in der Fantasie für ein Ergebnis göttlicher Inspiration, für eine Gabe der Götter. Der französische Philosoph René Descartes bestritt eine Beteiligung der Musen und stellte stattdessen im 17. Jahrhundert die These auf, dass jede kreative Idee das Produkt des deduktiv vorgehenden Verstandes sei. Der Aufklärungsphilosoph Immanuel Kant versuchte ein Jahrhundert später in seinen Schriften einen Mittelweg zwischen den übernatürlichen und vernunftbetonten Erklärungen der Kreativität zu finden. Das Schöpferische ist seiner Ansicht nach eine spontane, willkürliche Aktivität, unabhängig sowohl von göttlicher Hilfe als auch von vorgegebenen Regeln.

Wie die Philosophen der Vergangenheit versuchen auch die Neurowissenschaftler unserer Tage zu ergründen, was einige Menschen besonders kreativ macht. Einige Forscher sind überzeugt, dass die Antwort auf dieses uralte Rätsel in der Biologie des Gehirns liegt. Die Synästhesie, der wissenschaftliche Terminus für eine Vermischung der Sinneswahrnehmungen, bietet laut dem Neurowissenschaftler Vilayanur Ramachandran, der dieses Phänomen seit zwei Jahrzehnten erforscht, interessante Einblicke in die Art und Weise, wie das Gehirn originelle, kreative Gedanken erzeugt.

Wissenschaftler unterscheiden zwischen »niederer« Synästhesie – bei der die synästhetische Reaktion ausschließlich durch das visuelle Erscheinungsbild ausgelöst wird – und »höherer« Synästhesie, bei der multisensorische Assoziationen aus abstrakten Konzepten wie numerischen Sequenzen oder Mengen gebildet werden. Wie im letzten Kapitel ausgeführt, deuten neuere Belege darauf hin, dass abstrakte Konzepte wie Zahlen tatsächlich in anatomischen Regionen oder »Hirnkarten« in unseren Köpfen abgebildet sind. Diese höhere Form der Synästhesie, die übergreifende Aktivierung von Hirnregionen, interessiert die Wissenschaftler, die den möglichen physiologischen Grundlagen der Kreativität nachspüren, ganz besonders.

Ramachandran meint, dass diese Fähigkeit, scheinbar unverbundene Konzepte zu verknüpfen, von zentraler Bedeutung für den künstlerischen Prozess ist, und beruft sich dabei auf Studien, die zeigen, dass die Synästhesie bei Malern, Dichtern und Schriftstellern besonders häufig auftritt. Was diese Personen gemeinsam haben, ist eine ausgesprochene Begabung für Metaphern und Analogien, wie etwa Shakespeares: »Der Osten ist's und Julia ist die Sonne«. Ramachandrans Theorie zufolge fördert die höhere Synästhesie derartige Assoziationen im Gehirn des Künstlers, weil er dann viel leichter und müheloser neue Verbindungen zwischen scheinbar unverbundenen Begriffen herzustellen vermag. Nach seiner Ansicht ist diese synästhetische Fähigkeit genetischen Ursprungs und prädisponiert den Einzelnen für besonders fantasievolle und originelle Gedanken und Ideen.

Andere Forscher haben sich ebenfalls mit der Vorstellung beschäftigt, dass manche Menschen eine stärkere angeborene Neigung zu bestimmten Formen der Kreativität mitbringen. Nancy Andreasen, Psychiatrieprofessorin an der University of Iowa und ausgezeichnet mit der National Medal of Science, vermutet, dass bei extrem kreativen Menschen sowohl biologische als auch soziale Einflüsse eine Rolle spielen. In ihrem Buch *The Creating Brain: The Neuroscience of Genius* unterstützt sie die These, dass bestimmte Formen der Kreativität erblich sind, mit vielen anekdotischen Belegen. So verweist sie auf mehrere berühmte Familien, in denen mindestens zwei Mitglieder bedeutende kreative Beiträge leisteten, zum Beispiel die Darwins (Erasmus und sein Enkel Charles), die Brontë-Schwestern oder die Familie Bach, die von 1550 bis 1800 über acht Generationen hinweg sehr kreative Köpfe hervorbrachte.

Doch Andreasen begnügt sich nicht mit anekdotischen Nachweisen, sie hat auch eigene wissenschaftliche Studien durchgeführt, um ihre These zu überprüfen. In einer solchen Studie verglich Andreasen die Familien von Autoren, die an einem Workshop teilnahmen, mit den Familien einer Kontrollgruppe. Die Angehörigen der beiden Gruppen wurden dabei in drei Kategorien unterteilt: nicht kreativ, mittelmäßig kreativ und hochkreativ. Die Kategorie

»mittelmäßig kreativ« umfasste beispielsweise Berufsfelder wie Journalismus und Tanz- oder Musikpädagogik, während zur Gruppe der hochkreativen Verwandten solche gerechnet wurden, die Romane geschrieben hatten, als Konzertpianisten auftraten, in einem großen Symphonieorchester spielten oder einen bedeutenden Beitrag zur Wissenschaft geleistet hatten. Die 30 Autoren hatten insgesamt 116, die 30 Personen der Kontrollgruppe 121 Verwandte. Bei den Autoren fanden sich 32 kreative Familienmitglieder (28 Prozent), von denen 20 als hochkreativ und 12 als mittelmäßig kreativ eingestuft wurden; bei der Kontrollgruppe wurden 16 kreative Verwandte ermittelt (13 Prozent), von denen 11 in die Gruppe hochkreativ und 5 in die Gruppe mittelmäßig kreativ fielen. Eine mathematische Analyse der Ergebnisse zeigte, dass diese Unterschiede statistisch signifikant waren, und das heißt, sie lassen sich nicht allein durch Zufall erklären.

Ein einleuchtender Einwand gegen die Studie ist, dass sie uns nichts darüber sagt, ob die Ungleichheit zwischen den Verwandten der Autoren- und der Kontrollgruppe auf genetische oder soziale Faktoren zurückzuführen ist. Der Unterschied könnte zum Beispiel auch darauf beruhen, dass eine Person einfach in ein förderndes Umfeld hineingeboren wird. Andreasen erkennt die Gültigkeit dieses Einwandes an und räumt ein, dass gebildete Schichten ihre Kinder möglicherweise früh ans Schreiben heranführen und dadurch die Weichen für eine spätere literarische Laufbahn stellen. Dennoch enthält die Studie einige klare Hinweise darauf, dass die Ursprünge künstlerischer oder wissenschaftlicher Kreativität zumindest teilweise biologischer Art sind. Vor allem waren die festgestellten Formen der Kreativität bei den Verwandten der Autoren nicht notwendigerweise literarischer Art – viele waren in völlig anderen Bereichen tätig wie bildende Kunst, Musik, Mathematik und Naturwissenschaft, was zeigt, dass kreative Begabungen nicht ausschließlich auf Umweltfaktoren zurückzuführen sind.

Eine weitere Perspektive auf die einzigartigen Eigenschaften und die Biologie herausragender Kreativität eröffnet der britische Mathematiker und Physiker Roger Penrose. In seinem Buch *Computer-denken* vertritt er die Ansicht, dass spontane kreative Einsichten ihrem Wesen nach ausgesprochen »uncomputerhaft« sind und aus komplexen Prozessen tief im menschlichen Gehirn resultieren. Ein Computer, so Penrose, kann so konzipiert werden, dass er Informationen innerhalb bestimmter festgelegter Parameter verarbeitet, aber er ist unfähig zu jener Art von kreativen Denksprüngen oder Aha-Erlebnissen, die Archimedes zu seinem freudigen »Heureka!« bewegten.

Penroses Argumentation lautet etwa folgendermaßen: Alle Computer arbeiten nach Algorithmen, nach Regeln, die der Computer Schritt für Schritt befolgt. Doch spontane Erkenntnisblitze oder Höhenflüge der Fantasie erfolgen nicht auf diese Weise. Penrose verweist auf das Beispiel von Mathematikern, die häufig eine neue Theorie hervorbringen, noch bevor sie die Schritt-für-Schritt-Berechnungen, die den formalen Beweis dafür erbringen, zu Ende geführt haben. Er folgert daraus, dass man nie Maschinen entwickeln wird, die wie der Mensch zum wahrhaft kreativen Denken fähig sind.

Für dieses Argument spricht einiges, da es bei der Kreativität nicht darum geht, durch die Befolgung von Regeln zu einem Ergebnis zu gelangen, sondern eher darum, die Regeln zu beugen oder sogar zu brechen, um etwas wahrhaft Neues zu erschaffen. Eine Maschine, der man die Regeln zum Malen eines Porträts eingäbe, könnte nie einen Picasso hervorbringen und wäre auch trotz aller programmierten Kompositionsregeln nie in der Lage, so zu komponieren wie John Cage.

Und genau diese Feststellung bringt uns zurück zu meiner Theorie, dass außergewöhnliche Kreativität eine Folge der Hyperkonnektivität ist: das Phänomen der Cross-Aktivierung verschiedener Hirnregionen liefert eine tragfähige Erklärung für spontane kreative Eingebungen und Denksprünge. Ein hyperverknüpftes Gehirn ist das genaue Gegenteil einer kühl und präzise rechnenden Maschine, die irgendeinen mentalen Regelkatalog Schritt für Schritt abarbeitet; es gleicht eher einer Art wunderschönem, wirbelndem Chaos, das Informationen aus dem gesamten Gehirn zusammenzieht, um zu Ergebnissen von wahrhaft atemberaubender Kreativität zu gelangen.

Wenn diese Vorstellung zutrifft, dann liegt es auch nahe, dass bestimmte neurologische Störungen wie Epilepsie oder Schizophrenie, bei denen die Hyperkonnektivität manchmal ein signifikantes Merkmal ist, bestimmte Formen der Kreativität fördern können. Werfen wir einen Blick auf dafür vorhandene Indizien und fragen uns, was sie uns über das Wesen hochkreativen Denkens noch sagen können.

Der Sturm im Innern

»Great wits are sure to madness near allied, and thin partitions do their bounds divide«, schrieb der Dichter John Dryden 1681 und hielt damit seine Beobachtung fest, dass Genie und Wahnsinn Hand in Hand zu gehen scheinen. Die Geschichte liefert eine Fülle von Beispielen für bedeutende kreative Persönlichkeiten, die ihr Leben lang mit neurologischen Anfällen oder psychischen Krankheiten zu kämpfen hatten.

Zu den berühmtesten gehört sicher Vincent van Gogh, der unter Schläfenlappenepilepsie litt. Van Gogh beschrieb seine Anfälle als »den Sturm im Innern«, der durch Halluzinationen, Verwirrtheit und Wellen von Kindheitserinnerungen gekennzeichnet war. Nach dem bekannten Vorfall, bei dem der Künstler sich ein Ohr abschnitt (vermutlich infolge eines Anfalles), schrieb er an seinen Freund und Künstlerkollegen Paul Gauguin:

»Während meines Gehirn- oder Nervenfiebers oder Wahnsinns, ich weiß nicht, wie ich es richtig sagen oder wie ich es nennen soll, fuhren meine Gedanken auf vielen Meeren. Ich habe selbst vom Fliegenden Holländer und vom Horla (eine Gespenstergeschichte von Guy de Maupassant) geträumt, und es scheint, dass ich gesungen habe, obwohl ich sonst gar nicht singen kann, und zwar ausgerechnet ein altes Wiegenlied, wohl in Erinnerung daran, was die

Amme sang, die die Seeleute wiegte und die ich in einer Farbzusammenstellung gesucht hatte, bevor ich krank wurde. – Ich kenne die Musik von Berlioz nicht.«

Die Journalistin Eve LaPlante gehörte zu den Ersten, die den möglichen Zusammenhang zwischen van Goghs Schläfenlappenepilepsie und seiner außergewöhnlichen Kreativität in ihrem Buch *Seized: Temporal Lobe Epilepsy As a Medical, Historical, and Artistic Phenomenon* beschrieb. LaPlante belegt ihre These mit Hinweisen auf so berühmte kreative Persönlichkeiten (und vermutlich Epileptiker) wie Lewis Carroll, Edgar Allan Poe, Gustave Flaubert und Fjodor Dostojewski.

Ein weiteres Beispiel für einen Geist, in dem außergewöhnliche Kreativität und Krankheit nebeneinander bestehen, ist der Nobelpreisträger John Forbes Nash jr., dessen Kampf mit paranoider Schizophrenie durch den Kinofilm *A Beautiful Mind* von 2001 berühmt geworden ist. Nash, ein brillanter Mathematiker, der bahnbrechende Beiträge zur Wirtschaftswissenschaft leistete, litt drei Jahrzehnte lang unter schweren Anfällen schizophrener Verwirrung und Paranoia, wodurch er seine Familie verlor und lange Zeit in stationärer psychiatrischer Behandlung verbrachte. Glücklicherweise erholte sich Nash, nachdem er sein sechzigstes Lebensjahr überschritten hatte, und erhielt 1994 den Nobelpreis für seine Arbeiten auf dem Gebiet der Spieltheorie.

Eine im Jahr 2003 von Psychologen aus Toronto und Harvard geleitete Studie liefert ein entscheidendes Beweisstück für die biologische Verbindung zwischen mentalen Störungen und außergewöhnlicher Kreativität bei Personen wie Nash und van Gogh. Die Psychologen Jordan Peterson, Shelley Carson und Daniel Higgins stellten die Hypothese auf, dass ein niedriges Niveau latenter Inhibition (die dazu beiträgt, Stimuli auszublenden, die das Gehirn als überflüssig für seine Bedürfnisse betrachtet) nicht nur zu Psychosen, sondern auch zu kreativem Denken führen könnte, insbesondere in Kombination mit hoher Intelligenz.

Untermauert wurde ihre Theorie durch Tests, die zeigten, dass bei Harvard-Studenten, die herausragende Leistungen in einem kreativen Bereich erbracht hatten, eine sieben Mal höhere Wahrscheinlichkeit bestand, dass eine geringe latente Inhibition bei ihnen gemessen wurde. Die Forscher folgerten, dass ein niedriges Niveau latenter Inhibition vorteilhaft sein kann, aber nur, wenn sie mit hoher Intelligenz und einem guten Arbeitsgedächtnis verbunden ist. Wie Peterson anmerkt: »Wer offen für neue Informationen und Ideen ist, sollte besser in der Lage sein, sie klug und sorgfältig zu überarbeiten und auszuwählen. Wenn man 50 Ideen hat, sind wahrscheinlich nur zwei oder drei davon wirklich gut. Man muss zum Unterscheiden fähig sein, sonst geht man unter.«

Die Ergebnisse dieser Studie stimmen genau mit der Theorie überein, dass die Hyperkonnektivität zu höheren Graden kreativen Denkens und Schaffens befähigen kann. Vielleicht erklären sie auch, warum die Biographie meines Vaters, der die meisten Jahre seines Lebens unter Schizophrenie litt, so ganz anders verlaufen ist als meine eigene. Möglicherweise ist das Gehirn meines Vaters ähnlich hyperkonnektiv, aber unfähig, die ungeheure Zahl an mentalen Assoziationen und chaotischen Gedanken zu bewältigen. Irgendwie hatte ich das Glück, dass ich die kreativen »Stürme« in meinem Kopf kontrollieren und sogar für echte kreative Beiträge nutzen konnte.

Für die vorgeschlagene Verbindung zwischen Hirnbiologie und seltenen Formen der Kreativität sprechen zudem die Krankengeschichten von Personen, deren künstlerische Kreativität sich erst durch eine neurologische Restrukturierung im Anschluss an ein Trauma oder eine Krankheit entwickelt hat. Tommy McHugh, ein Bauarbeiter mittleren Alters aus Liverpool, war nach einem Schlaganfall verwirrt und sprach in Reimen. Obwohl er sich vorher nie für Kunst interessiert hatte, war er plötzlich von einer unbändigen Kreativität erfüllt, schrieb Gedichte, malte, zeichnete mit Bleistift und Filzstift – und erschuf sogar großflächige Wandgemälde an seinem Haus. Vor kurzem hat er sich der Bildhauerei und der Schnitzkunst zugewandt. McHugh beschreibt sein Denken als »einen Vulkanausbruch, der Blasen aufwirft und jede Blase enthält eine Million weiterer Blasen ... Blasen voller nicht zu bändigender kreativer Ideen«. Seine Arbeiten sind in verschiedenen Galerien ausgestellt worden und haben den Beifall renommierter Künstler gefunden.

Alice Flaherty, eine Neurologin am Massachusetts General Hospital, kennt McHughs Fall besser als die meisten. Nachdem sie einen der zahllosen Briefe erhielt, die McHugh an Neurowissenschaftler auf der ganzen Welt verschickte, weil er sich Aufklärung über die Ursache seiner ungewöhnlichen Kreativität erhoffte, entschied Flaherty, nach Großbritannien zu fliegen und sich mit ihm zu treffen. Der Fall interessierte sie aus beruflichen ebenso wie aus persönlichen Gründen. Sie selbst war von einem unstillbaren Schreibdrang erfasst worden, der mehrere Monate anhielt, und zwar im Anschluss an eine schwere postnatale Depression – ein Wandel, den sie später in ihren Erinnerungen *Die Mitternachtskrankheit* beschrieb. Nach Ansicht von Flaherty wurde ihr Kreativitätsausbruch und damit ihre Schreibwut durch Veränderungen im Schläfenlappen ausgelöst.

Anders als McHugh und Flaherty war Anne Adams bereits seit vielen Jahren künstlerisch tätig, als sich bei ihr die ersten Symptome einer frontotemporalen Demenz (FTD) zeigten, doch die Krankheit gab ihrer Arbeit ganz neue kreative Impulse. Die gelernte Mathematikerin, Chemikerin und Biologin hatte mit Mitte vierzig beschlossen, den Beruf zu wechseln, nachdem ihr Sohn bei einen Autounfall fast umgekommen wäre. Nachdem sie ihn wieder gesundgepflegt hatte, richtete sie sich ein Atelier ein und begann zu malen, hauptsächlich Bilder von der Architektur in ihrer Wohngegend in West Vancouver.

FTD ist eine progressive degenerative Hirnstörung, deshalb dauerte es einige Jahre, bevor die Symptome sich bemerkbar machten. Doch Adams' Bilder zeigten bereits Anzeichen für die laufende Neuverschaltung in ihrem Gehirn und wurden wesentlich kühner und abwechslungsreicher. Bei einem Bild nutzte Adams gemusterte, sich überschneidende rote, blaue und gelbe Vierecke, um die visuelle Erfahrung einer Migräne bildlich darzustellen. Auf einem anderen malte sie Hunderte von vertikalen Figuren, die für die Takte von Ravels *Bolero* standen: Die Höhe der Figuren entsprach der Lautstärke, ihre Form der Notenqualität und ihre Farbe der Tonhöhe. Neurowissenschaftler glauben, dass die Metamorphose in Adams' Kunst die Folge einer erhöhten Aktivität im hinteren rechten Gehirnteil ist, einer Region, die an der Integration von verschiedenen Sinneswahrnehmungen beteiligt ist. Die Aktivität in dieser Region erhöhte sich, als die frontalen Hirnareale, die diese Aktivität normalerweise zügeln, durch die Demenz zunehmend beeinträchtigt wurden, was einen Strom kreativer Ideen freisetzte.

Solche Beispiele außergewöhnlicher Kreativität sind allerdings nicht immer mit Krankheit verbunden. Linguisten sind seit langem fasziniert von den Fällen gesunder kleiner Kinder (normalerweise Zwillinge), die ohne besondere Hilfe oder Anleitung durch Erwachsene eine eigene Sprache erfinden. Trotz seiner Seltenheit gewährt dieses Phänomen, die sogenannte »Idioglossie«, einen weiteren Einblick in die biologische Seite seltener Formen von Kreativität. Was treibt diese Kinder dazu, eigene Wörter und eine eigene Sprache zu erfinden? Es gibt mehrere Gründe, doch die entscheidende Ursache ist meiner Ansicht nach, dass das Gehirn kleiner Kinder von Natur aus »hyperverbunden« ist – es gibt einen Überschuss an synaptischen Verbindungen, durch die die Hirnentwicklung in der Kindheit übers Ziel hinausschießt. Im Alter von drei Jahren hat das Kind zum Beispiel etwa doppelt so viele synaptische Verbindungen, wie es im Erwachsenenalter besitzen wird. Im Laufe der Hirnreifung werden viele dieser Synapsen allmählich zurückgestutzt, was das Gehirn vor einer Informationsüberlastung schützt und ihm eine effizientere Funktionsweise ermöglicht. Die frühe Kindheit ist also eine einzigartige Phase kreativen Potenzials, dessen Ergebnisse – wie ich in Kürze zeigen werde – phänomenal sein können.

Sprachliche Urknall-Ereignisse

»Dug-on, haus you dinikin, du-ah.«

»Snup-aduh ah-wee die-dipana, dihabana.«

Niemand außer den amerikanischen Zwillingen Grace und Virginia Kennedy weiß, was sie einander bei dieser Unterhaltung mitteilten, die in den Siebzigerjahren in einem kalifornischen Kinderkrankenhaus von Wissenschaftlern aufgezeichnet wurde, die die Geheimsprache der Mädchen entschlüsseln wollten. Die damals sechsjährigen Mädchen waren bis dahin hauptsächlich bei ihrer betagten Großmutter aufgewachsen (einer schweigsamen deutschen Muttersprachlerin, die kaum Englisch sprach). Sie waren größtenteils sich selbst überlassen und hatten sich die Zeit damit vertrieben, sich miteinander zu unterhalten. Da sie keine Freunde und wenig Verbindung zur Außenwelt hatten, glich der Kontakt der Kinder zu ihrer Muttersprache dem der Kinder von Pidgin-Sprechern. Wie diese Kinder gaben sich auch Grace und Virginia nicht damit zufrieden, einfach die bruchstückhaften Sätze, die sie zu Hause hörten, nachzuahmen. Sie schufen eine neue Sprache, die auch viele Neologismen (neue Wortformen) und neue Syntaxformen (Satzkonstruktionen) enthielt – Hinweise auf eine angeborene Kreativität, die sich die beiden auf irgendeine Weise erschlossen hatten.

Die Linguisten an der Sprachklinik des Kinderkrankenhauses von San Diego entschlüsselten als Erstes »Poto« und »Cabengo« (die Namen, die Grace und Virginia für sich selbst benutzten), nachdem die verdutzten Eltern, die sich keinen Reim auf die Sprache der Kinder machen konnten, die beiden ins Krankenhaus gebracht hatten. Auch die Wissenschaftler reagierten anfangs perplex auf das flüssige und scheinbar unverständliche Idiom, das die Kinder erfunden hatten. Der Leiter der Klinik erklärte, es sei wie bei einem »Kassettenrekorder … bei dem man die Schnelllauftaste gedrückt hat und gelegentlich ein einzelnes Wort versteht«. Man zog die Psycholinguisten Richard Meier und Elissa Newport hinzu, die versuchen sollten, die einzigartige Sprache zu entschlüsseln. Das taten sie, indem sie Videoaufzeichnungen von den Therapiestunden der Mädchen in Zeitlupe abspielten und die Dialoge der Zwillinge transkribierten, um ihre Äußerungen aufzugliedern und zu analysieren. Nachdem sie mehr als 100 Stunden Videoaufzeichnungen gesichtet hatten, konnten die Linguisten schließlich direkt mit den Mädchen in deren eigener Sprache kommunizieren.

Die Ergebnisse dieser Analyse und der Gespräche mit den Mädchen zeigten, dass die Sprache von Grace und Virginia viele Gemeinsamkeiten mit dem aufwies, was Linguisten als »Zwillingssprache« bezeichnen – ein Mischmasch von zwei oder mehr Sprachen (wenn Zwillinge in einer mehrsprachigen Umgebung aufwachsen) oder Wortmissbildungen aufgrund einer neuen Aussprache gebräuchlicher Wörtern, zum Beispiel »bool« statt »school«. Wie sich herausstellte, waren viele Wörter der Kennedy-Zwillinge tatsächlich falsch ausgesprochene englische Wörter wie »nieps« für »knife« und »pintu« für »pencil«. Doch die Wissenschaftler entdeckten auch Wörter, die sie nicht übersetzen konnten, wie »nunukid« und »pulana«, die die Mädchen offenbar selbst erfunden hatten. Sie hatten auch etwa 30 verschiedene Wörter für »potato« (Kartoffel) – ihr Lieblingsessen – kreiert. Ihre Sprache enthielt zudem grammatische Neuerungen, wie etwa den Gebrauch der Präposition »out« als Verb: »I out the pudatoo-ta« (»Ich werfe den alten Kartoffelsalat weg«).

Mit Hilfe von Sprachtherapeuten fingen die Zwillinge nach und nach an, Englisch zu lernen. Als ihre Kommunikationsfähigkeiten sich verbesserten, beschloss die Familie, sie auf getrennte Schulen zu schicken, um sie vom Gebrauch ihrer privaten Sprache abzuhalten. Die Folgen der emotionalen Vernachlässigung durch die Eltern erwiesen sich jedoch leider als dauerhaft: Grace und Virginia, heute in ihren Vierzigern, sind in ihrer Entwicklung zurückgeblieben und üben getrennt voneinander einfache Hilfstätigkeiten aus.

Noch bemerkenswerter als der Fall der Zwillinge »Poto und Cabengo«, die ihre eigenen Wörter und ihre eigene Syntax innerhalb einer bestehenden Sprache erschufen, ist der einer Gruppe von gehörlosen Kindern in Nicaragua, die eine völlig neue Sprache aus kaum mehr als gewöhnlichen Gesten erschuf. Linguisten haben die neue Sprache, das »Idioma de Signos Nicaragense« (nicaraguanische Gebärdensprache), als einen »sprachlichen Urknall« bejubelt.

Die Ursprünge der nicaraguanischen Gebärdensprache gehen auf die 1980er Jahre zurück. Vorher gab es nur eine Hand voll weit auseinanderliegender Schulen für Gehörlose im Land, was bedeutete, dass die meisten Kinder sich mit improvisierten Gesten in ihren Familien behelfen mussten. Im Jahr 1981 wurde dann eine Fachschule eröffnet, die den Kindern die Möglichkeit bot, miteinander zu kommunizieren. Diese Kommunikation weitete sich rapide aus, als auch jüngere Kinder im Alter von fünf und sechs Jahren anfingen, die Schule zu besuchen. Diese Kinder eigneten sich zunächst sehr schnell die groben Gebärden der älteren Schüler an. Dann gingen sie dazu über, diese Zeichen bei ihren Unterhaltungen eigenständig zu verändern, bis sie nach kurzer Zeit ihre ganz eigene brandneue und differenzierte Sprache entwickelt hatten.

Erstaunt über die selbsterzeugte Sprache der Kinder wandten die Lehrer sich an einige Wissenschaftler und baten sie, die Schule zu besuchen, um das Phänomen genauer zu untersuchen. Judy Kegl, eine amerikanische Expertin für Gebärdensprache von der Northeastern University, war eine der Ersten, die die komplexen Gesten der Kinder beobachteten und analysierten. Kegl fiel auf, dass sich das neue »Idiom« im Gegensatz zu einfachen Gesten unter anderem durch »diskrete Elemente« auszeichnete – d. h. Informationen wurden in einzelne, eigenständige Bestandteile zerlegt. Bei dem Ausdruck »den Berg herunter rollen« bezieht sich ein Wort auf die Aktivität (Rollen) und ein weiteres auf die Richtung (herunter). Die älteren Kinder zeigten diesen Ausdruck durch eine einzige fortlaufende Bewegung an. Doch die jüngeren Kinder trennten die Bewegung und die Richtung in zwei verschiedene Zeichen. Der Vorteil dieser Segmentierung der Information liegt darin, dass sie die Sprache flexibler macht und den Kindern ermöglicht, die Gebärden mit anderen Gebärden neu zu kombinieren und ein breites Spektrum an Bedeutungen auszudrücken.

Das Aufregendste für Kegl und ihre Kollegen war die Tatsache, dass die jüngeren Kinder ihre eigenen grammatischen Merkmale erzeugten, anstatt sie einfach aus der Sprache ihrer Eltern abzuleiten, wie es die Kinder von Pidgin-Sprechern tun. Wie bei der neuen Grammatik der Kennedy-Zwillinge werden in der nicaraguanischen Gebärdensprache zum Beispiel Präpositionen genauso benutzt wie Verben, sodass ein Satz wie »Das Buch ist auf dem Tisch« per Zeichensprache durch etwas wie »Tisch Buch auf« ausgedrückt würde. Die Wörter der Kinder besitzen zum Teil auch überraschend erfindungsreiche Formen: das Verb »suchen« zum Beispiel wird angezeigt, indem man wiederholt mit dem Mittelfinger und Ringfinger der rechten Hand über den linken Handrücken streicht. Andere Wörter spiegeln den spielerischen Humor wider: das Zeichen für »Fidel Castro« ist ein drohend erhobener Finger in Verbindung mit einem V-Zeichen in der Nähe des Mundes.

Der Erfindungsreichtum, mit dem kleine Kinder ganz neue Wortformen entwickeln, ist für eine Vielzahl von Sprachen auf der ganzen Welt nachgewiesen worden. Das deutet darauf hin, dass diese Kreativität ein natürlicher Teil des Prozesses sein könnte, durch den einige Kinder lernen, ihre Muttersprache vollständig zu beherrschen. Der sowjetische Psychologe Alexander Lurija erstellte eine Liste von Neologismen junger russischer Kinder in seinem Buch *The Child und his Behaviour.* Hier einige Beispiele: Für einen allgemeinen Gebrauchsgegenstand prägten Kinder den Begriff *vsyekhny* (von dem Wort »vsyekh«, was »jedermann gehörend« bedeutet); eine Puppe, die in einer Badewanne untergeht, aber möglicherweise wieder zurück an die Oberfläche treibt, beschrieben sie als *vytonula* (wörtlich »herausgesunken«, wobei ein Präfix verwendet wird, um es von »utonula« zu unterscheiden, was einfach nur bedeuten würde, dass sie untergegangen ist) und für eine künftige Tätigkeit als Nähmaschinenreparateur schufen sie den Ausdruck *mashennik,* abgeleitet von dem Substantiv »maschina«.

Studien zeigen interessanterweise, dass autistische Kinder viel stärker zur Erzeugung von Neologismen neigen als ihre nichtautistischen Altersgenossen. Tatsächlich macht es vielen Kindern – und Erwachsenen – mit Asperger-Syndrom großen Spaß, ganz eigene neue Wortformen und Wortspiele zu erfinden. In der wissenschaftlichen Literatur finden sich Beispiele wie: »paintlipster« (Lippenstift), »flappy« (ein Stück Papier oder Pappe), »Wasserknochen« (Eiswürfel) oder »Pling« (Bleistift). Dieser Erfindungsreichtum ist meiner Ansicht nach ein weiterer Beleg für meine Theorie, dass die Hyperkonnektivität des Gehirns, die beim Autismus bekanntermaßen auftritt, zu einer erhöhten Kreativität führt.

Eine wesentlich extremere sprachliche Variante dieser »autistischen Kreativität« ist »Mänti« – eine Sprache, die ich seit meiner Kindheit nach und nach entwickelt habe und die sich auf die lexikalischen und grammatischen Strukturen der baltischen und skandinavischen Sprachen stützt (die ich besonders faszinierend finde). Mänti enthält viele neue Wörter, Bedeutungen und Konzepte. Viele Wortbildungen in Mänti beruhen auf Analogien, zum Beispiel »hemme« (Ameise) auf »hamma« (Zahn), weil Ameisen herkömmlicherweise als beißende Insekten gelten; »rupu« (Brot) auf dem Verb »rupe« (reißen); »ausa« (hören) auf »auss« (Ohr); »rodu« (Gesicht) auf »rode« (zeigen). Mänti umfasst auch viele Komposita wie »vantool« (Toilette, wörtlich »Wasserstuhl«); »päivelōr« (Tagebuch), »lugusopa« (Shampoo, wörtlich »Haarseife«) oder »melsümmi« (Biene, wörtlich »Honigfliege«). Die Verschmelzung zweier Wörter zu einem ist eine weitere Technik, die ich für die Erzeugung neuer Wörter benutze: »puhe« (sprechen) und »kello« (Glocke) wird zu »pullo« (Telefon). Einige Komposita dienen dazu, neue Konzepte zum Ausdruck zu bringen wie »kellokült« für Verspätung oder Langsamkeit (wörtlich »Uhrschuld«). Zahlreiche Wörter in Mänti sind lautmalerisch, vor allem jene für die Namen von Tieren, zum Beispiel »karka« (Krähe), »huhu« (Eule) oder »mää« (Ziege).

Viele Merkmale unterscheiden sich stark von jenen der meisten europäischen Sprachen. So werden in Mänti zum Beispiel die Wörter für Paare (Augen, Ohren etc.) immer als Ganzes behandelt: Wenn man also »ein Auge«, sagen will, sagt man »puse aku« (wörtlich »halbes Auge«, also ein halbes Paar). Mengenmäßig unbestimmte Substantive (die man nicht in den Plural setzen kann wie »Möbel« oder das englische »information«) werden durch die Verwendung zweier verwandter Nomen im Plural ausgedrückt: »lenta toolt« (wörtlich »Tische Stühle«) und »sot kupat« (wörtlich »Worte Bilder«).

Ein weiteres typisches Mänti-Merkmal ist, dass Zeitabschnitte entsprechend der typischen Dauer von häufigen Aktivitäten ausgedrückt werden: »rupuaigu« (wörtlich »Brotzeit«) bedeutet »etwa eine Stunde« – die Backzeit eines Brotes im Ofen. Ein weiteres Beispiel ist »piippuaigu« (wörtlich »Pfeifenzeit«), ein kürzerer Zeitabschnitt, dessen Länge der Zeit entspricht, die man braucht, um eine Pfeife zu rauchen.

Die Mänti-Grammatik ist ähnlich exotisch (für englische Muttersprachler). So ist es zum Beispiel möglich, ein Wort zu verallgemeinern, indem man es wiederholt und dem zweiten Wort dabei ein »m« hinzufügt: So wird »armo« (Liebe) zu »armo marmo« (Liebe, Zuneigung, Verehrung). Wenn das Wort bereits mit einem »m« beginnt, wird ein »v« hinzugefügt: so wird »meri« (Meer) zu »meri veri« (eine ungeheure Wassermasse). Wiederholung wird auch benutzt, um eine Aktion oder Beschreibung zu verstärken. Die Wiederholung eines Verbs zeigt eine Verlängerung der Aktivität an: »lue« (lesen) unterscheidet sich von »luelue« (sehr lange lesen). Auf ähnliche Weise dient auch die Wiederholung eines Adjektivs der Verstärkung: »löbö« (gut) und »löbö löbö« (sehr gut). Die Wiederholung eines Substantivs zeigt Ernsthaftigkeit und Echtheit an: Pinocchio zum Beispiel wollte ein »poipoig« werden (ein richtiger Junge).

Sprechen solche Beispiele für eine besondere Beziehung zwischen Autismus und bestimmten Formen von Kreativität? Die Postulierung einer derartigen Verbindung ist nicht neu: »Für den Erfolg in Kunst und Wissenschaft«, schrieb der österreichische Arzt Hans Asperger, der Pionier der Autismusforschung in den 1940er Jahren, »ist offenbar ein Schuss Autismus unentbehrlich.« Doch die Möglichkeit, dass man im autistischen Spektrum außergewöhnliche Kreativität finden könnte, scheint die Standarddefinitionen beider Phänomene in Frage zu stellen. Das hängt damit zusammen, dass beide Definitionen unzulänglich waren. Es ist nicht ohne Ironie, dass sich die traditionelle wissenschaftliche Sichtweise der Kreativität gerade wandelt, weil man die innovative und schöpferische Kraft des autistischen Denkens entdeckt hat.

Autismus und Kreativität

Das autistische Denken galt in der Wissenschaft früher als das genaue Gegenteil von »kreativ«, da man Autismus mit Lernschwäche, starren Denk- und Verhaltensmustern und einem allzu buchstäblichen Verständnis gleichsetzte. Sogar in den Begabungen von autistischen Savants sah man wenig mehr als eine scharfsinnige Form von Nachahmung oder eine Obsession. Diese Vorstellungen wurden allerdings in den letzten Jahren durch eine Reihe von Studien widerlegt, die nicht nur zeigen, dass Menschen mit Autismus zu einer beachtlichen Kreativität fähig sind, sondern auch, dass solche Beispiele unser Verständnis echter Kreativität erweitern können.

Vorab ein klärendes Wort: Dass Wissenschaftler die Möglichkeit der Kreativität bei Menschen mit Autismus abtaten, beruhte auf einem Missverständnis. Zu den Standarddiagnosekriterien für Autismus gehörten: »wenig Flexibilität im sprachlichen Ausdruck und ein relativer Mangel an Kreativität und Fantasie bei Denkprozessen«. Doch als Wissenschaftler in den 1990er Jahren allmählich Formen von high-functioning Autismus wie das Asperger-Syndrom erkannten, wurde ihnen bewusst, dass diese und andere alte Kriterien auf solche Fälle nicht zutrafen. Es wurde schnell klar, dass der angebliche Mangel an Kreativität in Wahrheit eher eine Folge der bislang geltenden Definitionen war als ein echter Ausdruck autistischen Denkens.

Ein weiterer Grund für den Trugschluss der Wissenschaftler ist die Schwierigkeit, eine so schwer fassbare und rätselhafte Eigenschaft wie Kreativität zu messen. Da ihnen keine einfachen, allgemein anerkannten Definitionen zur Verfügung standen, haben sich Autismusforscher im Allgemeinen auf traditionelle, leicht durchführbare Tests wie den »Torrance Test of Creative Thinking« gestützt (benannt nach seinem Erfinder, dem Lernpsychologen E. Paul Torrance). Doch solche Tests weisen eine frappierende Ähnlichkeit mit den Schwächen der IQ-Tests auf. So wurde etwa im Jahr 1999 vom Autismusforschungszentrum der Cambridge University eine Studie durchgeführt, die den Torrance Test angewendet hat: Die Wissenschaftler zeigten einer Gruppe von Kindern mit und ohne Autismus einen Spielzeugelefanten und forderten sie auf, sich so viele Spielvarianten wie möglich auszudenken, durch die das Spielzeug »mehr Spaß« machen würde. Die autistischen Kinder gaben weniger Antworten, woraus die Forscher folgerten, dass sie weniger kreativ seien. Eine solche Schlussfolgerung scheint sich jedoch eher aus der schieren Banalität des Tests zu ergeben. Es wäre naheliegender, das Ergebnis der Studie damit zu erklären, dass die Kinder verwirrt waren, statt irgendeinen Mangel an Kreativität anzunehmen.

Eine Reihe von high-functioning Autisten, die die Möglichkeit erhielten, sich durch ein Medium auszudrücken, das tatsächlich ihr Interesse und ihre Fantasie weckte, waren in der Lage, ihre kreativen Begabungen auszuschöpfen und sie für eine erfolgreiche Karriere zu nutzen. Zu ihnen gehört George Widener, ein aus Cincinnati stammender Mann in den Vierzigern, der seine Begeisterung für magische Quadrate mit der für Kalender verknüpft hat, um seine ganz eigene Kunstform zu schaffen. Widener nutzt für seine Quadrate Schlüsseldaten aus dem Leben historischer Gestalten, wie etwa Queen Victoria, um ein »kalendarisches Porträt« der Person herzustellen. Viele Experten für magische Quadrate ebenso wie Kunstexperten sind begeistert von Wideners Arbeiten, die auf der ganzen Welt in Ausstellungen gezeigt werden.

Wie ich oben ausgeführt habe, können sich high-functioning Autisten sowohl literarisch als auch gestalterisch hervortun. In den letzten Jahren haben Forscher eine bemerkenswerte Bandbreite dichterischer Kreativität bei Personen mit autistischen Störungen dokumentiert. Das sollte eigentlich nicht überraschend sein, wenn man bedenkt, dass bestimmte rhetorische Figuren wie die Metonymie – die Ersetzung eines Wortes oder Ausdrucks durch ein anderes, das in Beziehung dazu steht (wie »Krone« in der Bedeutung von »König«) – oder der Gebrauch von Metaphern dem assoziationsreichen Denkstil beim Autismus entgegenkommen.

So beschreibt etwa Temple Grandin, Dozentin für Tierhaltung und Autorin mit high-functioning Autismus, ihre Denkweise als assoziative Verknüpfung, die auf mentalen Bildern basiert: So verbindet sie vielleicht Fahrräder spontan mit Hunden, weil sie einmal beobachtet hat, dass Hunde hinter Fahrrädern herjagen. Noch bemerkenswertere Beispiele für metonymische Assoziationen finden sich in dem Buch von Clara Claibourne Park, *Exiting Nirwana*, in dem sie die mitunter höchst poetischen Wahrnehmungen ihrer autistischen Tochter Jessy beschreibt. Für Jessy ist die Zahl Acht etwas »Gutes« und »Schweigen«, während die Sieben zwischen Schweigen und Ton liegt. Die Drei beschreibt sie als »etwas ziemlich Schlimmes tun«, die Zwei als »etwas Schlimmes« und die Eins als »etwas sehr Schlimmes«. Glück bedeutet für Jessy »null Wolken und vier Türen«.

Obwohl nicht alle Personen mit Autismus fähig sind, Metaphern anzuwenden oder zu verstehen, nehmen sie häufig nebensächliche Ähnlichkeiten zwischen verschiedenen Dingen wahr, was ihnen hilft, komplexe Emotionen oder Ideen wachzurufen. Die Psychologinnen Beate Hermelin und Linda Pring von der University of London analysierten mehrere Gedichte einer Autistin namens Kate und entdeckten zahlreiche Beispiele für Metaphern in ihrem Werk. In einem der Gedichte beschreibt Kate sich beispielsweise als »puzzled jigsaw« und in einem anderen als »a something where fog lingers somewhere«. Wie Kate schreibe auch ich Gedichte, um Gefühle zu erforschen und auszudrücken, die etwas Besonderes für mich sind. In dem folgenden Gedicht, das ich im Mai 2007 auf einer Reise

nach Island schrieb, spiegelt sich meine tiefe Zuneigung zu diesem
kleinen Land und seinen Menschen wider:

Yesterday I went to Gullfoss
Appeared a rainbow there
I stepped on it by mistake
And climbed into the sky

Looking down I could see
The light-swept land
Wet moss and gleaming stones
Bathed in warm and rippling air

I saw my friends, like angels
Disappear into the shining spray
Wearing the waterfall
Close against their skin, against their hearts

Elsewhere I saw rivers, their floors coated
With travellers' silvered hopes
Flung below like falling stars
Into the streaming darkness

In the distance I could see
Turrets of steam
Pulling at the horizon

And in the towns and cities
I watched people talking among themselves
Stitching their breath
With soft and coloured words

In a harbour »Sólfarið«
A sunfaring man

With outstretched arms
Hugs time
Remembering the tide-washed dreams of men
Born and those still yet to be.

◆

Gestern ging ich nach Gullfoss
Wo ein Regenbogen erschien
Auf den ich versehentlich trat
Und in den Himmel stieg

Als mein Blick nach unten fiel
Sah ich das lichtübergossene Land
Nasses Moos und glänzende Steine
Eingetaucht in warme, wogende Luft

Ich sah meine Freunde, wie Engel
Verschwinden in glitzernder Gischt
Das weiche Gewand des Wasserfalls
Eng an ihre Haut gelegt, an ihr Herz

Andernorts sah ich Flüsse, ihr Grund überzogen
Mit den silbernen Hoffnungen der Reisenden
Hingeworfen wie fallende Sterne
Ins strömende Dunkel

In der Ferne sah ich
Türme aus Dampf
Am Horizont vorüberziehen

Und in den Dörfern und Städten
Sah ich Menschen miteinander reden
Ihr Atem durchwoben
Von weichen, bunten Worten

In einem Hafen, »Sólfarið«,
Umarmt ein sonnenreisender Mann
Mit ausgestreckten Armen
Die Zeit
Gedenkt der durch die Gezeiten brandenden Träume
Der Menschen vergangener und kommender Tage.

Die Fähigkeit, mühelos scheinbar unverbunden Objekte oder
Ideen zu assoziieren, scheint von wesentlicher Bedeutung für das
autistische Denken und für eine außergewöhnliche (künstlerische
wie wissenschaftliche) Kreativität zu sein – eine Beobachtung, die
viel dazu beiträgt, einige der besonderen Merkmale beider zu erklären. Ein berühmtes Beispiel für Letztere ist der deutsche Chemiker
Friedrich August Kekulé, der die Struktur des Benzolmoleküls ent-
schlüsselte – eine Entdeckung, die als Geburtsstunde der organi-
schen Chemie betrachtet wird. Die Erkenntnis, dass Benzol eine
geschlossene ringförmige Struktur mit sechs Kohlenstoffatomen
aufweist, kam Kekulé durch einen Tagtraum, in dem er eine
Schlange sah, die sich selbst in den Schwanz biss. Kekulé erwachte,
»wie vom Blitz getroffen«, und verbrachte die Nacht damit, seine
Hypothese auszuarbeiten, die er anschließend in einem Aufsatz
offiziell der königlich-belgischen Akademie vorlegte.

Kekulés große Eingebung ist nur eines von vielen Beispielen für
die kreativen Denksprünge, zu denen einige der berühmtesten Wissenschaftler der Geschichte fähig waren. Michael Fitzgerald, Professor für Psychiatrie am Trinity College Dublin, hat die Biographien mehrerer namhafter Forscher analysiert – darunter Isaac
Newton, Albert Einstein, Nikola Tesla oder Gregor Johann Mendel.
Seine Ergebnisse zeigen, dass sie möglicherweise allesamt durch
autistische Züge zu ihrer Genialität gefunden haben. Mendel, ein
österreichischer Mönch und Botaniker, dessen Entdeckungen die
Grundlagen für die moderne Genetik schufen, hatte eine außergewöhnliche Leidenschaft fürs Zählen: Er zählte Erbsen, Wetterpro-
gnosen, Schüler und die Weinflaschen, die für den Klosterkeller

gekauft wurden. Fitzgerald merkt an, dass Mendel für seine Erbsen-Experimente insgesamt mehr als 10 000 Pflanzen, 40 000 Blüten und 300 000 Erbsen gezählt hat. Er folgert: »Praktisch niemand, es sei denn ein Autist, wäre dazu fähig gewesen.«

Fitzgerald ist überzeugt, dass die kreativen Leistungen der von ihm aufgeführten Wissenschaftler aus besonderen Merkmalen erwuchsen, die typisch für das Asperger-Syndrom sind, wie etwa die starke Konzentration auf ein Thema, große Beharrlichkeit, eine scharfe Beobachtungsgabe, ungeheure Wissbegierde und das zwanghafte Bedürfnis, sich die Welt zu erklären. Asperger-Begabungen, so Fitzgeralds Resümee, »haben die Welt verändert«.

Das neurologische Rätsel der Kreativität wird vielleicht niemals vollständig gelöst werden und vielleicht ist das sogar gut so. Doch die Vorstellung, dass bedeutende kreative Leistungen in unserer Biologie begründet sind, könnte die Frage aufzuklären helfen, warum sich Störungen wie Epilepsie, Schizophrenie und Autismus so hartnäckig in der Evolutionsgeschichte gehalten haben. Noch wichtiger ist, dass sie uns an die Menschlichkeit auch der größten kreativen Genies erinnert. Die Musik eines Mozart oder die Gemälde eines Picasso haben die Fähigkeit, jeden Menschen in seinem tiefsten Innern zu berühren, weil sie aus einem Geist entstanden sind, der in uns allen lebendig ist. Wie Shakespeare sagte, sind wir alle der Stoff, aus dem die Träume sind. Dass große kreative Werke uns bereichern, hat einen einfachen Grund – sie machen uns die Schätze bewusst, die in uns allen verborgen liegen.

7. Licht und Sicht

Die französische Schriftstellerin Anais Nin traf einmal die berühmt gewordene Feststellung: »Wir sehen die Dinge nicht so, wie sie sind, sondern so, wie *wir* sind«, und beschrieb damit die Vision eines Sehens, das so persönlich wie biologisch ist. Weit mehr als einfach eine Frage der Fokussierung unserer Augen sind unsere Wahrnehmungen eine Mischung aus reflektiertem Licht, Gefühlen und Erwartungen. Ein Rätsel bleiben sie auch für Wissenschaftler, die hoffen, dass die Erforschung des Sehens neue Einsichten in die Funktionsweise des menschlichen Gehirns eröffnet. Unser Sehvermögen ist ein wahres Wunder, was seine Komplexität und auch was seine Vielfalt betrifft. Nin und die Neurowissenschaftler sind sich darin einig, dass es keine zwei Menschen gibt, die auf die gleiche Weise sehen und erkennen.

Die Art, wie ich die Welt sehe, ist ein gutes Beispiel für diese Vorstellung. Mein Autismus verleiht mir eine Wahrnehmung, die fragmentiert und extrem detailorientiert ist. Aus diesem Grund war eines der Lieblingsbücher meiner Kindheit *Where's Waldo*, das ein scharfes Auge für Details erfordert. Bis heute entdecke ich regelmäßig Rechtschreibfehler und andere subtile Fehler auf den Seiten eines Buches oder einer Zeitung. Wenn ich zum ersten Mal einen Raum betrete, empfinde ich häufig eine Art Schwindel, wenn mir die ganzen bruchstückhaften Informationen, die mein Gehirn registriert, im Kopf herumschwirren. Details gehen den Objekten, zu denen sie sich zusammensetzen, voraus: Ich sehe zuerst die Kratzer auf der Oberfläche eines Tisches, bevor ich den ganzen Tisch sehe, erst das reflektierte Licht auf einem Fenster, bevor ich das ganze Fenster sehe, erst die Muster auf einem Teppich, bevor der ganze Teppich ins Blickfeld gerät.

Eine Erklärung für meine Stück-für-Stück-Wahrnehmung liefert die »Theorie der schwachen zentralen Kohärenz« der Autismusforscherin Uta Frith. »Zentrale Kohärenz« bezieht sich auf die Fähigkeit, große Mengen an Informationen zu einem bedeutungsvollen Ganzen zusammenzuziehen. Laut Frith scheint diese Fähigkeit zur Zusammenfassung von Informationsbruchstücken beim Autismus verändert zu sein, was eine Detailorientierung auf Kosten des Wesentlichen oder des »größeren Bildes« zur Folge hat.

Wissenschaftliche Studien scheinen diese Theorie zu bestätigen. Beim Navon-Test zeigt man Probanden eine Reihe von Buchstaben, die aus kleineren Buchstaben bestehen, und bittet sie, bei jedem Buchstaben auf eine linke oder rechte Taste zu drücken, je nachdem, ob sie den Zielbuchstaben sehen oder nicht. So zeigt man der Testperson beispielsweise ein großes »A«, das sich aus kleineren »H's« zusammensetzt, und fragt anschließend, ob sie ein »A« gesehen hat oder nicht. Forscher am Autism Research Centre der Cambridge University führten diesen Test mit mir durch und stellten fest, dass meine Fähigkeit zur Wahrnehmung der großen Buchstaben durch meine sofortige Wahrnehmung der kleineren beeinträchtigt war. Bei den meisten Menschen ist es für gewöhnlich umgekehrt.

Die Kognitionspsychologin Francesca Happé hat nachgewiesen, dass dieser aufs Detail fokussierte Stil der visuellen Verarbeitung seine Vorteile hat. In der Ebbinghaus-Illusion werden zwei gleich große Kreise nebeneinander präsentiert. Ein Kreis ist von einem Ring größerer Kreise umgeben, der andere von einem Ring kleinerer Kreise. Happé zeigte diese optische Täuschung einer Gruppe von autistischen und nichtautistischen Probanden und stellte fest, dass zahlreiche nichtautistische Personen der Täuschung erlagen und den linken Kreis (siehe unten) für größer hielten als den rechten, während es bei den autistischen Teilnehmern weit weniger wahrscheinlich war, dass sie auf die Täuschung hereinfielen.

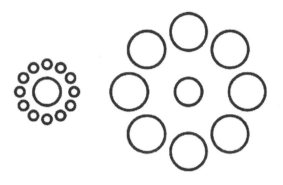

Hier ein weiteres Beispiel für den Unterschied zwischen autistischer und nichtautistischer Wahrnehmung. Als ich einmal in einer Buchhandlung in einem Buch blätterte, stieß ich auf folgenden Test und bat meinen (nichtautistischen) Begleiter, sich einmal an der Lösung zu versuchen: Wie viele f's sind im folgenden Satz enthalten: »Finished files are the result of years of scientific study combined with the experience of many years.« Mein Freund las den Satz mehrmals aufmerksam durch und antwortete dann: »Drei.« Ich zeigte ihm, dass in dem Satz tatsächlich sechs f's enthalten sind. Den meisten Menschen entgehen die anderen f's, weil sie nur in den Substantiven danach suchen und die f's in den Präpositionen übersehen.

Die Wahrnehmungen jedes Menschen werden durch die Annahmen gefiltert, die er dem Gegenstand der Betrachtung entgegenbringt. Deshalb dachte mein Freund, dass er drei f's sehe und nicht sechs. Obwohl seine Augen sie alle sehen konnten, suchte sein Gehirn nur dort nach Informationen, wo er sie zu finden erwartete.

Die Selektivität der menschlichen Wahrnehmung kann manchmal dazu führen, dass man sogar scheinbar unübersehbare Details übersieht, wie die Psychologen Daniel Simons und Christopher

Chabris in einem amüsanten Experiment nachgewiesen haben. Die Wissenschaftler spielten den Probanden ein Video von einem Basketballspiel vor und baten sie, sich die Anzahl der Pässe zu merken, die eine der beiden Mannschaften machte. Die Testteilnehmer waren so stark auf ihre Aufgabe konzentriert, dass etwa die Hälfte von ihnen nicht wahrnahm, dass sich eine Person in einem Gorilla-Kostüm langsam zwischen den Spielern bewegte, in die Kamera sah und sich auf die Brust trommelte, bevor sie auf der anderen Seite wieder verschwand.

Visuelle Intelligenz

Trotz dieser kleinen Widersprüche macht unser »Eye-Q« uns alle zu visuellen Virtuosen. Ohne überhaupt darüber nachdenken zu müssen, nehmen wir riesige Mengen an Informationen wahr – Kontur, Farbe, Form, Schattierung, Tiefe, Bewegung und vieles mehr – und verarbeiten alles in Sekundenbruchteilen. Genauso eindrucksvoll ist die Tatsache, dass das, was wir sehen, das Ergebnis von ständigen winzigen Anpassungen ist, die unsere Augen und unser Gehirn vornehmen, um uns mit scheinbar nahtlos ineinander übergehenden Bildern zu versorgen. Dieser Aktualisierungsprozess vollzieht sich so schnell, dass auftretende Fehler unserer Aufmerksamkeit fast immer entgehen.

Was also sind die Grundlagen unseres Sehvermögens? Aristoteles zufolge verändern die betrachteten Objekte das »Medium« (die Luft) zwischen sich selbst und dem Betrachter – eine Veränderung, die dann irgendwie vom Auge aufgenommen wird. Diese passive Auffassung der Wahrnehmung oder Variationen dieser Theorie blieben jahrhundertelang die Standarderklärung. Erst in jüngerer Zeit entdeckten Wissenschaftler, dass das Sehen tatsächlich ein wesentlich aktiverer und konstruktiverer Prozess ist, als man früher angenommen hat.

Das Sehen beginnt damit, dass Lichtstrahlen von der Oberfläche eines betrachteten Objekts abprallen und in die Augen eintreten.

Die Pupille (in der Mitte der Iris) bestimmt, wie viel Licht hereingelassen wird. Sie wird in schwach beleuchteten Umgebungen größer und im hellen Licht kleiner. Nachdem das Licht erst durch die Hornhaut und Pupille und dann durch die Linse gewandert ist, trifft es auf die Netzhaut – eine weiche, lichtempfindliche Nervengewebsschicht, die zwei Drittel des Augenhintergrundes bedeckt. Die Netzhaut ist das Organ, mit dem wir tatsächlich sehen – ohne sie wäre das Sehen unmöglich, ganz gleich, wie viel Licht das Auge passieren würde.

Die Netzhaut besteht aus zwei Arten von spezialisierten Zellen (Photorezeptoren), den sogenannten Stäbchen und Zapfen. In jedem Auge gibt es etwa 120 Millionen Stäbchen, die uns helfen in schwachem Licht zu sehen und unterschiedliche Grauschattierungen zu erkennen. Im Vergleich dazu erlauben uns die sechs Millionen Zapfen, herauszufinden, wie viel Rot-, Grün- und Blauanteile ein betrachtetes Objekt hat. Indem wir diese Farbsignale auf unterschiedlichste Weise zusammenmischen, sind wir fähig, auch jeden anderen Farbton zu erkennen.

Wenn das reflektierte Licht auf die Netzhaut trifft, wird es von deren Zellen gesammelt und in elektrische Impulse verwandelt. Diese werden via Sehnerv an verschiedene Teile des visuellen Hirnzentrums geleitet, die auf unterschiedliche Aspekte des wahrgenommenen Objekts reagieren und sie praktisch sofort zusammenfügen wie ein Puzzle, um so das endgültige Bild zu erzeugen, das der Betrachter sieht und erkennt.

Dass wir eine umfassende und verständliche visuelle Repräsentation unserer Umgebung aus den winzigen reflektierten Lichtflecken auf unserer Netzhaut konstruieren, ist eine der wahrhaft ehrfurchtgebietenden Entdeckungen der modernen Wissenschaft. Dennoch bleibt sie gleichzeitig eines ihrer größten ungelösten Rätsel. Bedenken Sie zum Beispiel, dass es eine unendliche Menge von Möglichkeiten gibt, wie das Gehirn das Bild, das auf den Augenhintergrund geworfen wird, interpretieren könnte. Schließlich ist das Netzhautbild zweidimensional (Höhe und Breite), wird aber vom Gehirn in ein dreidimensionales (Höhe, Breite, Tiefe) umgewandelt. Wie wählt unser Gehirn zwischen den zahllosen möglichen dreidimensionalen Interpretationen für jedes eintreffende Bild aus? Der Philosoph George Berkeley beschrieb das Problem bereits im 18. Jahrhundert in seinem Werk *New Theory of Vision*:

»Ich denke, es herrscht Einigkeit darüber, dass Distanz als solche unmittelbar nicht sichtbar ist. Denn Entfernung ist eine Linie, die dem Auge mit ihrem Ende dargeboten wird und daher nur einen Punkt auf den Augenhintergrund projiziert – einen Punkt, der unverändert bleibt, ob die Entfernung länger oder kürzer ist.«

Mit anderen Worten: Die Strahlen des Lichts, die das Auge in einem gegebenen Moment erreichen, könnten theoretisch von einem Objekt reflektiert werden, das Zentimeter, Meilen oder auch Lichtjahre entfernt liegt. Es ist einfach unmöglich, diese Information allein vom Netzhautbild abzuleiten. Die Fähigkeit, diese mehrdeutigen Daten in bedeutungsvolle visuelle Repräsentationen zu übersetzen, muss also eine Reihe von unbewussten Regeln umfassen, die uns die Konstruktion unserer visuellen Welten ermöglichen. Forscher haben in jahrelangen sorgfältigen Studien Dutzende solcher Regeln entdeckt und sind überzeugt, dass sie jedem Menschen angeboren sind.

Die Theorie einer universalen und angeborenen »Grammatik des Sehens« wird durch Studien bestätigt, die zeigen, dass Säuglinge auf Bewegung reagieren, dass sie fähig sind, Begrenzung, Form und Tiefe von Objekten zu konstruieren, und dass sie im ersten Lebensjahr Schattierung und Perspektive nutzen. Kein Elternteil bringt seinem Kind das Sehen bei, weil die meisten gar nicht wissen, wie sie es selbst machen. Ähnlich wie die Muttersprache entwickelt sich vielmehr die visuelle Welt des Einzelnen spontan und ganz von allein in der frühen Kindheit.

Wie der Kognitionswissenschaftler Donald D. Hoffman in seinem Buch *Visuelle Intelligenz* ausführt, besteht ein wichtiger Vorzug solcher angeborenen Regeln darin, dass sie bei den meisten Erwachsenen zu übereinstimmenden visuellen Konstruktionen führen. Wenn zwei Menschen, die an entgegengesetzten Enden der Welt leben, etwas Neues sehen, nehmen sie im Großen und Ganzen dieselbe Szene wahr. Trotz möglicherweise bestehender großer kultureller Unterschiede gelangen sie durch gemeinsame kognitive Strukturen zu ähnlichen Schlussfolgerungen bei ihren visuellen Konstruktionen.

Der Prozess, durch den wir konstruieren, was wir sehen, vollzieht sich Schritt für Schritt, wobei der Aufbau einer einzelnen Stufe normalerweise von den Konstruktionsergebnissen vorangehender Stufen abhängt. Die dreidimensionale Form eines Buches beispielsweise konstruieren wir laut Hoffman aus den Ergebnissen, zu denen wir bei der zweidimensionalen Konstruktion von Bewegung, Linien und Eckpunkten gelangt sind.

Auf ähnliche Weise sind auch Farb- und Tiefenwahrnehmung diesen regelgesteuerten konstruktiven Prozessen unterworfen. So wird etwa die Tiefenwahrnehmung durch einen Mechanismus erreicht, der als stereoskopisches Sehen bezeichnet wird. Wenn wir ein Objekt betrachten, erzeugt der horizontale Abstand zwischen den Augen kleine Unterschiede in den eingefangenen Bildern, weil jedes Auge dieselbe Szene jeweils aus einem etwas anderen Blickwinkel sieht. Das Gehirn verbindet diese unterschiedlichen Perspektiven sofort zu einem einzigen Bild, sodass wir den Eindruck von Tiefe erhalten.

Unser Gehirn kann das Rot der Rosen oder das Blau der Veilchen mit Hilfe von Photonen, »Teilchen« des Sonnenlichts, wahrnehmen. Es gibt tatsächlich mehrere unterschiedliche Arten von Photonen, die den verschiedenen Farben entsprechen, wobei jede eine unterschiedliche Wellenlänge hat (violett die kürzeste und rot die längste). Wenn ein Photonenstrom auf die Oberfläche eines Objekts fällt, werden einige Wellenlängen absorbiert, während andere reflektiert werden. Unser Gehirn konstruiert die Farbe des Objekts aus der Verteilung der Wellenlängen, die ins Auge eintreten.

Der kognitive Prozess der Farbwahrnehmung gehört zu einem größeren Prozess, durch den das Gehirn mehrere visuelle Eigenschaften auf einmal konstruiert, wobei es bestrebt ist, sie wechselseitig in Einklang zu bringen. Während das Gehirn die Farbe eines Objekts konstruiert, ordnet es ihm gleichzeitig eine dreidimensionale Form und Lichtquellen (normalerweise von oben) zu.

Marsfarben und Tintenkleckse

Am Beispiel der Farbe lässt sich die bemerkenswerte Vielfalt und Subjektivität unserer Wahrnehmungen sehr schön veranschaulichen. Das Farbspektrum, das wir wahrzunehmen vermögen, ist zwar durchaus eindrucksvoll, aber alles andere als vollständig. Menschen sind normalerweise fähig, Farben mit Wellenlängen von 400 Nanometern (Violett) bis 700 Nanometern (Rot) und die dazwischenliegenden Farbtöne von Purpur, Blau, Grün, Gelb und Orange wahrzunehmen. Vögel sind uns in dieser Hinsicht überlegen – sie können sehen, was uns verborgen bleibt, nämlich die Farben aus dem ultravioletten Bereich mit kürzeren Wellenlängen (zwischen 340 und 400 nm). Bei jeder Farbe, die wir erkennen, sehen unsere gefiederten Freunde weit mehr Schattierungen.

Wenn der Mensch zum Beispiel ein *Parus caeruleus*-Pärchen (europäische Blaumeisen) betrachtet, sieht er zwei Vögel, die beide den gleichen blauen Fleck auf dem Kopf haben. Doch aus der Sicht eines Vogels unterscheidet sich das Männchen sehr deutlich vom Weibchen. Sein »Blau« ist tatsächlich eine völlig andere Farbe – ein für das menschliche Auge unsichtbares ultraviolettverstärktes Blau.

Auch einige Menschen nehmen die Welt der Farben anders wahr. Ein offenkundiges Beispiel dafür ist die Farbenblindheit, eine Störung, die durch die Vererbung eines fehlerhaften Farbsichtgens verursacht wird. Farbenblinde können typischerweise nicht zwischen Rot und Grün unterscheiden, sehen diese Farben also nur in unterschiedlichen Graustufungen. Durch altersbedingte Veränderungen der Hornhaut kann die Fähigkeit, violette und blaue Farben wahrzunehmen, beeinträchtigt werden, auch wenn diese Beeinträchtigung offiziell nicht als Farbenblindheit gilt.

Wie stark unsere Biologie die Farbwahrnehmung beeinflusst, illustriert der Fall eines farbenblinden Synästheten. Obwohl die Netzhaut dieses Mannes nur zwischen einem extrem eingeschränkten Bereich von Licht-Wellenlängen unterscheiden kann, wenn er Objekte betrachtet, funktioniert die Farbregion in seinem Gehirn einwandfrei. Seine numerische Form der Synästhesie lässt ihn Zahlen in Farbtönen sehen, die er ansonsten nicht wahrnehmen kann und die er als »Marsfarben« bezeichnet, weil sie ihm »komisch« und »unwirklich« vorkommen.

Die Sprache, die wir verwenden, um über Farben zu reden, kann ebenfalls beeinflussen, wie wir sie wahrnehmen. Sprecher des Russischen beispielsweise verwenden zwei unterschiedliche Wörter, um das Blau eines Gegenstandes zu beschreiben: »siniy« (dunkelblau) und »goluboy« (hellblau). In einer neueren Studie (2007) entwickelten Jonathan Winawer und seine Mitarbeiter ein Experiment, um zu untersuchen, ob Sprecher des Russischen durch diese sprachliche Unterscheidung im Vorteil gegenüber Sprechern des Englischen sind.

Winawer und sein Team stellten eine Probandengruppe aus fünfzig freiwilligen Teilnehmern zusammen, die zur Hälfte aus russischen Muttersprachlern bestand. Man zeigte den Probanden verschiedene Quadrate in unterschiedlichen Blautönen und bat sie, anzugeben, welche Quadrate genau gleich aussahen. Die Ergebnisse zeigten, dass die russischen Muttersprachler tatsächlich schneller zwischen verschiedenen Blautönen unterscheiden konnten.

Studien wie die von Winawer bestätigen, dass unsere Wahrnehmung sowohl durch das soziale Umfeld als auch durch biologische Faktoren beeinflusst wird. Das wird auch deutlich, wenn man untersucht, welche Rolle der Kontext bei der individuellen Wahrnehmung spielt. Wenn ich »1achen« und »12345678« tippe, nimmt Ihr Gehirn das erste Zeichen im ersten Beispiel als Buchstaben wahr und im zweiten als Zahl, weil sie in unterschiedlichen Kontexten präsentiert werden.

In der Kunst ist der Kontext von wesentlicher Bedeutung. Anfänger werden beispielsweise häufig ermutigt, einen Gegenstand zu zeichnen, indem sie sich auf den ihn umgebenden Raum (den sogenannten »negativen Raum«) konzentrieren. Dadurch soll der Nachwuchskünstler dazu angeregt werden, genau zu beobachten, was er vor sich sieht, damit nicht subjektive Annahmen über den betrachteten Gegenstand in die Wahrnehmung einfließen und sie auf subtile Weise verändern.

Einige Kontexte können sogar dazu führen, dass wir Dinge »sehen«, die gar nicht da sind. In einer 2008 durchgeführten Studie konnten Forscher vom University College London eine Probandengruppe dazu verleiten, ein nicht vorhandenes Rechteck auf einem Computerbildschirm zu »sehen«. Sie präsentierten den Probanden mehrere vertikale Reihen aus kleinen schwach sichtbaren Rechtecken. Während viele der Reihen vollständig waren, hatten andere kleine Lücken, in denen das Rechteck fehlte. Die Betrachter nahmen diese Lücken häufig nicht wahr, weil sie die Lücke aufgrund ihrer Erwartungen unbewusst mit einem imaginären Rechteck füllten, das die Linie vervollständigte.

Zauberkünstler nutzen die Wirkung, die frühere Erfahrungen und Erwartungen auf die Wahrnehmung der Zuschauer haben, um verschiedene Illusionen zu erzeugen, zum Beispiel bei dem Trick des verschwindenden Balls. Der Zauberer wirft einen Ball in die Luft, gefolgt von einem zweiten und einem dritten, der dann auf magische Weise »verschwindet«. Tatsächlich existiert kein dritter Ball – vielmehr wird das Gehirn des Zuschauers durch den Kontext und durch zusätzliche Hinweise, wie den nach oben gerichteten Blick des Zauberers, zu dieser »Wahrnehmung« verleitet.

Die visuelle Wahrnehmung lässt sich auch durch unsere übrigen Sinne manipulieren. In einer Studie wurden die Teilnehmer aufgefordert, zu beurteilen, wie viele weiße Punkte auf einem schwarzen Bildschirm aufleuchteten. Die aufblinkenden Punkte wurden von hörbaren Pieptönen begleitet, die manchmal mit der Anzahl der Punkte übereinstimmten, manchmal nicht. Die Wissenschaftler stellten fest, dass die Teilnehmer ein einmaliges Aufleuchten, wenn es mit mehr als einem Piepton verbunden wurde, häufig auch mehrmals wahrzunehmen glaubten.

Besonders faszinierend ist der von Wissenschaftlern festgestellte Zusammenhang zwischen Handstellung und visueller Verarbeitung. Der Kognitionspsychologe Richard A. Abrams und seine Mitarbeiter von der Washington University untersuchten, ob es die Wahrnehmung beeinflusst, wenn sich das Objekt nahe bei den Händen des Betrachters befindet. Bei einem zwei Sitzungen umfassenden Experiment wurden die freiwilligen Teilnehmer aufgefordert, Buchstaben auf einem Computerbildschirm zu identifizieren. Bei der ersten Sitzung wurden sie gebeten, ihre Hände neben den Monitor zu legen, während sie die Aufgabe ausführten, bei der zweiten Sitzung behielten sie die Hände im Schoß. Die Wissenschaftler stellten fest, dass die Probanden besser abschnitten, wenn ihre Hände näher beim Computer lagen, selbst wenn sie hinter Pappschirmen verborgen waren. Abrams mutmaßt, dass das Sehzentrum des Gehirns besondere Aufmerksamkeit auf den Bereich um unsere Hände richtet, weil sie bei einer Reihe von wichtigen Aufgaben eine große Rolle spielen, zum Beispiel beim genauen Begutachten von Objekten und bei der Nahrungsaufnahme.

Unsere Wahrnehmungen sind besonders variabel, wenn der betrachtete Gegenstand mehrdeutig ist. Ein klassisches Beispiel dafür sind Wolken, die einer Vielzahl von Objekten gleichen können, je nachdem welchen Betrachter man befragt. Die menschliche Neigung, verschiedene Interpretationen auf mehrdeutige Stimuli zu projizieren, regte den Schweizer Psychiater Hermann Rorschach in den 1920er Jahren zur Entwicklung seines berühmten Tintenklecks-Testes an. Beim Rorschach-Test, der einmal als »Röntgenaufnahme des Geistes« bezeichnet wurde, zeigt der Testleiter dem Betrachter 10 symmetrische Tintenkleckse (die Hälfte farbig, die Hälfte schwarzgrau) und bittet ihn, diese zu interpretieren. Die Antworten sollen dem Testleiter Aspekte des emotionalen und mentalen Zustands der Person offenbaren. Viele Wissenschaftler kritisieren den Test allerdings als nicht zuverlässig und zu subjektiv.

Mentale Tricksereien

Mehrdeutige Bilder gehören seit langem zum Grundstock optischer Täuschungen, die darauf angelegt sind, die Launenhaftigkeit unserer Wahrnehmung zu demonstrieren. Die unten wiedergegebene Illusion des »offenen Buches«, entwickelt von dem deutschen Philosophen Ernst Mach, lässt sich entweder als dem Betrachter zugewandt und offen oder als von ihm abgewandt und offen wahrnehmen. Sobald beide Perspektiven wahrgenommen werden, wechselt das Auge des Betrachters zwischen den beiden Repräsentationen hin und her, weil unser Gehirn versucht, den Anblick zu deuten.

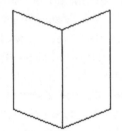

Im Laufe der Jahre hat man viele weitere Formen optischer Täuschungen entwickelt. Am häufigsten sind geometrische Illusionen, die unsere Wahrnehmung von Länge, Höhe und Distanz verzerren. Der italienische Psychologe Mario Ponzo stellte die These auf, dass sich das menschliche Gehirn am Hintergrund orientiert, um die Größe eines Objekts einzuschätzen. Er belegte sein Argument mit

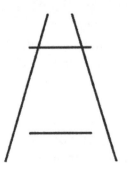

dem Schaubild (S. 210 unten) bei dem die entferntere Linie länger erscheint als die Linie, die dem Betrachter näher ist, obwohl beide in Wahrheit gleich lang sind.

Eine weitere berühmte optische Täuschung ist die Müller-Lyer-Illusion, bei der zwei identische Linien durch die an den Enden hinzugefügten Winkel unterschiedlich lang wirken; je stumpfer der Winkel, desto länger erscheint die Linie.

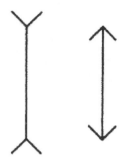

Eine weitere Form optischer Täuschung sind die sogenannten »unmöglichen Objekte«, bei denen ein zweidimensionales Bild vom visuellen System des Gehirns als dreidimensional gedeutet wird, obwohl so ein Objekt nicht existieren könnte. Ein bekanntes Beispiel für ein unmögliches Objekt ist das unten abgebildete Penrose-Dreieck, benannt nach dem britischen Psychiater Lionel Penrose und seinem Sohn, dem Mathematiker Roger, der es in den 1950er Jahren bekannt machte.

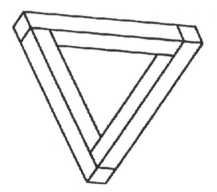

Die Illusion, die unter dem Namen »Stimmgabel des Teufels« bekannt ist, gehört ebenfalls zur Gruppe der unmöglichen Objekte: Sie scheint drei zylindrische Zinken an einem Ende zu besitzen, aber nur zwei rechteckige am anderen.

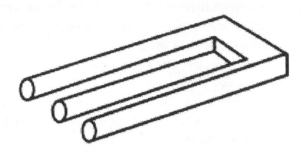

Wissenschaftler sind seit langem fasziniert von optischen Täuschungen und den Einblicken, die sie uns in die visuellen Verarbeitungsprozesse des Gehirns gewähren. Der Neurobiologe Dale Purves, der sich in seinen Forschungsarbeiten mit optischen Täuschungen befasst, beschreibt seine darauf basierende Theorie menschlicher Wahrnehmung in seinem Buch *Perceiving Geometry: Geometric Illusions Explained by Natural Scene Statistics.*

Purves und seine Kollegen arbeiteten mit verschiedenartigen Täuschungen, um besser zu verstehen, welche Strategie das Gehirn anwendet, um seine Umwelt wahrzunehmen. In einer Studie stellten die Wissenschaftler fest, dass Betrachter ein Objekt als länger wahrnehmen, wenn es vertikale oder geneigte Linien im Netzhautbild erzeugt, und als kürzer, wenn es horizontale Linien hervorruft. Die Wissenschaftler führen dies darauf zurück, dass die möglichen realen Quellen von vertikalen oder fast vertikalen Linien im Allgemeinen tatsächlich länger sind als die Quellen horizontaler Linien. Nach dieser Theorie entspricht der Anblick, den wir in einem bestimmten Moment wahrnehmen, dem Bild, das unser Gehirn auf der Grundlage früherer visueller Erfahrungen für die wahrscheinlichste Interpretation des Netzhautbildes hält. Zu optischen Täuschungen kommt es, wenn das Gehirn »danebentippt« und eine

Interpretation auswählt, die von der tatsächlichen Ursache des Netzhautbildes abweicht.

Nach Ansicht des Kognitionswissenschaftlers Mark Chagizi resultieren viele Wahrnehmungstäuschungen aus der Art und Weise, wie das Gehirn Bewegung verarbeitet, nämlich indem es antizipiert, was es als Nächstes sehen wird. Das hängt damit zusammen, dass das Gehirn mindestens eine Zehntelsekunde braucht, um ein visuelles Modell des betrachteten Objekts zu entwickeln – eine zeitliche Verzögerung, die bedeutet, dass es mit alten Informationen arbeitet. Das Gehirn gleicht dies aus, indem es eine vorausschauende Vermutung anstellt, um die Gegenwart »zu sehen«. Ein von Romi Nijhawan durchgeführtes Experiment bestätigt diese Theorie. Man zeigte den Probanden ein Objekt, das eine Glühbirne passiert, die genau in dem Moment aufleuchtet, in dem das Objekt vorbeizieht. In der Wahrnehmung der Testteilnehmer hatte das Objekt jedoch die Glühbirne passiert, bevor diese aufleuchtete.

Die Wissenschaftler benutzten einen Vergleich aus dem Sport, um dieses Geschehen zu veranschaulichen. Wenn ein Baseball-Spieler seinen Schläger schwingt, hat er keine Zeit, darauf zu warten, dass sein Gehirn eine visuelle Repräsentation davon entwickelt, wo sich der Ball im Verhältnis zu ihm selbst befindet. Vielmehr zielt der Spieler auf jene Stelle, an der der Ball laut Vorhersage seine Gehirns (sehr bald) ankommen wird.

Nicht alle Täuschungen sind von Wissenschaftlern erdacht worden, die sich mit der visuellen Wahrnehmung beschäftigen. Auch die Vielfalt und Komplexität der Natur bringt optische Täuschungen hervor. Bei einigen Tieren beispielsweise bewirkt ihre Tarnung eine so starke Verschmelzung mit ihrer Umwelt, dass sie nicht mehr von ihr zu unterscheiden sind. Auf diese Weise können sie sich vor Räubern schützen und selbst leichter Beute machen. Schutzfärbungen, durch die sich die Farbe eines Tieres der Umgebung anpasst, sind die häufigste Form der Tarnung. Beispiele dafür sind die Erdfärbung des Eichhörnchens und des Rehwilds oder das weiße Fell des Eisbären.

Auch das Phänomen der Mondtäuschung zeigt, wie die Natur unsere Augen narren kann. Wenn der Mond am Horizont steht, scheint er viel größer zu sein, als wenn er hoch am Himmel steht. Erklärungen für diesen Effekt reichen bis in die Antike zurück. Ptolemäus und andere führten das Phänomen auf vergrößernde Eigenschaften der Atmosphäre zurück. Doch seit einigen Jahrhunderten ist bekannt, dass das Bild des Mondes auf der Netzhaut konstant bleibt, gleichgültig ob man ihn am Horizont oder hoch am Himmel sieht. Moderne Theorien konzentrieren sich auf physiologische oder psychologische Erklärungen des Phänomens. Nach einer dieser Theorien bewirken die fehlenden Distanzhinweise im Nachthimmel, dass unser Auge den höher stehenden Mond als kleiner wahrnimmt.

Neben Mutter Natur sind, wie oben erwähnt, auch Zauberkünstler sehr geschickt im Umgang mit optischen Täuschungen, die ihre Zuschauer in die Irre führen. Ein bemerkenswertes Beispiel für diese Kunstfertigkeit liefert die Geschichte des britischen Zauberkünstlers Jasper Maskelyne, der zu Beginn des Zweiten Weltkriegs von der Bühne abtrat, um seine Ausbildung als Illusionist auf dem Schlachtfeld einzusetzen. Wie er in seinen Erinnerungen *Magic: Top Secret* ausführt, wurde er in Afrika stationiert, wo er einer Einheit der Spionageabwehr, der sogenannten »A-Force«, beitrat. Betraut mit der Aufgabe, britische Truppen vor der deutschen Luftaufklärung zu verbergen, stellte der Illusionist ein Team von Männern zusammen, die Erfahrung in Chemie, Technik und Bühnenbau hatten und die ihm helfen sollten, den Feind mittels optischer Täuschungen zu verwirren. Die Gruppe, informell als »Magic Gang« bezeichnet, baute Panzerattrappen aus Sperrholz und bemalten Planen – sie entwickelte sogar eine Methode, um Panzerspuren im Sand vorzutäuschen, nachdem sie die Attrappen in Position gebracht hatte.

Die spektakulärste Täuschung gelang der Gang 1941, als Maskelyne und seine Mitarbeiter den Haupthafen von Alexandria vorübergehend »verschwinden« ließen. Der Effekt wurde durch den Aufbau einer originalgetreuen Nachbildung des in der Nähe gelegenen Hafens bewerkstelligt, darunter Attrappen von Gebäuden, einem Leuchtturm und sogar einer Flugabwehrbatterie, die aus allen Rohren zu feuern schien.

Wenn optische Täuschungen nicht gerade zur Entwicklung von Wahrnehmungstheorien, zur Tarnung im Tierreich oder zur Abwehr feindlicher Bomber dienen, findet man sie auch häufig in der Kunst, wo sie eine Vielzahl von Wahrnehmungsreaktionen beim Betrachter erzeugen. Dies gilt insbesondere für die »Op(tical) Art«, einen Zweig der geometrischen und abstrakten Kunst, der Mitte der 1960er Jahre entstand. Op-Art-Bilder rufen zahlreiche Wahrnehmungstäuschungen hervor, die durch die präzise, systematische Manipulation von Formen und Farben bewirkt werden. Victor Vasarely, ein führender Vertreter dieser Kunstrichtung, benutzte in vielen seiner Werke Neckerwürfel – die gleichzeitig aus dem Bild hervor- und in das Bild hineinzuragen scheinen.

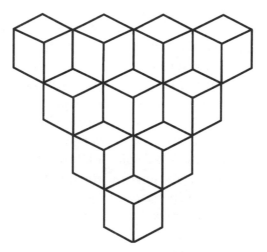

Berühmt für die Integration verschiedener Wahrnehmungstäuschungen (einschließlich Neckerwürfel) in seine Arbeit war auch der holländische Künstler M.C. Escher. In seiner 1960 entstandenen Lithographie »Treppauf und Treppab« stellt Escher ein großes Gebäude dar, das die Illusion einer endlosen Treppe weckt. Eine ähnliche Illusion erzeugte er unter Verwendung des Penrose-Dreiecks in seinem aus dem Jahr 1961 stammenden Druck »Wasserfall«, das einen Wasserfall zeigt, der nach oben und nach unten und dann wieder in einer endlosen Schleife nach oben zu fließen scheint.

Die häufigste künstlerische Sinnestäuschung findet sich allerdings nicht in Museen oder Galerien, sondern im Kino. Immer wenn wir einen Film sehen, sind die bewegten Bilder, die wir als kontinuierliche Abfolge wahrnehmen, in Wahrheit eine Reihe diskreter Bilder, von denen jeweils 24 pro Sekunde auf die Leinwand projiziert werden. Durch diese Geschwindigkeit kann jedes Bild gerade lange genug auf der Netzhaut des Betrachters verweilen, um mit dem nächsten Bild zu verschmelzen.

Die Psychologie der Kunst

Viele Autoren haben sich intensiv mit dem Zusammenhang zwischen Kunst und Wahrnehmung beschäftigt und darüber nachgedacht, was uns das eine über das andere sagen kann. Der einflussreiche Kunsthistoriker Ernst Hans Gombrich hat umfassend darüber geschrieben, wie die Wahrnehmungsprinzipien zu einem tieferen Verständnis des künstlerischen Schaffens und seiner Rezeption beitragen können. Zu Gombrichs wichtigsten Thesen gehörte, dass Maler nicht einfach malen, was sie sehen, sondern was sie zu sehen gelernt haben. Die Rolle des Rezipienten wird als ähnlich interpretierend aufgefasst; wenn er ein Kunstwerk betrachtet, muss er seinen Kopf anstrengen und »mit dem Künstler zusammenarbeiten … um ein Stück farbiger Leinwand in ein Abbild der sichtbaren Welt zu verwandeln«.

Grundlegend für Gombrichs gesamten Ansatz ist seine Überzeugung, dass das Wunderbare an der Kunst nicht in deren Fähigkeit besteht, die Realität nachzuahmen, sondern darin, dass sie dem Betrachter beibringt, die Welt mit neuen Augen zu sehen. Das Kunstwerk regt den Einzelnen nicht nur dazu an, nach außen zu schauen, sondern auch nach innen, auf die subjektiven Erinnerungen, Ideen und Gefühle, die seine Interpretation prägen. Diese Fähigkeit der Kunst, unseren Blick auf das eigene Innere zu lenken, hat das Interesse einiger führender Neurowissenschaftler geweckt.

Vilayanur Ramachandran und William Hirstein verursachten einen kleinen Aufruhr in der Kunstwelt, als sie 1999 ihren Aufsatz mit dem Titel *The Science of Art: A Neurological Theory of Aesthetic Experience* veröffentlichten. Darin behaupteten die Wissenschaftler, acht universale Prinzipien künstlerischen Erlebens entdeckt zu haben, die »Künstler entweder bewusst oder unbewusst anwenden, um die visuellen Hirnregionen optimal anzuregen«.

Ramachandran verwendete einen Vergleich, um zu erklären, wie die Wissenschaft seiner Ansicht nach zu einem tieferen Verständnis komplexer künstlerischer Werke beitragen kann: Das Wissen, dass ein Großteil der Dichtung universalen Gesetzen von Rhythmus und Metrum folge, mache das Werk von Shakespeare nicht weniger herausragend. Auch schmälere ein besseres Verständnis der Funktionsweise dieser Gesetze in keiner Weise unsere Anerkennung von Shakespeares unerreichter Meisterschaft in ihrer Anwendung. Auf die gleiche Weise steuerten natürliche und universale Gesetze viele Elemente unserer Wahrnehmungen. Da Kunst ein Ergebnis dieser Wahrnehmungen sei, könne man vernünftigerweise davon ausgehen, dass sie diese Gesetzmäßigkeiten bis zu einem gewissen Grad widerspiegelt.

Das erste und wichtigste Prinzip in Ramachandrans und Hirsteins Taxonomie universaler ästhetischer Gesetze ist die »Akzentverschiebung«. Wir kennen diesen Effekt aus der Abrichtung von Tieren. Bringt man einer Ratte bei, auf Rechtecke und nicht auf Quadrate zu reagieren, wird sie mit der Zeit stärker auf längere als auf kürzere Rechtecke reagieren, weil sie die Regel (»Rechteckigkeit«) gelernt hat, die besagt, dass die Form umso besser ist, je länger (je weniger quadratähnlich) sie ist. Wendet man dieses Prinzip auf die Kunst an, findet man eine vergleichbare Verstärkung von Unterschieden in Karikaturen, bei denen der Künstler die besonderen, charakteristischen Merkmale eines Gesichts hervorhebt. In dieser überzeichneten Darstellung erkennt man das Wesen einer Person häufig besser als in der Person selbst. Nach Ansicht der Wissenschaftler lösen Übertreibungen dieser Art spontanes Vergnügen beim Betrachter aus, weil sie die entsprechenden neuronalen Mechanismen stärker aktivieren als das Original.

Das zweite von Ramachandran und Hirstein beschriebene Gesetz ist die perzeptive »Gruppierung« oder »Bindung«, durch die das Gehirn ähnliche Wahrnehmungseffekte zu einer Gruppe zusammenstellt, so wie helle Quadrate in der Malerei im Gegensatz zu dunklen. Den Wissenschaftlern zufolge regen solche Gruppierungen das visuelle System des Gehirns dazu an, Signale an das limbische System zu senden (diejenigen Hirnstrukturen, die neben anderen Funktionen unsere Gefühle unterstützen). Auf diese Weise wird eine angenehme Empfindung ausgelöst, die das ästhetische Erleben beim Betrachten des Gemäldes erklärt.

Als nächstes Prinzip folgt die »Isolation« eines einzelnen visuellen Elements im Kunstwerk, was dem Betrachter ermöglicht, bestimmten Merkmalen besondere Aufmerksamkeit zu widmen (wie Form, Tiefe oder Farbe). Dieser Gedanke entspricht der bekannten Redensart »Weniger ist mehr« und hilft zu erklären, so die Wissenschaftler, warum eine Umrisszeichnung oder eine flüchtig hingeworfene Skizze häufig eine größere Wirkung erzielt als ein gestochen scharfes Hochglanzfoto, auch wenn das Foto mehr Details enthält.

Der »Kontrast« in der Kunst, wie wir ihn zum Beispiel bei der Verwendung verschiedener Helligkeits- oder Farbabstufungen in einem Gemälde finden, gehört ebenfalls zu den von Ramachandran und Hirstein zusammengestellten Gesetzen. Die neurologische Erklärung ist, dass das Gehirn solche Kontraste interessanter findet als homogene Bereiche, weil »Veränderungsregionen« im Allgemeinen nützliche Wahrnehmungsinformationen enthalten. Ein Gemälde, das viele verschiedene Kontraste umfasst, hält die Aufmerksamkeit des Gehirns länger gefangen als eine eher einheitliche Darstellung.

Zur anhaltenden Aufmerksamkeit trägt auch das Prinzip der

»perzeptiven Problemlösung« bei: Der Betrachter zieht Vergnügen aus dem Versuch, ein Kunstwerk zu deuten. Ein Bild mit eher versteckter als offenkundiger Bedeutung wirkt häufig reizvoller, weil es eine Art »Kuckuck-Spiel« darstellt, wodurch das visuelle System des Gehirns angeregt wird, sich um eine Lösung zu bemühen – ein Prozess, der seine eigene Belohnung in sich trägt. Wie dieses Prinzip wirkt, zeigt sich bei vielen Bildern Picassos oder der Surrealisten, weil sie eine aktive Suche nach der Bedeutung erfordern.

Die Wissenschaftler weisen auch darauf hin, dass die meisten Betrachter eine Vorliebe für allgemeine im Gegensatz zu besonderen Sichtweisen haben. Das hängt damit zusammen, dass das visuelle System des Gehirns bei allen eingehenden visuellen Informationen die wahrscheinlichste Deutung aufgreift – eine Strategie, die am besten funktioniert, wenn es viele Blickwinkel gibt, aus denen man das Bild betrachten und deuten kann. Zufälle in der Kunst, wie ein Baum, der genau in der Mitte zwischen zwei Gebäuden steht, gefallen dem Betrachter im Allgemeinen weniger, weil sie höchst unwahrscheinlich sind und deshalb nicht mit den Erwartungen unseres Gehirns übereinstimmen.

Das vorletzte von Ramachandran und Hirstein ausgemachte Prinzip besagt, dass visuelle Anspielungen oder Metaphern der Kunst förderlich sind. Der Grund ist möglicherweise, dass das Erkennen von Verbindungen zwischen Dingen in sich eine erfreuliche Erfahrung ist. Metaphern in der Kunst dienen als eine Art emotionales Haiku, das komplexe subjektive Informationen in einer kleinen Anzahl von wohlüberlegten Worten oder Bildern übermittelt. In der bildenden Kunst kann ein gutes Gemälde häufig eine spontane emotionale Reaktion beim Betrachter wecken, lange bevor er es rational analysiert und verstanden hat. Auch Dichter nutzen Metaphern, um einen ähnlichen Effekt zu erzielen – man denke nur an Shakespeares: »Der Tod, der den Honig deines Atems aufgesogen …« Die emotionale Reaktion des Lesers auf diese Zeile setzt ein, lange bevor er sich der verborgenen Analogie zwischen dem »Stachel des Todes« und dem einer Biene bewusst wird.

»Symmetrie ist attraktiv« lautet das letzte Prinzip, mit dem die Wissenschaftler ihren Überblick über die neurologischen Grundlagen der Kunst beschließen. In der wissenschaftlichen Forschung ist der Zusammenhang zwischen Symmetrie und Attraktivität seit langem bekannt – eine Studie kam zu dem Ergebnis, dass Säuglinge länger auf Bilder von symmetrischen Gesichtern schauen als auf Bilder von asymmetrischen. Dieselbe Beziehung zwischen Symmetrie und wahrgenommener Attraktivität findet sich in der gesamten Tierwelt, so bevorzugen etwa weibliche Zebrafinken Männchen mit symmetrisch gefärbten Beinstreifen. Ramachandran und Hirstein vermuten, dass Symmetrie unsere Aufmerksamkeit auf sich zieht, weil sie ein Merkmal biologischer Formen ist. Unsere Vorfahren hätten potenzielle Räuber, Beutetiere oder Partner zum Teil an ihrer Symmetrie erkannt. Kunstwerke, die symmetrische Formen umfassen, machen sich dieses evolutionäre »Frühwarnsystem« zunutze, um besondere Aufmerksamkeit auf sich zu lenken.

Wie vielleicht zu erwarten, ist die Abhandlung von Ramachandran und Hirstein in der Kunstwelt von verschiedenen Seiten als »reduktionistisch« kritisiert worden. Andere behaupten, die ästhetische Erfahrung sei grundsätzlich unbeschreibbar – ein subjektiver Zustand, der strengen wissenschaftlichen Messungen nicht zugänglich sei. Die Wissenschaftler begegnen der Kritik mit dem Hinweis, dass ihre acht Prinzipien alles andere als erschöpfend seien und dass es ihnen fernliege, die Rolle von Bildung, Kultur oder Erfahrung für den künstlerischen Schaffensprozess zu leugnen. Vielmehr sind sie genau wie Gombrich der Ansicht, dass Kunst und Gehirn in einer Symbiose stehen, in der beide dazu beitragen, das Verständnis und die Würdigung des anderen zu fördern.

Zweifellos wird keine wissenschaftliche Theorie den subjektiven Reichtum und die Bedeutungsvielfalt künstlerischer Erfahrung je vollständig erfassen. Unsere Wahrnehmungen sind das Ergebnis von geistigen wie neurologischen Prozessen. Wenn Wissenschaftler uns erklären, wie wir unsere Umwelt wahrnehmen, so trägt das dazu bei, die Biologie unserer Wahrnehmungen zu beleuchten, aber es unterstreicht auch die Komplexität, aus der die einzigartige Sichtweise des Einzelnen erwächst. Wie wir etwas sehen, sagt mindestens ebenso viel über das Individuum mit seinen eigenen gelebten Erfahrungen, emotionalen Reaktionen und philosophischen Anschauungen aus wie über die neuronale Verschaltung hinter seinen Augen.

8. Geistige Nahrung

Unser Denken ist genauso auf Informationen angewiesen wie unser Körper auf Nahrung. Jede Tatsache und jede Zahl, jede Idee und jedes Bild, jede Geschichte und jede Statistik helfen, unsere Erinnerungen und Wahrnehmungen zu formen. In einem sehr realen Sinn sind Daten Schicksal. Das ist wichtig, weil der Austausch zwischen unserer inneren und äußeren Welt nie größer gewesen ist als in der heutigen Ära des Internets, der flächendeckenden Werbung und der Rund-um-die-Uhr-Nachrichten. Welche Auswirkungen hat das moderne Informationszeitalter auf die Art, wie wir denken, lernen, wahrnehmen und begreifen?

Die Atome des Wissens

Beginnen wir unsere Erforschung von Informationen mit den Atomen des Wissens – den Worten. Der Wortschatz, der die Bausteine von Büchern und jedem gesprochenen Satz liefert, kann unsere Fantasie sowohl beflügeln als auch lähmen und frustrieren. George Orwell beschreibt in seinem Klassiker *1984* eine Welt mit einem künstlich veränderten, propagandistischen Idiom, das darauf zielt, die Vielfalt der Gedanken zu verringern. »Neusprech« ist die Erfindung eines totalitären Regimes, das entschlossen ist, Gedanken-

und Meinungsfreiheit unmöglich zu machen, indem es alle potenziell störenden Wörter und Ideen wie »Freiheit« und »Rebellion« beseitigt.

In Orwells düsterer Vision sind alle Feinheiten der Sprache abgeschafft und zu elementaren Dichotomien wie Glück und Leid oder Freude und Schmerz komprimiert. Die Sprache ist von allen Unregelmäßigkeiten bereinigt: So heißt »schlecht« in Neusprech »ungut«, »großartig« ist »plusgut« und »hervorragend« ist »doppelplusgut«. Das höchste Ziel des Regimes ist es, der Sprache so viele Wörter wie möglich zu rauben, weil man davon ausgeht, dass etwas, was nicht gesagt wird, auch nicht gedacht wird.

Orwells »Neusprech« wurde von dem realen Sprachprojekt »Basic English« inspiriert. Diese im Jahr 1930 von dem Briten Charles Ogden ersonnene Kurzversion des Englischen bestand aus lediglich 850 Schlüsselwörtern, die zur »Klarheit des Denkens« beitragen und den englischen Fremdsprachenunterricht erleichtern sollten. Ogdens Ideen fanden wenig Anklang, weder in der breiten Öffentlichkeit noch bei der Regierung. Präsident Franklin Roosevelt schrieb Winston Churchill, um ihn darauf aufmerksam zu machen, dass man seinen berühmten Ausspruch: »Blood, toil, tears and sweat« (»Blut, Mühsal, Tränen und Schweiß«) in der neuen Kurzsprache mit »Blood, work, eye water and face water« (»Blut, Arbeit, Augenwasser und Gesichtswasser«) übersetzen würde.

Obwohl Orwell das Basic-English-Projekt anfangs befürwortete, sprach er sich später, in seinem 1946 verfassten Essay »Politics and the English Language«, entschieden dagegen aus. Seine leidenschaftlichsten Attacken sparte er sich allerdings für das moderne Englisch selbst auf, das, wie er erklärte, hässlich, fade und unpräzise sei. Seine Kritik ist noch immer eine Lektüre wert: So greift sich Orwell insbesondere die »toten Metaphern« heraus, wie zum Beispiel »stand shoulder to shoulder with« (zu jemandem halten) oder »to toe the line« (linientreu bleiben), und weist darauf hin, dass man sie häufig verwendet, ohne ihre tatsächliche Bedeutung zu kennen. Außerdem prangert er die »künstlichen Verbalgliedmaßen« an – bedeutungslose Floskeln zur Ausschmückung von Sätzen, wie etwa »with respect to« (»in Bezug auf«). Kurzen Prozess macht er auch mit einer »prätentiösen Ausdrucksweise«, zum Beispiel Wörtern wie »expedite« (schnell erledigen) oder »ameliorate« (verbessern), die dazu dienten, einfache Aussagen herauszuputzen, aber aus Orwells Sicht letztlich nur die »Schlampigkeit und Unbestimmtheit verstärken«.

Solche Beispiele für eine hässliche und vage Sprache waren nicht nur als Amüsement für den Leser gedacht, sondern als Einleitung für einen ernsthaften und wichtigen Punkt: »Wenn das Denken die Sprache korrumpiert, dann kann auch die Sprache das Denken korrumpieren.« Orwell war überzeugt, dass es notwendig sei, ständig auf der Hut vor klischeehaften Ausdrücken zu sein, weil »jede derartige Phrase einen Teil des Gehirns narkotisiert«. Zum Schluss seiner Ausführungen appelliert er an alle Sprecher des Englischen, bei der Auswahl ihrer Worte mit Vorsicht und Bedacht vorzugehen und sich der Bedeutung zu vergewissern, bevor sie zum Sprechen ansetzen.

Wer wissen wollte, wie er die von Orwell benannten sprachlichen Fallstricke vermeiden konnte, fand die folgenden sechs kurzen Regeln:

1. Benutzen Sie nie eine Metapher, einen Vergleich oder eine andere rhetorische Figur, die Sie immer wieder in gedruckter Form sehen.
2. Benutzen Sie nie ein langes Wort, wo ein kurzes genügt.
3. Wenn die Möglichkeit besteht, ein Wort wegzulassen, lassen Sie es weg.
4. Benutzen Sie nie das Passiv, wo Sie das Aktiv verwenden können.
5. Wählen Sie nie einen fremdsprachigen Ausdruck oder einen Fachterminus, wenn Sie ein allgemein verständliches Wort benutzen können.
6. Brechen Sie lieber eine dieser Regeln, als etwas absolut Barbarisches von sich zu geben.

Die »Sokal-Affäre«, wie sie von einigen Journalisten getauft wurde, illustriert auf amüsante Weise, wie Sprache auch heute noch häufig malträtiert wird. Alan Sokal, Professor für Physik an der New York University, ärgerte sich seit langem darüber, dass ellenlange, wissenschaftlich klingende Wörter in vielen geisteswissenschaftlichen Zeitschriften dazu missbraucht wurden, über das völlige Fehlen bedeutungsvoller Informationen hinwegzutäuschen. 1996 beschloss er, einen unsinnigen, mit Fachbegriffen gespickten wissenschaftlichen Aufsatz mit ausufernden Fußnoten bei einer postmodernen Zeitschrift für Cultural Studies einzureichen und zu testen, ob man den Beitrag veröffentlichen würde oder nicht. Der Aufsatz hatte den Titel *Transgressing the Boundaries: Towards a Transformative Hermeneutics of Quantum Gravity* (Dt.: *Grenzüberschreitung: Hin zu einer transformativen Hermeneutik der Quantengravität).*

Der Aufsatz wurde tatsächlich angenommen und veröffentlicht. Am selben Tag gab Sokal in einer anderen Zeitschrift bekannt, dass es sich bei dem Beitrag um einen Jux handelte: »Eine Mischung von linksgerichteten Phrasen, kriecherischen Anmerkungen, grandiosen Zitaten und absolutem Nonsense.« Schon ein kurzer Ausschnitt macht dies deutlich: »Euklids [Pi] und Newtons *G*, einst für konstant und universell gehalten, werden heute in ihrer unbarmherzigen Historizität betrachtet; und der putative Beobachter wird auf fatale Weise dezentriert, losgelöst von jeder epistemischen Verbindung zu einem Raum-Zeit-Punkt, der nicht länger von der Geometrie allein definiert werden kann.«

Sokals Streich löste eine überaus heftige Reaktion in der akademischen ebenso wie in der allgemeinen Presse aus. Viele Wissenschaftler äußerten sich verständnisvoll, aber die »postmodernen« Intellektuellen, deren Begriffe und Phrasen Sokal in seinem Beitrag zusammengeklebt hatte, reagierten erwartungsgemäß weniger wohlwollend. Sokal schrieb die Veröffentlichung seiner Parodie dem Aufstieg »einer bestimmten Art von Nonsense« unter bestimmten Intellektuellen zu und meinte, dass die Redaktion seinen Text nicht ordentlich analysiert hätte, weil seine Schlussfolgerungen politisch en vogue gewesen seien.

Dass man Worte sowohl zum Verschleiern als auch zum Vermitteln von Bedeutung (oder dem Mangel daran) nutzen kann, zeigt sich auch an der Verwendung von Euphemismen – dem Austausch vermeintlich unverblümter oder anstößiger Worte durch vage und beschönigende Begriffe. Politiker sind bekannt für ihre vorsichtige Wortwahl: 150 Jahre vor Orwell erklärte der britische Philosoph Edmund Burke, dass die Verteidiger der Französischen Revolution die Dinge nicht bei ihren gebräuchlichen Namen nannten, sondern ein Massaker als »Agitation«, »Efferveszenz« oder »Exzess« bezeichneten.

Beispiele für zeitgenössische politische Euphemismen sind Legion. Man denke nur an »Erhöhung der Staatseinkünfte« für Besteuerung, »Konjunkturabschwung« für Rezession oder »Unruhen« für Aufstände. Auch an militärischen Euphemismen herrscht kein Mangel: »Kollateralschaden« für Opfer unter der Zivilbevölkerung, »Verteidigungsschlag« für Bombardements oder »Friendly Fire« (freundliches Feuer) für die versehentliche Tötung verbündeter Soldaten. Als Präsident George W. Bush ankündigte, die Anzahl der amerikanischen Soldaten im Irak um 20 000 zu erhöhen, benutzte er das Wort »surge« (Welle), das, wie mehrere Kommentatoren anmerkten, im Gegensatz zu dem einfachen Ausdruck »Truppenverstärkung« eher positive Assoziationen weckt (eine Wörterbuch-Definition von »surge« lautet: »Jeder plötzliche, starke Anstieg von Energie, Begeisterung etc.«).

Auch wenn diese sprachlichen Verrenkungen die Tatsachen verdrehen, sind sie doch noch relativ leicht zu durchschauen. Wie der Linguist Geoffrey Nunberg von der Stanford University in seinem Buch *Going Nuclear: Language, Politics and Culture in Controversial Times* ausführt, sind es häufig wesentlich einfachere und harmloser wirkende Worte und Formulierungen – wie »Wahlfreiheit« oder »Arbeitsplätze und Wachstum« –, denen man schnell auf den Leim geht.

Die Pädagogikprofessorin Diane Ravitch untersucht die Beziehung zwischen euphemistischer Sprache und Zensur in ihrem Buch *Language Police – How Pressure Groups Restrict What Students Learn*. Ravitch erklärt die extrem komplizierten Regeln, an die sich viele Lehrbuchverlage halten, um potenziell kontroverse oder anstößige sprachliche Ausdrücke und Inhalte zu zensieren. Überraschenderweise führt Ravitch einen Großteil dieser Zensur auf die Bürgerrechts- und Frauenbewegung der 1960er und 1970er Jahre zurück sowie auf deren lobenswerte Ziele, die Lehrbücher von einer vorurteilsbeladenen Sprache zu befreien und Geschichte und Literatur für die Stimmen und Standpunkte benachteiligter Gruppen zu öffnen. Diese Bestrebungen, so Ravitch, wurden derart auf die Spitze getrieben, dass nichtssagende und moralisch grob vereinfachende Texte inzwischen den Vorzug vor komplexen Analysen und einem freien Spiel der Ideen erhalten.

Viele von Ravitch zitierte Beispiele scheinen ans Absurde zu grenzen: Eine Legende über Delfine wurde von einem Verleger als problematisch betrachtet, weil er der Ansicht war, dass sie ein regionales Vorurteil gegenüber Kindern widerspiegelte, die nicht am Meer leben. Eine Passage über Eulen wurde aus einem standardisierten Test gestrichen, weil die Vögel für Navajos tabu sind. Aesops Fabel *Der Fuchs und die Krähe* wurde als sexistisch abgelehnt, weil ein männlicher Fuchs einer weiblichen Krähe schmeichelt (das Geschlecht der Tiere musste geändert werden, bevor die Geschichte akzeptiert wurde). Ravitchs Forschung zeigt, dass solche Beispiele alles andere als die Ausnahme sind; die meisten der in amerikanischen Schulen eingesetzten Tests und Lehrbücher werden tatsächlich von ähnlich labyrinthartigen und häufig absurden »Sensibilitäts- und Vorurteils«-Leitlinien bestimmt. Unter Druck gesetzt von beiden Seiten des politischen Spektrums versuchen Schulbuchautoren es allen recht zu machen, indem sie potenziell anstößige Passagen streichen und die Seiten mit so vielen Harmlosigkeiten wie möglich füllen.

Das Ergebnis, so Ravitch, sind fade, staubtrockene Inhalte ohne jede übergreifende Darstellung, die in den Schülern eine Begeisterung für Geschichte oder Literatur wecken könnte. Da man jeglichen Hinweis auf kulturelle Vielfalt tilgt, werden sämtliche Personen zu austauschbaren Figuren, deren Unterschiede ignoriert werden sollen – keine gute Voraussetzung, wenn man ein aufmerksames und kritisches Denken fördern möchte. Wer Kinder davon abhält, eine Vielzahl von Begriffen und Ideen kennenzulernen (einschließlich »Angestellte« [»white collar«], »unverheiratet«, »Witwe«, »Süchtiger«, »Hausbesitzer«, »Bruderschaft«, »Jacht« oder »primitiv«), beschränkt ihren Zugang zur Komplexität des Lebens und erstickt ihre Fantasie. Die Ironie bei der Geschichte ist, dass die Bücher der Zensoren sich selbst der Stereotypisierung schuldig machen, die sie verhindern wollen, weil sie vorschreiben, dass der Schüler nur solchen Materialien ausgesetzt wird, die zu seiner vermeintlichen Erfahrung passen.

Einige Sprachexperten sind überzeugt, dass die Worte, die wir verwenden, die Denkprozesse und Wahrnehmungen eines Lesers oder Zuhörers weit weniger beeinflussen als der vorgegebene begriffliche Rahmen, den jeder Mensch zur Deutung von Sprache heranzieht. Dieser Auffassung zufolge geht es nicht darum, die richtigen Worte zu finden, sondern den richtigen »Rahmen«. Dieser Ansatz wurde in den letzten Jahren insbesonders von George Lakoff, Professor für kognitive Linguistik an der University of California, vertreten und populär gemacht.

Lakoff führt als Beispiel den Begriff »tax relief« (Steuererleichterung) an. Er argumentiert, dass das Wort »relief«, also »Erleichterung, Linderung«, die Vorstellung weckt, dass jemand unter etwas Schädlichem oder Schmerzlichem leidet, von dem er befreit werden sollte. Zum Begriffsfeld des Wortes »Erleichterung« gehört ein Held (der das Leid lindert), ein Opfer (die leidende Person), ein Verbrechen (das Leiden), ein Schurke (die Ursache des Leidens) und eine Rettung (die Erlösung von dem Leid). Vor diesem Hintergrund erscheint die Steuer als etwas von Natur aus Negatives und ihre Ermäßigung als Heldentat, für die der Steuerzahler dankbar sein sollte. Lakoff behauptet, dass diese spezielle Sichtweise der Besteuerung jedes Mal verstärkt wird, wenn Politiker und Medien den Begriff wiederholen.

Leuten, die anderer politischer Auffassung sind und nicht mit diesem Verständnis von Steuern übereinstimmen, empfiehlt Lakoff, das Thema Steuer in einen anderen Rahmen zu stellen und ein alternatives Vokabular zu benutzen, das Werte wie Gerechtigkeit, Gemeinschaft und Kooperation betont. Entsprechend sollten die Gegner von »Steuererleichterungen« die Abgaben eher als »Preis der Zivilisation« (wie Oliver Wendell Holmes) bezeichnen oder als »Beitrag«, den der Einzelne zur Demokratie, zur Chancengleichheit, zu einer guten Infrastruktur und damit zu den Grundlagen des Wohlstands leistet.

Doch Lakoffs Empfehlung ist nicht unproblematisch. Zum einen ist sie durch und durch pessimistisch, weil sie impliziert, dass die subjektive Weltanschauung immer über die Fakten triumphiert. Steven Pinker beispielsweise kritisiert den »kognitiven Relativismus« an Lakoffs Argumentation und wirft ihm vor, Mathematik, Naturwissenschaft und Philosophie als »Schönheitswettbewerbe« zu betrachten anstatt als Versuche, das Wesen der Realität zu verstehen.

Michael Silverstein, Professor für Anthropologie, Linguistik und Psychologie an der University of Chicago, beschreibt in seinem Buch *Talking Politics* ein anderes Modell der Überredungskunst. Silverstein argumentiert, dass Sprache nur dann wirklich effektiv sei, wenn sie einen überzeugenden Stil mit echter Substanz verbinde. Er führt Abraham Lincolns 272 Worte umfassende, höchst eindringliche und bewegende Rede von Gettysburg als Beispiel für die Macht von Worten an, denen echtes Verständnis und aufrichtige Überzeugung innewohnen. Silverstein erinnert uns daran, dass Sprache im besten Fall eher ein Instrument der Vernunft und Reflexion ist und nicht einfach nur ein Werkzeug von Launen und Vorurteilen.

Klatsch als Sozialkitt

Natürlich werden nicht alle Wörter in den Dienst der Überredung oder der Vermittlung von tiefschürfenden Gedanken oder hochfliegenden Idealen gestellt. Ich räume freimütig ein, dass mir das Phänomen des Klatsches ein Rätsel ist – mein eigener Kopf arbeitet einfach nicht auf diese Weise. Ich muss mich deswegen allerdings nicht als Dummkopf fühlen: Auch Wissenschaftler haben sich lange Zeit verwirrt mit der Frage herumgeschlagen, welchem Zweck der Klatsch eigentlich dient und welche Aufgaben er für den Einzelnen und die Gesellschaft als Ganze erfüllt.

In den letzten Jahren ist Klatsch zum Gegenstand vieler wissenschaftlicher Debatten in mehreren Fachbereichen geworden, einschließlich der Sozialpsychologie, Anthropologie, Evolutionspsychologie und Soziolinguistik. Obwohl das Wort an sich recht negative Assoziationen weckt – wie vielleicht zu erwarten ist, wenn man bedenkt, wie viel Leid negative und häufig unbegründete Gerüchte auslösen können –, hat die Forschung viele positive soziale und psychologische Gründe für den Klatsch aufgedeckt – von der Gruppenbildung bis zur Verstärkung gemeinsamer Werte.

Es gibt auch Anhaltspunkte dafür, dass Klatsch ein tief verwurzeltes menschliches Bedürfnis ist. Robin Dunbar, Professor für Psychologie an der University of Liverpool, weist in seinem Buch *Grooming, Gossip, and the Evolution of Language* darauf hin, dass die meisten Menschen etwa zwei Drittel ihrer Unterhaltungen dem Klatsch widmen – »den natürlichen Rhythmen des Soziallebens«. Dunbar zufolge ist Klatsch das menschliche Gegenstück zur Fellpflege der Primaten, bei denen das stundenlange Pelzkraulen als Sozialkitt fungiert. In Gruppen lebende Primaten sorgen auf diese Weise für den Zusammenhalt der Gemeinschaft. Dunbar zufolge hat der Mensch stattdessen die Sprache entwickelt, weil sie weniger zeitaufwändig ist und dem Einzelnen erlaubt, mehrere Dinge gleichzeitig zu tun.

Zahlreiche Studien scheinen die Idee zu bestätigen, dass Klatsch eine in erster Linie positive und gemeinschaftsstiftende Aktivität ist: Eine Untersuchung hat gezeigt, dass nur fünf Prozent der Zeit, die mit Klatsch und Tratsch verbracht wird, kritischen und negativen Urteilen gewidmet sind. Der Großteil der Unterhaltung drehte sich darum, »wer was mit wem macht«, und um persönliche Erfahrungen mit anderen Menschen. Eine weitere Studie ergab, dass zehn Minuten Klatsch pro Tag genauso wirkungsvoll für das Gedächtnis sind wie das Lösen von Kreuzworträtseln und dass dadurch noch die geistige Leistungsfähigkeit verbessert wird.

Eine wenig positive Form des Klatsches sind »Großstadtmythen« oder »Großstadtlegenden« – Geschichten von zweifelhafter Glaubwürdigkeit, die dennoch als wahr präsentiert werden (häufig behauptet der Erzähler, die jeweilige Geschichte sei einem Freund oder Verwandten passiert). Nach Ansicht des Volkskundlers Jan Harold Brunvand, Autor von *The Vanishing Hitchhiker: American Urban Legends and Their Meanings*, sind Großstadtlegenden eine moderne Form des Geschichtenerzählens und damit eines erzählerischen Brauchtums, das die Menschen seit Urzeiten pflegen. Trotz der Tatsache, dass die Menschen des Medienzeitalters im Allgemeinen lesen und schreiben können, erfreuen sich diese Geschichten anhaltender Beliebtheit, weil sie viele der Hoffnungen, Besorgnisse und Ängste unserer Zeit widerspiegeln. Niemand weiß, woher diese Geschichten kommen oder wer sie erfunden hat – die meisten Hinweise auf mögliche Urheber oder echte Ereignisse lösen sich bei genauerem Hinsehen in Luft auf.

Doch einige Großstadtmythen beschäftigen weiterhin hartnäckig die Fantasie der Menschen, was unter anderem damit zusammenhängt, dass sie eine feste Erzählstruktur, eine immerhin vage Plausibilität und eine grundlegende Botschaft oder Moral haben. Ein berühmtes Beispiel für eine immer wieder gern erzählte Legende ist die von den »Alligatoren in der Kanalisation«. Danach haben Einwohner New Yorks einige Baby-Alligatoren aus ihrem Florida-Urlaub mitgebracht und sie in die öffentliche Kanalisation gespült, als sie zu groß wurden. Die Tatsachen deuten allerdings darauf hin, dass diese Story reiner Blödsinn ist: New York wäre zu kalt für Alligatoren, die bei einer Temperatur von 25 bis 32 Grad Celsius leben, ganz zu schweigen von den Salmonellen und E.-coli-Bakterien in der Kanalisation.

Eine Abwandlung dieser kulturellen Legenden sind die »Stammtischweisheiten« – verbreitete Missverständnisse, die von Experten ebenso wie von Laien ständig wiederholt werden. Eine dieser Weisheiten, die für das Thema dieses Buches besonders wichtig ist, betrifft die Vorstellung, dass Menschen nur 10 Prozent ihres Gehirns nutzen. Es gibt keine konkreten Anhaltspunkte für diese Theorie, aber viele, die dagegen sprechen. So verursachen etwa mehrere neurologische Störungen – zum Beispiel die Parkinson-Krankheit – schwerwiegende Behinderungen, zerstören aber weit weniger als 90 Prozent des Gehirns. Aus evolutionärer Sicht ist es zudem höchst unwahrscheinlich, dass sich ein größeres Gehirn entwickelt hätte, wenn ein größeres Hirnvolumen nicht von Vorteil gewesen wäre.

Ein weiteres Beispiel für solche Mythen und den Schaden, den sie anrichten können, ist die Behauptung, Impfungen gegen Masern, Mumps und Röteln (MMR) könnten Autismus auslösen. Es gibt keinen vernünftigen Grund zu glauben, dass irgendeine Impfung Autismus verursacht. Jede vermeintliche Korrelation beruht auf Zufall und nicht auf einem Ursache-Wirkung-Prinzip, da die erste dieser Impfungen im Alter von 12 bis 15 Monaten erfolgt, also in demselben Alter, in dem Eltern häufig auch erste Autismussymptome bei ihren Kindern bemerken. Tatsächlich sind Millionen von Kindern über Jahrzehnte geimpft worden, ohne Schaden zu nehmen.

Die britische Medizinzeitschrift *The Lancet* veröffentlichte im Jahr 1998 den einzigen »Beweis«, der angeblich einen Zusammenhang zwischen MMR-Impfstoff und Autismus belegte. Der Beitrag des Gastroenterologen Andrew Wakefield erschien zusammen mit einem Leitartikel, in dem Zweifel an der Validität der Studie erörtert wurden. Wakefield und seine Mitarbeiter stellten die Vermutung an, dass der MMR-Impfstoff Verdauungsprobleme auslöse, die zu einer verringerten Aufnahme von lebenswichtigen Vitaminen und

Mineralstoffen und damit zu Entwicklungsstörungen wie Autismus führten. Sie legten allerdings keinerlei wissenschaftliche Analysen vor, die ihre Theorie bestätigten, und bis heute gibt es keinerlei Beweise dafür, dass Autismus auf die von Wakefield beschriebene Weise entstehen kann. Eine neuere Studie über 498 Fälle von autistischen Störungen in London kam zu dem Ergebnis, dass die Zahl der Diagnosen nach Einführung des MMR-Impfstoffes im Jahr 1988 nicht angestiegen ist.

Die große Mehrheit der Ärzte lehnt Wakefields Hypothesen ab. Michael Fitzgerald, ein britischer Allgemeinmediziner und Vater eines autistischen Kindes, sprach für viele, als er Wakefield vorwarf, »aus der medizinischen Wissenschaft ausgestiegen zu sein, um sich der Welt pseudowissenschaftlicher Dogmen, der Medienpopularität und populistischer Kampagnen zu verschreiben«. Leider hat all dies nicht verhindern können, dass die Medien ausführlich und häufig unkritisch über Wakefields Thesen berichten, was viele Eltern dazu veranlasst, ihre Kinder nicht gegen das Dreigestirn potenziell tödlicher Krankheiten impfen zu lassen. Das hat dazu geführt, dass in Großbritannien in den letzten Jahren ein signifikanter Anstieg der – hochgradig ansteckenden und gefährlichen – Masernerkrankungen zu verzeichnen ist. Im Jahr 2007 stieg die Zahl auf fast 1000 Fälle und damit auf den höchsten je dokumentierten Stand an. Ein Jahr zuvor ist ein 13-jähriger Junge in Großbritannien an Masern gestorben – das erste so zu beklagende Opfer seit einer Generation. Diese bittere Tatsache sollte uns daran erinnern, wie gefährlich die Verbreitung von ungenauen und irreführenden Informationen sein kann.

Wissenschaftler haben ein bemerkenswertes Phänomen im Gehirn entdeckt, das erklären würde, warum viele Menschen bereit sind, den substanzlosen oder unlogischen Behauptungen, die sie lesen oder hören, Glauben zu schenken. Die Neurowissenschaftler Sam Harris, Sameer A. Sheth und Mark S. Cohen unterzogen 14 Erwachsene am Brain Mapping Center der University of California mit Hilfe der funktionellen Magnetresonanztomographie (fMRT) einem Gehirnscan. Die Wissenschaftler präsentierten den Freiwilligen eine Reihe von Behauptungen, die so abgefasst waren, dass sie eindeutig wahr, falsch oder zweifelhaft waren. Die Probanden sollten per Knopfdruck bei jeder Aussage erklären, ob sie sie für wahr, für falsch oder unentscheidbar hielten. Die Behauptungen waren mathematischer Art (»62 lässt sich ohne Rest durch 9 teilen«), faktischer Art (»Der Dow Jones Industrial Average stieg letzten Dienstag um 1,2 Prozent«) oder moralischer Art (»Es ist unmoralisch, sich über das Leiden eines anderen Menschen zu freuen«).

Die Ergebnisse waren verblüffend – an der Bewertung der unterschiedlichen Aussagetypen waren unterschiedliche Hirnregionen beteiligt, was darauf hindeutet, dass Glauben, Unglauben und Unschlüssigkeit getrennte neuronale Leitungsbahnen aktivieren. Die Studie zeigte außerdem, dass die Teilnehmer schneller auf Aussagen reagierten, die sie für wahr hielten, als auf jene, die sie für unwahr hielten oder bei denen sie sich unsicher waren. Dieses Ergebnis unterstützt die Idee, die der niederländische Philosoph Benedikt Spinoza im 17. Jahrhundert postulierte, nämlich dass für das schlichte Verstehen einer Aussage nur die stillschweigende Bejahung ihres Wahrheitsgehalts notwendig ist, während Zweifel einen nachfolgenden Prozess der Ablehnung erfordern. Nach Ansicht der Forscher ist das Verstehen einer Aussage oder Idee möglicherweise vergleichbar mit der räumlichen Wahrnehmung eines dinglichen Objekts, weil Menschen im Allgemeinen den Anschein, bis zum Beweis des Gegenteils, als Realität akzeptieren.

Lebendige Literatur

Bevor wir die jüngsten Fortschritte des modernen Informationszeitalters verstehen können, müssen wir zunächst einen Blick auf eine frühere Ära werfen. Seit Jahrtausenden haben Menschen einen Großteil ihres Lebens damit verbracht, Wissen zu erwerben und weiterzugeben. Lange vor Erfindung der Schriftsprache trug man in vielen Kulturen epische Gesänge, Gedichte, Mythen und Sprichwörter aus dem Gedächtnis vor, um das Wissen von einer Generation an die nächste weiterzugeben. Deshalb waren diese Gesellschaften mehr daran interessiert, die Informationen sicher weiterzugeben, als daran, sie zu verfälschen oder zu missbrauchen. Wenn Kenntnisse in Vergessenheit gerieten, waren sie für immer verloren.

Die »mündliche Literatur« jeder Kultur wurde häufig von einem dazu ernannten Erzähler oder Sänger vorgetragen, der sein Handwerk von anderen Erzählern gelernt hatte. Bei regelmäßigen öffentlichen Auftritten trugen die Erzähler Geschichten vor, sangen Lieder und berichteten von dramatischen Ereignissen. Diese lebendigen Erinnerungen trugen zur Erziehung und Bildung bei und sorgten für ein Gefühl von persönlicher Identität, Gemeinschaft und Kontinuität.

Die vorgetragenen Lieder und Geschichten waren sehr strukturiert, rhythmisch und repetitiv – lauter Mittel, die es dem Vortragenden und seinem Publikum erleichterten, sich das Gehörte einzuprägen. Die Erzählungen kreisten zudem um Figuren und Ereignisse, die den Zuhörer faszinierten und seine Aufmerksamkeit fesselten. Improvisationen gehörten zum Handwerk des Vortragenden, vorausgesetzt sie änderten nichts am Grundtenor der Geschichte. Diese Flexibilität ermöglichte ihm, seine Schilderungen je nach Geschmack und Interesse des Publikums zu verändern und dessen Reaktion zu nutzen, um die Geschichten immer raffinierter zu gestalten.

Wie feinsinnig und komplex die mündlichen Traditionen einer Gemeinschaft sein können, dafür bieten die australischen Aborigines ein gutes Beispiel. Von zentraler Bedeutung für ihre Geschichten ist der große Respekt für die kollektiven Erinnerungen, was mit ihrer Überzeugung zusammenhängt, dass die Vergangenheit in einer ewigen Gegenwart weiterlebt. Die Geschichten der Aborigines beschreiben ihre Beziehung zum Land und tragen dazu bei, ihre Kenntnisse von der lokalen Geographie zu vertiefen, indem sie etwa Informationen über Jagdrouten oder Wasserquellen vermitteln. Verschiedene Clans kommen zusammen, um sich die Liedzeilen gegenseitig vorzutragen und auf diese Weise detaillierte Informationen über das Terrain in umliegenden Gebieten zu sammeln.

Elias Lönnrot, ein im 19. Jahrhundert lebender Arzt und Volkskundler, hat wahrscheinlich mehr als irgendein anderer einzelner Mensch dazu beigetragen, den Reichtum der mündlichen Überlieferungen in Europa zu bewahren. Lönnrot unternahm ein Dutzend Expeditionen durch Estland, Lappland und das russische Karelien auf der Suche nach »runo« – der alten gesungenen Dichtung, die in diesen Regionen beheimatet ist – und ordnete die Abertausende von Zeilen verschiedener Gesänge, die er entdeckte, zu einem einzigen eindrucksvollen Epos. Lönnrot veröffentlichte sein Opus magnum, die *Kalevala*, am 28. Februar 1835, ein Datum, das in Finnland heute als Kalevala-Tag – als Geburtstag der finnischen Kultur – gefeiert wird.

Die Mythen, die Lönnrot vor dem Vergessen bewahrte, erzählen von einer Vergangenheit, in der sagenhafte Götter und Geister das Leben der Menschen beherrschten. Die Geschichten handeln von der Erschaffung der Welt, von Licht und Dunkel, von Fruchtbarkeit und Tod und enthalten detaillierte Beschreibungen der einheimischen Tiere, Pflanzen und Jahreszeiten. Lönnrots Arbeit ermutigte das finnische Volk dazu, einen unabhängigen, eigenen Staat zu gründen und das Finnische zur Nationalsprache zu erheben. Um einen kleinen Eindruck von den Versen und der Kraft dieses finnischen Nationalepos zu vermitteln, hier die Eingangszeilen der Kalevala:

»Ich habe große Lust, ich habe lang daran gedacht,
ans Singen mich zu machen, sprechend Verse herzusagen,
mich alter Weisen zu erinnern, altes Wissen aufzufrischen,
Schon formen Wörter sich im Mund, Verse kommen wieder,
eilen auf die Zunge zu, teilen sich an meinen Zähnen.«

Solche mündlichen Überlieferungen verloren an Bedeutung, nachdem die Sumerer um 3200 v. Chr. die Schriftsprache erfunden hatten. Diesen ersten geschriebenen Worten folgten schließlich Schriftge-

236

lehrte und Bürokraten und die Ursprünge der moderneren Zivilisation. Der Fortschritt machte es möglich, dass Neuigkeiten und Ideen an entfernte Orte getragen wurden, Aufzeichnungen, Liturgien und andere Dokumente entstanden. Obwohl viele Gesellschaften die Schrift als göttliches Geschenk betrachteten, waren sie sich der Nachteile ebenso bewusst wie der Vorteile.

In der Zeit vor Erfindung der Schrift hatten die Sprecher – und ihre Zuhörer – ihre geistige Welt mit komplexen mentalen Mosaiken von Ideen und bildlichen Vorstellungen ausgestattet. Ihre Stimmen hatten Akzent, Tonhöhe, Klang und Gefühl ebenso wie Worte weitergegeben. Als die Bedeutung der Schrift die des Gedächtnisses verdrängte, bedauerten viele, dass die Kunst der Erinnerung in Vergessenheit geriet. Kein Geringerer als Platon teilte diese gemischten Gefühle gegenüber der Schriftsprache, die er als »Pharmakon« bezeichnete, was sowohl Medizin als auch Gift bedeutet.

Trotz der neuen Möglichkeiten, die die Schriftsprache schuf, setzte sie sich in vielen Gesellschaften nur ganz allmählich durch. Diejenigen, die des Lesens und Schreibens mächtig waren, größtenteils Mönche und der Adel, zogen es vor, ihr Wissen für sich zu behalten. Innerhalb dieser Schichten entstanden und kursierten große literarische Werke, die jedoch dem einfachen Volk nicht zugänglich waren.

All das änderte sich um 1440 durch Johannes Gutenberg, der sich von den Weinpressen des Rheintals zur Erfindung des Buchdrucks inspirieren ließ. Gutenbergs Druckverfahren war eine Revolution, weil es dafür sorgte, dass eine viel größere Anzahl an Büchern für eine breitere Öffentlichkeit zugänglich und erschwinglich wurde. Im Jahr 1500 gab es bereits mehr als 1000 Druckereien in Europa. Die neue Zugänglichkeit des geschriebenen Wortes trug dazu bei, eine nie dagewesene soziale und intellektuelle Debatte zu fördern und die rasche Entwicklung von Wissenschaft, Kunst und Religion voranzutreiben. Mehr und mehr wurden Bücher zu einem Teil des Lebens.

Die explosionsartige Vermehrung der Bücher erhöhte allmählich die Bedeutung von Bibliotheken als Aufbewahrungsorten von dokumentiertem Wissen. Die Aristokraten jener Epoche wurden gedrängt, ihre privaten Sammlungen der Öffentlichkeit zugänglich zu machen. Der Bibiliothekar Gabriel Naudé argumentierte, dass das Sammeln von Büchern wenig Sinn hätte, wenn sie jenen nicht zugänglich seien, die das darin enthaltene Wissen nutzen könnten. Er gab Leitlinien für potenzielle Bibliotheken heraus und empfahl, Bücher für begrenzte Zeiträume an »verdienstvolle und kenntnisreiche Personen« zu verleihen und jede Ausleihe zu dokumentieren.

Als die Menge der leicht verfügbaren Informationen wuchs, wuchs auch der Wunsch, sie zu katalogisieren. Im Jahr 1704 stellte John Harris das *Lexicon Technicum* zusammen, das als Vorläufer moderner Lexika gilt. Verständlich geschrieben, mit Bibliographien und Querverweisen, wurde es das Vorbild für alle nachfolgenden Enzyklopädien. Sein erster Nachfolger, Diderots *Encyclopédie* (1751–1772), war so umfangreich, dass Voltaire darüber sagte: »Dieses gewaltige, unsterbliche Werk ist ein ewiger Vorwurf gegen die kurze Lebenszeit des Menschen.«

Doch das berühmteste Lexikon von allen ist die *Encyklopaedia Britannica*, das älteste englischsprachige Nachschlagewerk, das immer noch im Druck ist und dessen erste Ausgabe zwischen 1768 und 1771 erschien. Anstatt sich ausschließlich auf ein eigenes Autorenteam zu stützen, hat die Britannica immer aktiv nach Beiträgen von bedeutenden Zeitgenossen gesucht; dazu gehörten: Sir Walter Scott, Sigmund Freud, Albert Einstein, Marie Curie, Leo Trotzki, Harry Houdini, G. K. Chesterton und H. I. Mencken.

Weniger ist informativer

Die heutige Enzyklopädie der Wahl kann mit Fug und Recht von sich behaupten, wesentlich mehr Mitarbeiter zu haben als jede andere Enzyklopädie der Geschichte. Die Online-Enzyklopädie Wikipedia, zu der jeder einen Beitrag leisten kann, ist seit ihrer Einführung im Jahr 2001 explosionsartig gewachsen. Mit wenigen Mouse-

Klicks können Leser sich über so vielfältige Themen wie »Heavy Metal-Umlaute«, »Toiletten in Japan«, die »Romane Saddam Husseins« und »schachbedingte Todesfälle« informieren. Allein die englischsprachige Version von Wikipedia umfasst mehr als zwei Millionen Einträge mit über einer Milliarde Wörter. Bei dieser Fülle frei zugänglicher Informationen überrascht es nicht, dass Wikipedia heute zu den zehn am häufigsten besuchten Webseiten der Welt gehört.

Anders als bei allen anderen Enzyklopädien muss ein Autor oder »Editor« bei Wikipedia keine Referenzen für seine Fachkenntnisse vorweisen. Die offene Struktur gibt jedem die Möglichkeit, einen Beitrag zu schreiben. Wikipedianer behaupten, diese radikale Offenheit funktioniere, weil sie die »Weisheit der Vielen« nutze. Mit anderen Worten: Man geht von der Überzeugung aus, dass eine große, bunt gemischte Menschengruppe für gewöhnlich klüger ist als jedes einzelne Mitglied dieser Gruppe. Auf diese Weise hofft man, eine Enzyklopädie zusammenzustellen, die genauso gut oder besser ist als jedes von Experten erstellte Nachschlagewerk.

Doch es gibt ein paar schwerwiegende Probleme beim Wikipedia-Modell. Zum einen ist es weit weniger demokratisch oder leistungsorientiert, als man häufig glaubt. Im Jahr 2007 zum Beispiel veröffentlichten Forscher von der University of Minnesota die Ergebnisse einer Studie, die zeigte, dass 10 Prozent der Editoren 86 Prozent der Beiträge beisteuerten und nur 0,1 Prozent steuerten 44 Prozent bei. Diese kleine Gruppe von Wikipedia-Super-Redakteuren kontrollierten den Großteil des Inhalts.

Anonymität ist ein weiteres Problem. Viele Autoren veröffentlichen ihre Beiträge unter einem Pseudonym, was manche nutzen, um ihre eigenen Interessen zu verfolgten und sich der Verantwortung für ihre Beiträge zu entziehen. Einige Schwindler erfanden einen Beitrag über Henryk Batuta, der angeblich 1989 in Odessa geboren wurde, am russischen Bürgerkrieg teilnahm und ein Kampfgefährte Ernest Hemingways im spanischen Bürgerkrieg war. Der Artikel stand 15 Monate auf der Seite und enthielt Querverweise zu 17 anderen Beiträgen, bevor schließlich herauskam, dass Henryk Batuta nie existiert hatte. Die Verfasser des Beitrags behaupteten, sie hätten Web-Benutzer davor warnen wollen, Informationen einfach ungeprüft zu übernehmen.

Was geschieht, wenn ein sachkundiger Nutzer einen Irrtum in einem der Artikel entdeckt und ihn korrigieren möchte? William Connolley, der Klimamodelle beim British Antarctic Survey entwickelt und ein Experte für den Treibhauseffekt ist, wollte Ungenauigkeiten in einem Artikel über globale Erwärmung berichtigen, mit dem Ergebnis, dass er von einem Skeptiker bezichtigt wurde, »engstirnige« und »einseitige« Ansichten zum Klimawandel zu vertreten. Da seinen Referenzen nicht mehr Gewicht beigemessen wurde als den Behauptungen seines anonymen Konkurrenten, durfte Connolley letztlich nur eine Korrektur pro Tag vornehmen.

Häufig wird die Wikipedia, wie gesagt, damit verteidigt, dass sie sich auf »die Weisheit der Vielen« stütze – ein Ausdruck, den der Journalist James Surowiecki durch sein gleichnamiges, 2004 erschienenes Buch bekannt machte. Surowiecki ist überzeugt, dass »die Vielen häufig klüger sind als die Wenigen«, und verweist auf das Beispiel der beliebten Fernsehsendung »Wer wird Millionär?«. Wenn Experten die Frage eines Kandidaten beantworten sollen, ist die Antwort in zwei Drittel der Fälle korrekt, aber das Studiopublikum gibt in mehr als 90 Prozent der Fälle eine richtige Antwort.

Wie ist das möglich? Angenommen, ein Kandidat erhält die folgende Frage:

»Welche der folgenden Städte ist keine Hauptstadt?

A: Prag

B: Quito

C: Sydney

D: Edinburgh«

Die korrekte Antwort lautet C – die Hauptstadt von Australien ist Canberra. Nehmen wir jetzt an, das Wissen des Studiopublikums lässt sich wie folgt aufgliedern:

14 kennen die korrekte Antwort

20 können zwei der vier Optionen ausschließen

30 können eine Option ausschließen

36 haben keinen Schimmer

In diesem Fall stimmt das Publikum folgendermaßen ab:

Die 14, die die richtige Antwort kennen, entscheiden sich für C.

10 der 20, die zwei Optionen ausschließen können, wählen C.

10 der 30, die sich zwischen drei Möglichkeiten entscheiden müssen, wählen C.

9 der 36, die keine Ahnung haben, entscheiden sich für C.

Damit erhält C 43 Stimmen verglichen mit 19 Stimmen für jede der anderen drei Möglichkeiten. Obwohl nur jeder Siebte die Antwort sicher weiß, gelangt die Hälfte des Publikums zum richtigen Ergebnis. Indem die Zuschauer ihre einzelnen Wissensanteile summieren, können sie die richtige Antwort zutage fördern.

Es ist allerdings alles andere als klar, weshalb Wikipedia auf ähnliche Weise funktionieren sollte. Immerhin ist die Zusammenstellung eines bedeutsamen Wissensfundus etwas ganz anderes als die Beantwortung von Multiple-Choice-Fragen. Surowiecki weist darauf hin, dass man für die Weisheit der Vielen einen Mechanismus braucht, mit dem die einzelnen, unabhängigen Entscheidungen gesammelt werden, aber das ist bei einem Enzyklopädie-Eintrag nicht möglich. Angenommen, man bittet 100 Leute mit unterschiedlichem Kenntnisstand vom Islam, ihr Wissen niederzuschreiben. Es ist nicht klar, wie man diese verschiedenen Beiträge so tabellieren könnte, dass wie bei den Publikumsantworten im Quiz ein zusammenhängendes und umfassendes Ergebnis dabei herauskommt. In Wahrheit stützen sich die Wikipedianer bei der Entwicklung und Zusammenstellung ihrer Artikel auf weit weniger raffinierte Techniken, nämlich auf Kompromiss und Konsens. Aber ist dieser Ansatz genauso verlässlich wie die Arbeit traditioneller Enzyklopädien?

Im Jahr 2005 führten Journalisten der renommierten Zeitschrift *Nature* eine bekannt gewordene Untersuchung zu dieser Frage durch. Die Forscher nahmen je 42 Artikel über wissenschaftliche Themen aus der Wikipedia und der Encyclopaedia Britannica und schickten sie paarweise, ohne Angabe der Urheberschaft, an verschiedene Experten, die die Genauigkeit der Beiträge überprüfen sollten. Aus den erhaltenen Rückmeldungen zogen die Forscher den Schluss, dass sich die Wikipedia, was die Genauigkeit der Informationen betrifft, mit ihren traditionelleren Konkurrenten messen könne.

Doch die Untersuchung wies ernsthafte Mängel auf. Die Experten entdeckten Auslassungen in mehreren Britannica-Artikeln, da sie den ursprünglichen Eintrag in einigen Fällen nur auszugsweise geschickt bekommen hatten. Ein Experte erhielt lediglich eine 350 Wörter umfassende Einleitung zu einem 6000 Wörter langen Beitrag über Lipide. Andere Britannica-Artikel bestanden aus einem Mischmasch von Textpassagen, die aus zwei oder mehr Einträgen stammten und durch kurze Überleitungstexte der *Nature*-Journalisten miteinander verbunden waren. Die Journalisten unterschieden auch nicht zwischen kleineren Ungenauigkeiten und gravierenden Fehlern. Sie stuften alle gefundenen Fehler als gleichwertig ein. Tatsächlich berichteten die befragten Experten, viele der Wikipedia-Einträge seien »schlecht strukturiert und verwirrend«, sodass diesbezügliche Vergleiche zwischen den Beiträgen praktisch sinnlos seien.

Die Vorstellung, dass eine große, koordinierte Gruppe bessere Leistungen erbringen könne als eine kompetente Einzelperson, scheint ebenfalls zweifelhaft. Ein Gegenbeispiel ist das Online-Match zwischen dem Schachmeister Garri Kasparow und Tausenden von Amateuren, das als »Kasparow gegen die Welt« angekündigt wurde. In einer öffentlichen Abstimmung, an der jeder teilnehmen konnte, wurde über jeden einzelnen Zug des »Weltteams« entschieden. Insgesamt nahmen 50 000 Personen aus mehr als 75 Ländern teil. Dennoch ging nach vier Monaten und 62 Zügen nicht das Weltteam, sondern Kasparow als Sieger aus dem Match hervor.

Einen Gutteil ihres Erfolgs scheint die Wikipedia dem Umstand zu verdanken, dass das Vertrauen in Experten allgemein schwindet und sich damit eine lässigere Beziehung zur Wahrheit durchsetzt. Viele andere Webseiten haben sich diesem kulturellen Wandel angepasst und verwischen munter den Unterschied zwischen denjenigen, die relevante Kenntnisse anzubieten haben, und anderen, die von ihnen lernen könnten. Nehmen wir zum Beispiel die Webseiten des *Guardian* – einer der meistverkauften Zeitungen in Großbritannien: Die Artikel werden von erfahrenen Journalisten oder von bekannten Persönlichkeiten des öffentlichen Lebens recherchiert, geschrieben und online veröffentlicht. Doch am Ende vieler Beiträge werden die Leser aufgefordert, den Berichten ihre eigenen Kommentare hinzuzufügen. So erschien im *Guardian* kürzlich ein Artikel über die Beziehung zwischen China und Tibet. Verfasser war der frühere tschechoslowakische Präsident Václav Havel, renommierter Schriftsteller und Dramatiker, unter anderem ausgezeichnet mit dem Ambassador of Conscience Award von Amnesty International und der amerikanischen Freiheitsmedaille. Es darf sehr bezweifelt werden, dass Havels Beitrag durch anonyme, ihm angehängte Kommentare an Wert gewinnt.

Auch Nachrichtensendungen im Fernsehen verändern die Definition dessen, was als bedeutungsvolle Information gilt und was nicht. Eine im Jahr 2004 durchgeführte Studie von Wissenschaftlern der University of Cardiff zeigt, dass insbesondere Nonstop-Nachrichtensendungen im Hinblick auf eine informative, bedeutungsvolle Berichterstattung schlechte Arbeit leisten. Dafür werden mehrere Gründe genannt. Einer ist, dass 24-Stunden-Nachrichtensendungen ein unstillbares Bedürfnis nach Kommentaren von Politikern und anderen Personen des öffentlichen Lebens haben, die ihrerseits wiederum Public-Relations-Agenturen anheuern, da sie ohne deren Hilfe den Anforderungen der Nonstop-Nachrichtensender nicht gewachsen wären – und das führt ironischerweise zu weniger, nicht mehr Klarheit.

Da sich die Nonstop-Nachrichtensendungen zudem der Notwendigkeit bewusst sind, dass sie die Zuschauer vom Zappen abhalten müssen, bringen sie auch Interviews, die, wie die Forscher argumentieren, eher darauf angelegt sind, die Interviewpartner zu einer provokativen Äußerung zu verleiten – die dann ausführlich von den Kommentatoren diskutiert und analysiert wird –, als die Öffentlichkeit umfassend über ein Thema oder Ereignis zu informieren. Kritisiert wird auch der Zeitaufwand, der für »aktuelle Newsstorys« verschwendet wird, die in Wahrheit nur heiße Luft sind, wie zum Beispiel langatmige Diskussionen über die bevorstehende Rückkehr der britischen Fußballmannschaft von einer internationalen Meisterschaft, während man »Live«-Bilder von einer leeren Rollbahn sendet. Manchmal überschreiten solche Trivialitäten auch eindeutig die Grenzen des guten Geschmacks, wie bei den regelmäßig aktualisierten TV-Berichten über den sterbenden Papst Johannes Paul II. im Jahr 2005, in denen sein fortschreitendes Herz- und Nierenversagen in allen Einzelheiten geschildert wurde.

Schon das reine Format der 24-Stunden-Nachrichten, die schnellen Zusammenfassungen von fortlaufenden Storys gewidmet sind, bringt es mit sich, dass im Grunde weniger, nicht mehr Zeit für eine gründliche Recherche und Analyse der Nachrichten zur Verfügung steht als bei einer einzelnen Hauptnachrichtensendung am Abend. Die Folge ist, so das Resümee der Forscher, dass die Zuschauer dieser Nonstop-Nachrichten tatsächlich schlechter informiert sind als jene, die eine einzelne Hauptnachrichtensendung mit etwas ausführlicheren Analysen und Hintergrundinformationen sehen.

Werbe-Attacken

Die Informationsexplosion unserer Zeit reicht weit über die eigenen vier Wände hinaus. Wohin wir auch gehen – die Werbung ist schon da und findet sich an den unwahrscheinlichsten Orten, von Zapfsäulen und Fahrstühlen über Drehkreuze und Briefkästen bis hin zu Mülleimern und sogar als Aufkleber auf frischem Obst. Werbefachleute werden zu Opfern ihres eigenen Erfolgs, da öffentliche Räume zunehmend unter »Werbemüll« leiden, und sind gezwungen, noch originellere (und aufdringlichere) Methoden zu erfinden, um ihre Produkte anzupreisen. Drei neuere Beispiele: Die kalifornische milchverarbeitende Industrie ließ ein Häuschen an einer Bushaltestelle in San Francisco errichten, das nach Keksen roch (bis die städtischen Behörden den Abriss anordneten). McDonalds Logo erschien auf Zeugnissen, die an Grundschüler in Florida verteilt wurden. Sogar der Weltraum ist nicht mehr sicher: Im Jahr 2000 schoss die russische Raumfahrtbehörde eine Rakete ab, die eine 90 Meter große Pizza-Hut-Werbung zeigte.

Kritiker warnen vor diesem allgegenwärtigen Bombardement unserer Sinne: Sie argumentieren, dass sich die Werbung zunehmend in alle Lebensbereiche einschleicht (»Ad creep«), öffentliche Plätze verschandelt, in die Privatsphäre des Einzelnen eindringt und sein Recht auf persönlichen Freiraum verletzt. Sogar einige Insider der Werbebranche sind besorgt, dass zu viel Werbung tatsächlich kontraproduktiv sein könnte, weil die Konsumenten dieses Überangebot abwehren, indem sie einfach »abschalten«.

Werbebotschaften schwelgen in kühnen Bildern und vager Sprache. Ein Reinigungsmittel beispielsweise, das von sich behauptet, ein »praktisch makelloses Geschirr zu hinterlassen«, ist ein Beispiel für den Gebrauch einer »Worthülse« – eine hohle Phrase (»praktisch«), die die folgende Behauptung negiert. Zu weiteren verbreiteten Worthülsen in der Werbung gehören »kann«, »bis«, »so gut wie« oder »gleicht«. Ein weiteres Beispiel für eine unbestimmte Sprache in der Werbung ist die unausgeführte Behauptung, die ein Produkt als »besser« anpreist, ohne nähere Angaben zum Wesen des Vergleichs zu machen: »X gibt Ihnen mehr« lässt die Frage offen, wovon wir mehr bekommen.

Schwieriger auszumachen sind die zweifelhaften Wirksamkeitsbehauptungen, die charakteristisch für einen Großteil der Werbung sind, insbesondere in Verbindung mit großartig klingenden Statistiken. Häufig sollen Zahlen zeigen, dass die Konsumenten ein Produkt als höchst effizient bewerten: »80 Prozent der Frauen sagen, sie haben nach nur 7 Tagen einen Unterschied festgestellt.« Die Anzahl der befragten Personen ist allerdings in der Regel sehr gering – weniger als 100 –, und es bleibt auch unklar, wie die Daten erhoben wurden.

Gruppendruck ist eine besonders heimtückische Form der Werbung. Diese Methode arbeitet mit einem Fehlschluss, der unter dem Fachbegriff »Ad Populum«-Argument bekannt ist: Alle anderen benutzen/essen/tragen/fahren dieses Produkt – also sollte ich das auch tun. Das Argument ist falsch, weil die Tatsache, dass viele Menschen etwas tun, an sich noch kein Grund dafür ist, dass man es selbst auch tun sollte. Werbeslogans wie »Das meistverkaufte XY« oder »Die Nummer eins der verkauften …« machen sich dieses Prinzip zunutze.

Jugendliche sind besonders anfällig für Gruppendruck, da sie noch dabei sind, ihre Wertvorstellungen und ihr Selbstbild zu entwickeln. Eine im Jahr 2006 durchgeführte Studie der University of Connecticut bestätigte, dass Jugendliche und junge Erwachsene, die viel Alkoholwerbung sehen, tatsächlich dazu neigen, mehr zu trinken. Die Forscher befragten 4000 Amerikaner im Alter zwischen 15 und 26 Jahren nach ihren Trinkgewohnheiten und ihrem Werbekonsum. Sie stellten fest, dass jede zusätzlich gesehene Alkoholwerbung pro Monat mit einem einprozentigen Anstieg der durchschnittlich konsumierten Alkoholmenge einherging. Etwas optimistischer stimmen neuere Forschungsergebnisse, denen zufolge Jugendliche, die lernen, Alkoholwerbung kritisch zu bewerten, eher in der Lage sind, der Versuchung zu widerstehen.

Werbefachleute setzen neben Sprache und Bildern noch weitere »Tricks und Kniffe« ein, um die Wahrnehmungen und Entscheidungen von Konsumenten zu beeinflussen. Psychologen der Northwestern University stellten fest, dass man die Vorlieben der Menschen radikal verändern kann, indem man ganz simple Anpassungen in der Art vornimmt, wie das Produkt präsentiert wird – was sie den »Effekt der Wahrnehmungsfokussierung« nennen. Bei Tests wurden Probanden aufgefordert, zwischen zwei Sofas zu wählen – eines hatte weichere Polster verglichen mit einem anderen, das haltbarer war.

Das haltbarere Sofa gewann – nur 42 Prozent wählten das Sofa mit den weichen Kissen. Doch als die beiden Sofas zusammen mit drei weiteren Sofas präsentiert wurden, die ebenfalls haltbarer waren, stieg die Vorliebe für das weiche Sofa auf 77 Prozent an.

Nach Ansicht des Neurowissenschaftlers Brian Knutson von der Stanford University sind derartige Ergebnisse darauf zurückzuführen, dass Menschen sich bei ihren Entscheidungen weit stärker von ihrer Intuition und ihrem Gefühl leiten lassen als von rationalen Überlegungen, eine Theorie, die er in seinem Labor überprüfte. Knutson gab Probanden 20 Dollar und zeigte ihnen, während sie in einem Scanner lagen, eine Reihe von Produktbildern mit Preisangaben. Dann erhielten die Probanden die Option, jeden der gezeigten Gegenstände zu kaufen. Wenn die Teilnehmer sich Produkte ansahen, die ihnen besonders gut gefielen, zeigte der Scanner eine Aktivität im Nucleus accumbens an – einer Hirnregion, die an der Vorwegnahme erfreulicher Ergebnisse beteiligt ist. Wenn die Probanden den Preis des Produkts allerdings für zu hoch hielten, zeigte der Scanner eine erhöhte Aktivität in der Insula – ein Areal, das an der Antizipation von negativen Gefühlen beteiligt ist. Wenn man Leuten direkt ins Gehirn schaut, bevor sie bestimmte Entscheidungen treffen, so Knutsons These, kann man erkennen, welche Gefühle durch ein bestimmtes Produkt geweckt werden, und vorhersagen, wie sich die Leute verhalten werden (ob sie zum Beispiel, wie in diesem Fall, ein Produkt kaufen oder nicht kaufen).

Bildgebende Verfahren bieten auch eine Erklärung für den großen Einfluss von Markennamen. In unserem Alltagsleben spart das Gehirn Zeit, indem es den Entscheidungsprozess abkürzt und effizientere Analysemechanismen einführt. Diese Abkürzungen bedeuten, dass zum Beispiel frühere Erfahrungen wesentlich wichtiger für die Entscheidung eines Konsumenten sind als sorgfältige Werturteile oder Risiko-Nutzen-Abwägungen. Markennamen sind vertraut und deshalb verkaufen sie sich gut. Dennoch ist das Kaufverhalten wie alle Verhaltensweisen komplex – eine Mischung aus persönlichen und neurologischen Faktoren. Und je mehr Veröffentlichungen es über diese Art von Forschung gibt, desto mehr Einzelheiten werden hoffentlich auch ins allgemeine Bewusstsein dringen. Wenn wir als Konsumenten genauso viel über die Arbeitsweise unseres Gehirns wissen wie die Werbespezialisten, wird es uns leichter fallen, gute Entscheidungen zu treffen und schlechte zu vermeiden.

Die Bewältigung der Informationsflut

Unsere Welt erzeugt heute mehr Informationen als je zuvor in der Geschichte: Fernseh- und Radiosendungen, Handys, Werbung, Bücher, Zeitungen, Zeitschriften, Werbespots, Plakatwände, E-Mails, Webseiten, Blogs, Faxe – die Liste ist endlos. Unbestreitbar hat der freie und reiche Informationsfluss viele Vorteile für unser Leben gebracht, doch viele Menschen stellen fest, dass es tatsächlich gelegentlich zu viel des Guten geben kann.

Die Überflutung durch einen ständigen Mahlstrom von Informationen kann genauso schädlich für uns sein wie zu wenig Informationen; beide Extreme wirken sich hinderlich auf ein sorgfältiges Nachdenken aus, auf unsere Fähigkeit, bedeutungsvolle Verbindungen zwischen zerstreuten Fakten oder Ideen herzustellen, sie erschweren es, komplexe Themen und Ereignisse, uns selbst und unser Umfeld richtig zu verstehen. Das heutige »Zuviel« an Informationen untergräbt sowohl die Lebendigkeit als auch die Genauigkeit unseres Denkens.

1997 griff der Journalist David Shenk viele dieser Probleme in seinem Buch *Datenmüll und Infosmog* auf und behauptete, dass moderne Formen der Information sich schneller vervielfachten als unsere Fähigkeit, sie zu verarbeiten. Nach Ansicht von Shenk führt diese rapide, unaufhörlich wachsende Datenfülle zu einer »Informationsschwemme«, die unsere Lebensqualität alles andere als steigert.

Zahlreiche Untersuchungen von Psychologen bestätigen, dass zu viele Informationen schädlich für das Gehirn sein können. Der britische Psychologe David Lewis beschreibt die negativen Auswirkungen des Datensmogs – von Schlaflosigkeit bis zu schlechtem Konzentrationsvermögen – als »Informations-Fatigue-Syndrom«. In seinen Fallstudien über Führungskräfte aus der Wirtschaft berichtet Lewis von Symptomen, die von Reizbarkeit bis zu Herzkrankheiten und Bluthochdruck reichen. Seine Untersuchungen zeigen auch, dass Arbeiter, die mit einem Übermaß an Informationen ringen, eher Fehler machen oder andere missverstehen und länger arbeiten müssen, um die Flut neuer Informationen zu bewältigen.

Angesichts eines Überangebots an Informationen versuchen viele Menschen mehrere Dinge gleichzeitig zu tun. Wissenschaftliche Studien deuten allerdings darauf hin, dass dieser Versuch nicht zur Lösung des Problems beiträgt. René Marois, Neurowissenschaftler und Leiter des Human Information Processing Laboratory an der Vanderbilt University, führte ein Experiment durch, um zu messen, wie viel Effizienz verloren geht, wenn man zwei Aufgaben gleichzeitig ausführt. Die erste Aufgabe bestand darin, die richtige Taste in Reaktion auf einen von acht Tönen zu drücken; bei der zweiten Aufgabe sollten die Probanden den korrekten Vokal angeben, nachdem sie eines von acht Bildern gesehen hatten. Als sie die Aufgaben nacheinander durchführten, schnitten die Probanden bei beiden Aufgaben gleich gut ab. Doch als sie aufgefordert wurden, die beiden Aufgaben gleichzeitig auszuführen, stellten die Wissenschaftler fest, dass die Leistungsfähigkeit bei der zweiten Aufgabe signifikant schlechter war.

Zu den häufigsten negativen Nebenwirkungen der Informationsüberlastung gehört es, dass die Aufmerksamkeit nachlässt und damit Zeit und Effizienz verloren gehen. Eric Horvitz und sein Kollege Shamsi Iqbal untersuchten, wie sich die Ablenkung etwa durch E-Mails oder Websurfen auf die Fähigkeit auswirkt, schwierige geistige Aufgaben auszuführen, beispielsweise darauf, Berichte oder Computerprogramme zu schreiben. Sie stellten fest, dass die Beantwortung einer E-mail oder Instant-Message die Mitarbeiter erheblich in ihrem Schwung bremste: Nach der Unterbrechung brauchte jeder im Schnitt 15 Minuten, bevor er wieder produktiv arbeiten konnte. Außerdem blieb es selten bei der einen Ablenkung, da die Mitarbeiter auf weitere Mitteilungen reagierten oder anfingen, Webseiten durchzublättern. Die Kosten, die der amerikanischen Wirtschaft durch solche Produktivitätsverluste entstehen, belaufen sich einer Schätzung zufolge auf immerhin 650 Milliarden Dollar pro Jahr.

Viele hoffen darauf, dass die Technik dieses Problem, das sie schließlich mit verursacht hat, auch wieder lösen wird. Antispam-Filter sind ein gutes Beispiel dafür. Spam – der Name für das wahllose Versenden unangeforderter Mitteilungen – ist ein besonders frustrierendes Problem für jeden Netzbenutzer, da sie schätzungsweise vier Fünftel aller E-Mails ausmachen. Der Inhalt dieser Botschaften ist häufig anstößig oder zielt in betrügerischer Absicht auf die Habgier oder Leichtgläubigkeit der Empfänger. Glücklicherweise kann man effektive E-Mail-Filter und Quarantäne-Ordner einsetzen, um die Menge der Spam-Mails beträchtlich zu reduzieren.

Internet-Berater empfehlen zudem, sich einfach an die Regeln des gesunden Menschenverstandes zu halten, um Cyber-Junkmail zu vermeiden. Zu diesen Ratschlägen gehört zum Beispiel, dass man nie auf irgendeine Spam-Mail antworten sollte, auch nicht, um den Versender aufzufordern, einen von der Kontaktliste zu streichen, und dass man es tunlichst vermeiden sollte, seine tatsächliche E-Mail-Adresse anzugeben, wenn man eine Nachricht bei einer Newsgroup eingibt. Das Beste ist, man behandelt seine E-Mail-Adresse genauso wie die eigene Postanschrift, bei der man sich ja auch überlegt, an wen man sie weitergibt.

Der Informatiker Gordon Bell von der Washington State University hat eine extremere technische Lösung für das Problem der Informationsüberlastung entwickelt. Seit zehn Jahren arbeitet Bell an einem riesigen digitalen Archiv, und zwar archiviert er sein eigenes Leben auf einem Computer, den er als sein »Ersatzgehirn« bezeichnet. Eine winzige Kamera, die Bell um den Hals trägt, fängt jede Minute seiner täglichen Erfahrungen ein und ein Audiorekorder zeichnet den Inhalt jedes Gesprächs auf. Sein Archiv umfasst mehr als 100 000 E-Mails, 58 000 Fotos, Abertausende von aufgezeichneten Telefonanrufen und Logs jeder Webseite, die er seit 2003 besucht hat.

Bells »Lifelogging«-Experiment hat viele Bewunderer, aber auch Verächter gefunden. Einige halten ihn für den Wegbereiter einer nicht allzu fernen Zukunft, in der wir durch virtuelle Erinnerungen spielend mit unserer Datenflut fertig werden. Frank Nack, Informatiker wie Bell, ist anderer Ansicht und betont stattdessen die große Bedeutung des Vergessens. Wenn wir nicht fähig wären, bestimmte Vorfälle aus unserer Vergangenheit zu vergessen, so Nack, könnten wir zum Beispiel anderen Menschen nicht mehr vergeben. Einige Kritiker befürchten auch, dass es sich hemmend und belastend auf unsere sozialen Kontakte auswirken würde, wenn wir unser Leben aufzeichnen, weil jeder das Gefühl hätte, ständig für die Kamera zu posieren.

Ein weiteres Problem mit den »Ersatzgehirnen« ist der negative Effekt, den sie auf unsere echten haben. 2007 befragte der Neurowissenschaftler Ian Robertson 3000 Erwachsene und bat sie um die üblichen persönlichen Daten. Er stellte fest, dass weniger als 40 Prozent der unter Dreißigjährigen sich an das Geburtsdatum irgendeines Verwandten erinnern konnten. Noch überraschender war das Ergebnis, dass volle 33 Prozent der Befragten ihr Handy konsultieren mussten, um ihre eigene Telefonnummer angeben zu können.

Weit bedeutsamer als das Vergessen solcher Details ist allerdings die Verarmung unseres Selbstverständnisses, die dadurch entsteht, dass wir das Gehirn mit dem Datenspeicher eines Computers vergleichen. Wie in Kapitel 3 ausgeführt, sind unsere Erinnerungen keine Datenbits, sondern komplexe Muster von Geschichten, Bildern und Gefühlen. Ähnlich äußerte sich auch der Dichter Derek Walcott in der Rede, die er 1992 anlässlich der Verleihung des Literaturnobelpreises hielt: Er verglich unsere Erinnerungen mit den

Scherben einer heiß geliebten Vase, die wir wieder zusammenkleben. Genau dieser Akt, durch den wir die Scherben wieder kitten, so Walcott, helfe uns zu lieben.

Eine viel wichtigere Rolle als technische Lösungen spielen unsere persönlichen Entscheidungen und Handlungen. Wir können durch unser eigenes Verhalten dazu beitragen, die Probleme der Informationsschwemme zu bekämpfen, indem wir uns bemühen, sie unter Kontrolle zu bringen. Sich selbst Grenzen und Termine zu setzen ist die vielleicht einfachste Methode, dies zu tun: Dazu kann zum Beispiel gehören, das Handy außerhalb des Büros auszuschalten oder die eingegangenen Mails nur einmal pro Stunde zu überprüfen.

Wer lernt, systematisch nach gewünschten Informationen zu suchen, kann ebenfalls eine Menge Zeit und Energie sparen. Die Eingabe einzelner Wörter in Suchmaschinen ist zum Beispiel nie so effizient wie die Eingabe mehrerer spezifischer Begriffe und Satzzeichen. Wenn man etwa »first novel« und »Sherlock Holmes« eingibt (die Anführungszeichen sagen der Suchmaschine, dass sie die davon eingeschlossenen Wörter als zusammenhängenden Begriff suchen soll), erhält man beim ersten Versuch 70 000 Ergebnisse und die gesuchte Antwort (»A Study in Scarlet«), verglichen mit 320 000 Ergebnissen, wenn man keine Anführungszeichen verwendet.

Empfehlenswert ist auch, sich gelegentlich vom Computer loszureißen und die örtlichen Bibliotheken aufzusuchen. Hier werden Informationen nach einem klaren, durchdachten System gespeichert, das einen schnellen Zugriff auf Abertausende von Büchern zu den verschiedensten Themen ermöglicht. Sich zwischen den Regalen einer Bibliothek zurechtzufinden, ist eine nützliche, wenn auch leider unterschätzte Fähigkeit. Die meisten Bibliotheken benutzen das sogenannte Dewey-Dezimalklassifikationssystem (benannt nach dem Bibiliothekar Melvil Dewey), um ihre Sachbücher in spezifische Kategorien zu ordnen. Nach dem Dewey-System finden sich Bücher zum selben Thema am selben Ort und Bücher über verwandte oder ähnliche Themen ganz in der Nähe. Auf diese Weise spiegelt die räumliche Anordnung die inhaltlichen Beziehungen oder andere Gemeinsamkeiten der Bücher wider – je enger die Verwandtschaft zwischen zwei Büchern, desto dichter stehen sie in den Regalen der Bücherei beieinander. Das System gibt jedem Buch einen einmaligen dreistelligen Code und verteilt sie nach einer komplizierten, aber wunderbar intuitiven Klassifikation auf eine von zehn Hauptkategorien:

Abschnitt 000–099: Allgemein: Enzyklopädien, Verzeichnisse, Fakten- und Datensammlungen, IT und paranormale Erscheinungen

Abschnitt 100–199: Philosophie und Psychologie: Ideengeschichtliches und Bücher über Geist und Seele

Abschnitt 200–299: Religion: Religions- und Glaubenssysteme

Abschnitt 300–399: Soziale Fragen: Wesen und Funktion der Gesellschaft

Abschnitt 400–499: Sprachen

Abschnitt 500–599: Naturwissenschaft: Mathematik, Astronomie, Physik, Chemie, Natur, Pflanzen, Vögel und Tiere, das Wetter

Abschnitt 600–699: Technik: Maschinen und Erfindungen, Elektronik, Medizin und der menschliche Körper, Landwirtschaft, Haustiere, Nahrung und Kochen

Abschnitt 700–799: Die Künste: Zeichnen, Malen, Fotographie, Musik, Tanz, Theater, Hobbys und Sport

Abschnitt 800–899: Literatur: Gedichte, Theaterstücke und Literaturkritik

Abschnitt 900–999: Geschichte, Geographie und Biographie

Diese Abschnitte werden dann in Untergruppen unterteilt, zum Beispiel:

Abschnitt 700–709: Die Künste. Allgemeine Werke

Abschnitt 710–719: Stadtplanung

Abschnitt 720–729: Architektur

Abschnitt 730–739: Bildhauerei

Abschnitt 740–749: Zeichnen/dekorative Kunst

Abschnitt 750–759: Malerei und Gemälde

Abschnitt 760–769: Druck und Grafik

Abschnitt 770–779: Fotographie

Abschnitt 780–789: Musik

Abschnitt 790–799: Theater, Spiele, Sport

Jede dieser Untergruppen wird abermals nach spezifischen Themen unterteilt:

730: Bildhauerei

731: Methoden, Formen und Themen der Bildhauerei

732: Skulpturen bis 500 v. Chr.

733: Griechen, Etrusker und Römer

734: Skulpturen ab 500 v. Chr. bis 1399 n. Chr.

735: Skulpturen ab 1400

736: Schnitzen und Schnitzereien

737: Münzen

738: Keramik

739: Metall

Eine weitere Themenspezialisierung erfolgt, indem man den Zahlen einen Punkt und Dezimalzahlen hinzufügt (je mehr Dezimalstellen, desto spezialisierter das Thema):

738.1:   Keramik und Töpfern

738.12:   Ton

738.2:   Porzellan

738.23:   Brennöfen

etc.

Es ist nicht erforderlich, sich jede Zahl im Dewey-Dezimalsystem zu merken: Bibliotheken verwenden alphabetische Themen-Register, die dem Suchenden ermöglichen, ein Thema nachzuschlagen und die Zahl neben dem Buchtitel zu finden. Bemerkenswert ist auch, wie natürlich sich die Anordnung der Bücher entfaltet: Das System beginnt mit dem Allgemeinen (Enzyklopädien, Wörterbücher etc.), bewegt sich dann zu Denksystemen weiter (philosophischer, religiöser und sozialer Art), bevor es die Natur- und Geisteswissenschaften in Angriff nimmt. Auch die Unterkategorien folgen einer gefühlsmäßigen Ordnung, gehen vom Allgemeinen zum eher

Spezifischen und nutzen gelegentlich Mittel wie die Chronologie, um die Informationen in eine sinnvolle Reihenfolge zu bringen.

Deweys System ist ein organisatorisches Meisterwerk, doch mit meiner detaillierten Beschreibung möchte ich vor allem ein wichtiges philosophisches ebenso wie praktisches Prinzip verdeutlichen: Informationen sind bedeutungslos, wenn man sich keinen Reim darauf machen kann, und das erfordert ein inneres System von Ideen und Gedanken, mit dessen Hilfe man die Informationen in einen Zusammenhang setzen und sie mit bereits erworbenen Kenntnissen verknüpfen kann.

Viele Menschen haben keine zusammenhängende Weltanschauung, anhand derer sie neue Informationen bewerten und einordnen können. Das Problem mit der Informationsflut ist vielleicht weniger die Quantität als vielmehr die Ratlosigkeit angesichts der Frage, was man damit anfangen soll. Eine mögliche Ursache ist die häufige Verwechslung von Informationen mit Ideen. In seinem Buch *Der Verlust des Denkens* weist der Historiker Theodore Roszak darauf hin, dass der Geist mit Ideen, nicht mit bloßen Informationen arbeitet: »Der Primat liegt bei den Ideen, denn Ideen definieren, enthalten und erzeugen schließlich Informationen.« Roszak geht noch weiter, indem er behauptet, dass »große Ideen«, wie etwa die der amerikanischen Gründungsväter von der »Gleichheit aller Menschen«, auf keinerlei Informationen beruhen. Seiner Ansicht nach sind solche Ideen vielmehr das Ergebnis einer dem Menschen angeborenen Sensibilität, die über das Verständnis von Datenreihen hinausreicht und fähig ist, diese transzendenten Denkmuster zu erkennen und zu synthetisieren. Eine persönliche Weltanschauung trägt dann dazu bei, die Informationen wieder in die richtige Perspektive zu rücken und sie intuitiv richtig einzuordnen – wie die Bücher in einer Bibliothek.

Wie erschaffen wir ein solches System von Ideen und Vorstellungen in unseren Köpfen? Ein guter Anfang ist die Kultivierung einer gesunden Neugier auf uns selbst, auf das Leben und die uns umgebende Welt. Wir sollten nie aufhören, Fragen zu stellen, auch wenn die Antworten im Moment jenseits unseres Begriffs- oder Erkenntnisvermögens zu liegen scheinen. Wenn wir dem, wie ich glaube, allen Menschen innewohnenden Bedürfnis folgen, zu tieferen Wahrheiten über unsere Existenz vorzudringen, werden wir jede neue Lernerfahrung freudig begrüßen.

Außerdem sollten wir uns stets bewusst sein, dass es ein gewaltiger Unterschied ist, ob wir den Namen für etwas wissen oder ob wir es wirklich erkannt haben. Der Nobelpreisträger für Physik Richard Feynman zitierte häufig das folgende Argument seines Vaters:

»Siehst du den Vogel da?«, fragt er. »Das ist eine Spencer-Grasmücke.« (Ich wusste, dass er den richtigen Namen nicht kannte.) »Nun, auf Italienisch heißt er Chutto Lapittida. Auf Portugiesisch Bom da Peida. Sein chinesischer Name lautet Chung-long-tah und sein japanischer Name ist Katano Takeda. Du kannst den Namen dieses Vogels in allen Sprachen der Welt erlernen und wirst doch am Ende nicht das Geringste über ihn wissen. Du wirst nur etwas über Menschen an verschiedenen Orten wissen und darüber, wie sie den Vogel nennen. Also, lass uns den Vogel anschauen und sehen, was er tut – nur das zählt!«

Wann immer möglich, sollten wir unsere Fantasie spielen lassen, vor allem bei »Denkexperimenten«, die uns zwingen, darüber nachzudenken, welche Konsequenzen es hätte, wenn etwas wahr wäre. Denken Sie zum Beispiel an den oben erwähnten Großstadtmythos über die Alligatoren in der New Yorker Kanalisation. Überlegen Sie einen Moment, welche Folgen es hätte, wenn diese Geschichte tatsächlich wahr wäre. Ein Beamter merkte dazu trocken an: »Wenn diese Alligatoren tatsächlich existierten, würde die Kanalarbeiter-Gewerkschaft eine Lohnerhöhung für das zusätzliche Arbeitsrisiko fordern!«

Das Wichtigste ist vielleicht, dass wir jede neue Information, die wir lesen oder sehen oder hören, als möglichen Bestandteil in einem Puzzle und nicht einfach als Selbstzweck betrachten. Die Aufnahme von Informationen ist nicht dasselbe wie Lernen oder Nachdenken, vom Leben ganz zu schweigen. Informationen sind eher wie Bausteine, die wir nutzen können, um Reflexionen, Bewertungen und Erkenntnisse in unseren Köpfen aufzubauen. Wie jeder einzelne Mensch ist jeder Datenpunkt am bedeutungsvollsten, wenn er zu etwas beiträgt, das größer ist als er selbst.

9. In Zahlen denken

Das Schöne am mathematischen Denken ist, dass man es überall treiben kann. Alles, was man braucht, ist ein wenig Ruhe und viel Geduld. Die Bereitschaft, über das hinauszuschauen, was als allgemein anerkannte Meinung gilt, hilft ebenfalls. Um zu verdeutlichen, was ich meine, will ich mit einer vertrauten Frage beginnen: »Wie oft kann man ein Blatt Papier auf die Hälfte zusammenfalten?« Bis vor einigen Jahren fand sich in vielen Büchern die Antwort: sieben bis acht Mal. Einige Lehrer falteten sogar im Unterricht Papierblätter zusammen, um diese »Tatsache« zu demonstrieren. Doch im Jahr 2001 wies eine Highschool-Schülerin aus dem kalifornischen Pomona nach, dass sie alle falschlagen.

Britney Gallivan war von den Ausführungen ihres Mathematiklehrers nicht überzeugt und beschloss, die Anzahl der Papierfaltungen zu überprüfen. Sie fragte sich, ob die Anzahl der möglichen Faltungen mit der Länge und Dicke des Papiers zusammenhängen könnte. Ihr fiel auf, dass man einen Zettel von Briefgröße in sechs immer kleiner werdende Hälften falten konnte, bei größeren Blättern jedoch sieben bis acht Faltungen möglich waren. Offenbar entschied also das Verhältnis zwischen der Dicke und der Länge des Papiers darüber, wie oft es sich falten ließ.

So hat zum Beispiel ein besonders dünnes DIN-A 4-Blatt eine

Länge, die etwa 10 000-mal größer ist als seine Dicke. Wenn man es einmal gefaltet hat, ist es 2500-mal länger als dick, nach vier Faltungen ist es 39-mal länger, nach 6 Faltungen 2,5-mal. Eine siebte Faltung ist unmöglich, weil die Länge des Papiers im Verhältnis zu seiner Dicke nicht ausreicht. Nehmen wir jetzt an, dass das Blatt 50-mal länger ist (500 000-mal länger als dick). Nach 6 Faltungen ist es immer noch 122-mal länger als dick. Tatsächlich lässt sich das Blatt 9-mal falten, bevor es ein ähnliches Länge-Dicke-Verhältnis erreicht wie das Blatt im ersten Beispiel.

Nach einigen weiteren Berechnungen hielt Gallivan es für möglich, ein Blatt Papier 12-mal zu falten, aber die Sache hatte einen Haken. Um das zu erreichen, müsste sie ein Blatt finden, dass eine Meile lang war. Mit bewundernswerter Ausdauer entdeckte Gallivan schließlich eine Papierrolle von ausreichender Länge und überredete ihre Eltern, ihr dabei zu helfen, dieses »Blatt« in einem Einkaufszentrum zusammenzufalten. Nach sieben Stunden hatte sie das Papier zum elften Mal auf die Hälfte zusammengefaltet und posierte für Fotos. Bemerkenswerterweise reichte die Papierlänge immer noch aus, um das Papier, wie sie es vorausgesagt hatte, ein weiteres Mal zu falten.

Gallivans Geschichte macht deutlich, dass mathematisches Denken nicht nur etwas für Mathematiker ist. In diesem Kapitel möchte ich aufzeigen, dass jeder von dieser Mischung aus präzisem und doch fantasievollem Denken profitieren kann. Wir werden sehen, wie diese Denkweise uns hilft, alle möglichen Phänomene der Realität zu verstehen, von Lotterien bis hin zu Wahlsystemen. Außerdem möchte ich eine Reihe von populären Irrtümern aufklären, die sich – fälschlicherweise – auf die Mathematik berufen. Schließlich erörtere ich, wie jeder Mensch seine Fähigkeit zum sorgfältigen Nachdenken verbessern und erstaunlich verbreitete Fehler vermeiden kann. Werfen wir zunächst einen Blick auf einige der wichtigsten statistischen Ausdrücke und Begriffe und wie sie dazu beitragen können, unsere allgemeinen Denkfähigkeiten zu verbessern.

Der moderne Status quo

Der Science-Fiction-Autor H. G. Wells stellte einmal folgende kühne Behauptung auf:»Statistisches Denken wird für eine erfolgreiche Staatsbürgerschaft eines Tages genauso wichtig sein wie die Fähigkeit zum Lesen und Schreiben.« Diese These, vor fast 100 Jahren aufgestellt, bewies eine bemerkenswerte Weitsicht. Immerhin wird ein Großteil der Informationen im 21. Jahrhundert numerischer Art sein. Die Unfähigkeit, diese Zahlen zu verstehen, wird ein ebenso großes Handicap sein wie das Analphabetentum.

Der amerikanische Mathematiker John Allen Paulos definiert den Begriff»mathematisches Analphabetentum«, der unter anderem durch sein Buch *Zahlenblind* allgemein bekannt wurde, als die Unfähigkeit, in ausreichender Weise mit den fundamentalen Begriffen von Zahl und Wahrscheinlichkeit zurechtzukommen. Paulos zufolge ist dieses Unvermögen das Ergebnis eines schlechten Mathematikunterrichts in der Grundschule und einer Kultur, in der viele Menschen von einem perversen Stolz auf ihr Unverständnis für Zahlen erfüllt sind. Seiner Ansicht nach ist dieses mathematische Analphabetentum ein ernstes Problem, weil es das allgemeine logische Denkvermögen und die Fähigkeit, gute Entscheidungen zu treffen, ernsthaft beeinträchtigt.

Nehmen wir das folgende Beispiel, eine Anekdote, die der Soziologe Joel Best in seinem Buch *Damned Lies and Statistics* beschreibt. 1995 nahm Best an einer Disputation teil, bei der der Kandidat argumentierte, dass sich die Zahl der jungen Menschen, die durch Schusswaffen getötet oder verletzt würden, seit 1950 jährlich verdoppelt hätte. Er berief sich dabei auf einen wissenschaftlichen Artikel, der seine Behauptung angeblich bestätigte. Leider stimmt diese»Tatsache« nicht mit der Wirklichkeit überein: Sogar wenn man annimmt, dass es 1950 nur einen einzigen Schusswaffenvorfall gab, würde eine jährliche Verdopplung bedeuten, dass es 2 derartige Ereignisse im darauffolgenden Jahr gab, 4 im nächsten, 8 in dem darauffolgenden Jahr und so weiter. 1965 wären laut der vom

Kandidaten bemühten Statistik über 32 000 junge Menschen durch Schusswaffen zu Tode gekommen oder verletzt worden – eine Zahl, die weit höher liegt als die dokumentierte Gesamtzahl der mit Schusswaffen verbundenen Ereignisse in jenem Jahr. Wenn wir mit der Verdopplung fortfahren, stellen wir fest, dass im Jahr 1980 eine Milliarde junger Menschen getötet oder verletzt wurden – vier Mal mehr als die Gesamtbevölkerung der USA. Für 1987 wäre die Zahl höher als die Gesamtanzahl der Menschen, die je auf der Erde gelebt haben.

Solche Geschichten statistischer Verwirrung sind alles andere als eine Ausnahme. Viele Menschen haben Schwierigkeiten damit, die Arten von riesigen Zahlen zu erfassen, die häufig von den Medien, Wissenschaftlern und Politikern verwendet werden. Die mengenmäßige Bestimmung sehr großer Zahlen durch einfache visuelle Analogien ist eine wirksame Methode, um dieses Problem zu vermeiden. 100 000 zum Beispiel entspricht der Anzahl der Wörter in einem recht großen Roman; eine Million entspricht dann also der Wortzahl von ungefähr zehn derartigen Romanen; und eine Milliarde entspricht der Anzahl der Wörter, die in 100 Regalen à 100 Romanen enthalten sind. Man kann solche Zahlen auch mit der Zeit vergleichen: Wenn man in jeder Sekunde ein Wort spricht, würde man etwas mehr als einen Tag brauchen, um 100 000 Wörter auszusprechen; etwa eineinhalb Wochen für eine Million Wörter und fast 32 Jahre für eine Milliarde.

Schauen wir uns jetzt einige der am häufigsten verwendeten statistischen Begriffe an, angefangen mit »Durchschnitt«, »Mittelwert«, »Modalwert«. Angenommen, wir fragen zehn zufällig ausgewählte Leute nach ihrem Alter und erhalten die folgenden Antworten: 7, 13, 19, 27, 27, 48, 51, 60, 75 und 83. Das Durchschnittsalter der Gruppe ergibt sich, indem man all diese Werte addiert und die Summe dann durch die Anzahl der Ergebnisse teilt:

$7 + 13 + 19 + 27 + 27 + 48 + 51 + 60 + 75 + 83 = 410 : 10 = 41$. Der Mittelwert ist der mittlere Wert in der Liste (mit aufsteigend geordneten Werten). Wenn es – wie in unserer Altersliste – eine gerade Gesamtsumme der Werte gibt, addieren wir die mittleren beiden und teilen diese Zahl durch zwei: 27 + 48 = 75 : 2 = 37,5. Der Modalwert ist die Zahl, die am häufigsten in der Liste auftaucht. Im obigen Beispiel erscheint das Alter 27 zweimal, während die anderen nur einmal auftauchen: Der Modalwert ist also 27.

Wie wir gesehen haben, können sich der Durchschnitts-, Mittel- und Modalwert einer Stichprobe erheblich voneinander unterscheiden, und diese Unterschiede erweisen sich mitunter als irreführend. Angenommen, Sie lesen die Stellenanzeige eines Unternehmens, in der angegeben wird, dass das Durchschnittsgehalt bei 5000 Dollar pro Monat liegt. Sie bewerben sich und bekommen die Stelle. Einen Monat später öffnen Sie Ihre Lohntüte und stellen fest, dass Sie nur 2000 Dollar erhalten haben. Wütend marschieren Sie ins Büro Ihres Chefs, der Ihnen nur lapidar mitteilt, dass das Durchschnittsgehalt tatsächlich bei 5000 im Monat liegt.»Schauen Sie«, sagt Ihr Boss,»ich habe 9 Mitarbeiter: Die 4 jüngsten Mitarbeiter erhalten 2000 Dollar im Monat, die 3 ältesten 4000 und die beiden leitenden Angestellten verdienen 6000 pro Monat. Mein eigenes Gehalt beträgt 18 000: 4 × 2000 + 3 × 4000 + 2 × 6000 + 18 000 = 50 000, was geteilt durch 10 genau 5000 ergibt, genauso wie es in der Anzeige stand.« Obgleich rechnerisch korrekt, wäre es ehrlicher gewesen, wenn der Boss den Mittelwert (4000) oder noch besser den Modalwert (2000) in der Stellenanzeige genannt hätte.

Ein weiterer wichtiger Begriff in der Statistik ist der der Stichprobe. Wenn Sie wissen wollen, wie die Bevölkerung eines Landes bei einer bevorstehenden Wahl entscheiden wird, könnten Sie versuchen, jeden Stimmberechtigten zu fragen, aber in den meisten Staaten würde dies zu lange dauern und zu viel kosten. Um diese Probleme zu umgehen, kann man eine Stichprobenerhebung bei einem repräsentativen Querschnitt der wahlberechtigten Bevölkerung machen. Will man jedoch herausfinden, ob eine Stichprobe wirklich repräsentativ ist oder nicht, stößt man – unabhängig von ihrer Größe – auf Schwierigkeiten, wie das folgende Beispiel zeigt.

Literary Digest war eine beliebte und angesehene amerikanische Zeitschrift, die (seit 1920) in den Jahren, in denen Präsidentschaftswahlen stattfanden, Erhebungen durchführte, um Prognosen über den Wahlsieger abzugeben. Die Vorhersagen von *Digest* erwiesen sich für vier aufeinanderfolgende Wahlen als zutreffend: im Jahr 1932 wich die Prognose nur ein Prozent vom tatsächlichen Ergebnis ab. Die Zeitschrift stützte sich bei ihren Vorhersagen auf umfangreiche Probeabstimmungen, die bei den eigenen Lesern und der allgemeinen Öffentlichkeit durchgeführt wurden: Im Jahr 1932 wurden 20 Millionen Probestimmzettel verteilt (von denen 3 Millionen ausgefüllt zurückgeschickt wurden). Im Jahr 1936 wurden 10 Millionen verschickt (von denen 2,3 Millionen zurückkamen). Aufgrund des Rücklaufs sagte die Zeitschrift voraus, dass der Republikaner Alfred Mossman Landon gewinnen würde. George Gallup, ein junger Psychologe, der 4500 Wähler befragt hatte, war anderer Ansicht und sagte voraus, dass der Amtsinhaber, Präsident Franklin D. Roosevelt, wiedergewählt werden würde. Tatsächlich gewann Roosevelt die Wahl mit 60,8 Prozent der Stimmen, während Landon nur 36,6 Prozent erhielt – einer der größten Erdrutschsiege in der amerikanischen Geschichte.

Was war bei der Prognose von *Digest* schiefgelaufen? Obwohl ihre Stichprobenerhebung gewaltig war, erwies sie sich als zu einseitig. Viele der Empfänger der Probe-Stimmzettel gehörten zur eigenen Klientel der Zeitschrift, während andere willkürlich aus Telefonbüchern ausgewählt worden waren. Das bedeutete, dass vermögende Personen überrepräsentiert waren, und diese würden eher einen Republikaner wählen (sie hatten eine relativ konservative Zeitschrift abonniert oder konnten sich ein Telefon leisten, was 1936 keineswegs selbstverständlich war). Im Gegensatz dazu war Gallups Erhebung zwar wesentlich kleiner, aber auch repräsentativer und erwies sich deshalb als zutreffender.

Im Jahr 2000 entfachte das Thema statistische Stichproben eine Kontroverse bei der alle zehn Jahre stattfindenden US-amerikanischen Volkszählung. Weil es bei der letzten Zählung Probleme gegeben hatte – geschätzte acht Millionen Personen waren unberücksichtigt geblieben (und zwar überdurchschnittlich viele Minderheitsangehörige, Immigranten und Angehörige von sozial schwachen Schichten) –, wollte das statistische Bundesamt ein Stichprobenelement in sein Zählverfahren aufnehmen. Obwohl die meisten Statistiker den Plan unterstützten, lehnten die Republikaner ihn mit der Begründung ab, dass Stichproben gegen die Verfassung verstießen. Der Streit führte dazu, dass an der Methode der direkten Pro-Kopf-Zählung nichts verändert wurde, und diesmal fielen etwa drei Millionen Menschen durch das Raster.

Warum so viel Aufhebens um die statistische Methode, mit der eine Volkszählung durchgeführt wird? Nun, die Genauigkeit solcher Zählungen hat weitreichende Auswirkungen. Auf der Grundlage dieser Zahlen wird zum Beispiel berechnet, wie viele Sitze im Kongress die einzelnen Bundesstaaten erhalten oder wie öffentliche Gelder verteilt werden. Große Städte wie Chicago und Los Angeles haben in der Vergangenheit aufgrund zu niedriger Zählungen Abermillionen Dollar verloren. Präsident Clinton, ein Befürworter des Stichproben-Vorschlages, brachte die Schwächen des stichprobenlosen Zählverfahrens auf den Punkt: »Es verzerrt unser Verständnis von den Bedürfnissen der Menschen in unserem Land … es beeinträchtigt nicht nur die Lebensqualität der Betroffenen, sondern unser aller Lebensqualität.«

Zwei weitere Begriffe, auf die man bei Statistik-Debatten häufig stößt, sind »Korrelation« und »Kausalität« (wir sind den beiden kurz in Kapitel 2 begegnet). Um zu rekapitulieren: Statistiker sprechen von einer Korrelation zweier Datenmengen, wenn die beiden in irgendeiner Weise in Beziehung miteinander stehen oder voneinander abhängig sind. Die Zahlen, die die Größe und das Gewicht einer Person angeben, lassen sich als Korrelation beschreiben: Je größer ein Mensch ist, desto schwerer wird er sein. Man muss allerdings betonen, dass eine Korrelation herzustellen nicht notwendigerweise beweist, dass ein Wert den anderen verursacht. Wenn eine wissenschaftliche Studie ergibt, dass Kinder, die jeden Morgen vor dem Schulbesuch frühstücken, bessere Noten erhalten, könnte es daran liegen, dass Kinder, die ein ordentliches Frühstück einnehmen, besser lernen können und deshalb bessere Noten bekommen. Doch es könnte genauso gut auf das Gegenteil hindeuten, nämlich dass bessere Schulnoten dazu führen, dass Kinder weniger unter Stress leiden und deshalb einen gesünderen Appetit entwickeln. Die nachgewiesene Beziehung könnte auch auf irgendeine andere Ursache zurückzuführen sein, die sowohl den Appetit des Kindes als auch seine Noten beeinflusst oder einfach reiner Zufall ist.

Der mathematische Wahrscheinlichkeitsbegriff taucht ebenfalls in einer Vielzahl von Situationen auf. Es ist wichtig, diesen Begriff in seinen Grundzügen zu verstehen, weil er häufig zu überraschenden, unseren Erwartungen zuwiderlaufenden Ergebnissen führt. Betrachten wir einmal den berühmtesten und teuersten Fehler, der dadurch zustande kommt, dass man in einer gegebenen Situation missversteht, was wahrscheinlich ist oder nicht – den Fehlschluss des Spielers. Angenommen, Sie sitzen in einem Kasino und setzen auf Rot oder Schwarz beim Roulette. Sie haben eine ausgesprochene Pechsträhne und verlieren acht Mal hintereinander. Ist die Wahrscheinlichkeit, dass Sie beim neunten Versuch gewinnen, größer als beim ersten, vierten oder achten Versuch? Obwohl viele vielleicht geneigt sind, diese Frage zu bejahen, lautet die Antwort nein, aus dem einfachen Grund, dass die Wahrscheinlichkeit eines bestimmten Ereignisses in einer zufälligen Sequenz (wie der Frage, ob man Rot oder Schwarz auf einer Roulettescheibe erwischt) völlig unabhängig von den vorangehenden Ereignissen ist. Von daher beträgt die Wahrscheinlichkeit, dass Rot oder Schwarz kommt, immer 50 zu 50, unabhängig von den vorigen Ergebnissen.

Wahrscheinlichkeit war eines der Gesprächsthemen bei einem Abendessen, an dem ich gemeinsam mit Freunden und deren Gästen teilnahm. Einer der Anwesenden erwähnte, er kenne eine Familie mit zehn Kindern, allesamt Jungen, und frage sich, welche Art astronomischer Wahrscheinlichkeit für diese Kuriosität verantwortlich sei. Ich wies darauf hin, dass bei jeder Schwangerschaft die Aussicht auf einen Jungen oder ein Mädchen – offenkundig – bei 1 zu 2 liege und dass daher die Wahrscheinlichkeit auf 10 Jungen (oder 10 Mädchen) bei einer Familie mit 10 Kindern $2 \times 2 \times 2 \times 2 \times 2 \times 2 \times 2 \times 2 \times 2 \times 2$ oder 1 in 1024 entspreche – eine hohe, aber keineswegs astronomische Zahl. Später am selben Abend fragte derselbe Gast mich, ob die Wahrscheinlichkeit, dass dieselbe Familie aus 5 Jungen und 5 Mädchen bestehe, 50 Prozent betrage; tatsächlich ist die Wahrscheinlichkeit weit geringer, nämlich 252 zu 1024 oder 24,6 Prozent.

Diese Diskrepanz zwischen Intuition und der tatsächlichen Wahrscheinlichkeit wird vielleicht noch deutlicher, wenn wir ein kleineres Beispiel wählen: Wie hoch ist die Wahrscheinlichkeit, dass in einer Familie mit 4 Kindern 2 Jungen und 2 Mädchen sind? Als Erstes berechnen wir die Gesamtzahl der möglichen Ergebnisse: 2 (Junge oder Mädchen) $\times 2 \times 2 \times 2$ (bei vier Kindern) = 16. Die Wahrscheinlichkeit, dass die Kinder allesamt Jungen oder allesamt Mädchen sind, liegt bei 1 zu 16. Die Wahrscheinlichkeit, dass nur eines der vier Kinder ein Junge oder ein Mädchen ist, beträgt 4 zu 16 oder (für einen Jungen und drei Mädchen): JMMM, MJMM, MMJM oder MMMJ. Es besteht also eine Chance von 2 zu 16, dass die vier Kinder allesamt Jungen oder allesamt Mädchen sind und eine Chance von 8 zu 16, dass nur eines der vier Kinder entweder ein Junge oder ein Mädchen ist. Das lässt eine Chance von 6 zu 16 (37,5 Prozent) für die verbleibenden möglichen Permutationen von 2 Jungen und 2 Mädchen.

Ein bekanntes Beispiel dafür, wie die Ergebnisse der Wahrscheinlichkeitsrechnung den Erwartungen zuwiderlaufen, ist das Geburtstagsproblem, das sich etwa folgendermaßen beschreiben lässt: Angenommen, Sie nehmen an einer Party mit 22 anderen Gästen teil – wie hoch ist die Wahrscheinlichkeit, dass zwei der Anwesenden (Zwillinge ausgeschlossen) am selben Tag Geburtstag haben? Zunächst berechnet man, wie hoch die Wahrscheinlichkeit eines gemeinsamen Geburtstages bei lediglich zwei Gästen ist: Die Chancen, dass sie nicht am gleichen Tag Geburtstag haben, liegen bei $364/365$, multipliziert mit 100, also bei mehr als 99,7 Prozent. Bei drei Leuten spricht die Wahrscheinlichkeit mit $(364/365) \times (363/365) \times 100$, also mit fast 99,2 Prozent dagegen. Fügt man eine vierte Person hinzu, liegt die Wahrscheinlichkeit ungleicher Geburtstage bei: $(^{364}/_{365}) \times (^{363}/_{365}) \times (^{362}/_{365}) \times 100 = 98,4$ Prozent. Fügen wir weitere Partygäste hinzu, ist die Wahrscheinlichkeit immer noch verschwindend gering, aber wir nähern uns der Chance auf einen gemeinsamen Geburtstag ein klein bisschen schneller an. Bei 10 Leuten spricht nur noch eine Wahrscheinlichkeit von 88 Prozent gegen einen gemeinsamen Geburtstag, während sie bei 20 Leuten auf 59 Prozent fällt. Tatsächlich ist die Wahrscheinlichkeit, dass zwei Gäste in einem Raum mit 23 Personen am gleichen Tag Geburtstag haben, größer als 1 zu 2, nämlich 50,7 Prozent.

Berechnet man die Wahrscheinlichkeit eines Ereignisses, wird man weit besser als mit reiner Intuition einschätzen können, was hinter einer Behauptung steckt. Viele Leute wären zum Beispiel beeindruckt von den Leistungen eines Generals, der sechs aufeinanderfolgende Schlachten geführt und alle gewonnen hätte. Bedeutet dieses eindrucksvoll klingende Ergebnis, dass der General ein brillanter Militärstratege ist? Nicht notwendigerweise. Angenommen, auf beiden Seiten stehen sich gleich viele und gleich gut bewaffnete Soldaten gegenüber, dann ist die Chance für einen Sieg oder eine Niederlage 1 : 2 – die Wahrscheinlichkeit, sechs aufeinanderfolgende Schlachten zu gewinnen, entspricht also $2 \times 2 \times 2 \times 2 \times 2 \times 2$ oder 1 : 64. Es hat Aberhunderte von Generälen in der Militärgeschichte gegeben, was bedeutet, dass – gemäß Wahrscheinlichkeit – einige Glückliche durch reinen Zufall eindrucksvolle Siege aneinanderreihen konnten.

Dass rein zufälligen Ereignissen eine besondere Bedeutung beigemessen wird, ist ein häufiger und weitverbreiteter Irrtum, der auf einem Missverständnis der Wahrscheinlichkeit von Ereignissen beruht. Haben Sie schon einmal an eine bestimmte Person gedacht und im selben Moment klingelte das Telefon und er oder sie war dran? Vermutlich ist es Ihnen schon einmal so ergangen, und so erfreulich das Erlebnis ist, ist es doch keineswegs besonders unwahrscheinlich. Das wird deutlich, wenn man sich bewusst macht, wie viele Leute man doch – mehr oder weniger – gut kennt, und wie oft wir im Alltag an den einen oder anderen denken. Der Mathematiker John Littlewood hat einmal errechnet, dass der Durchschnittsmensch im Laufe seines Lebens einmal pro Monat mit einem solchen »Wunder« rechnen kann. Littlewood gelangte zu diesem erstaunlichen Schluss, indem er zunächst ein Wunder als etwas definierte, das höchst bedeutsam ist und mit einer Wahrscheinlichkeit von 1 : 1 000 000 eintritt. Außerdem nahm er an, dass ein normaler Mensch acht Stunden pro Tag besonders aktiv ist. In diesen hört und sieht er so viel, dass etwa ein Ereignis pro Sekunde geschieht. Das summiert sich zu rund 30 000 Ereignissen pro Tag oder etwa einer Million pro Monat. Wenn irgendeines von diesen 1 Million Ereignissen als bedeutsam betrachtet wird, verglichen mit der riesigen Zahl der anderen, für die das nicht gilt, dann haben wir es mit einem Wunder zu tun.

Jackpots und Wahlurnen

Evelyn Adams muss ein ganz besonderer Glückspilz sein. Zwischen 1985 und 1986 gewann diese aus New Jersey stammende Frau in einem Zeitraum von vier Monaten nicht nur einmal, sondern gleich zwei Mal im Lotto und strich eine Gesamtsumme von 5,4 Millionen Dollar ein. Wie zu erwarten, reagierte die Presse überrascht auf ein solches Ereignis, dessen Chancen sie mit 1 zu 17 Billionen einschätzte. Obwohl diese Angabe korrekt ist, bezieht sie sich auf die Wahrscheinlichkeit, dass eine bestimmte Person, die ein einzelnes Los für zwei staatliche Lotterien in New Jersey kauft, beide Male gewinnt. Tatsächlich kaufte Mrs. Adams – wie viele Lottospieler – zahlreiche Tippscheine, zum Beispiel mehrere Hundert nach ihrem ersten Lottogewinn.

Eine bessere Frage wäre: Wie hoch ist die Wahrscheinlichkeit, dass jemand aus den Millionen von amerikanischen Lottospielern zwei Mal im Leben den Jackpot gewinnt? Die Harvard-Statistiker Percy Diaconis und Frederick Mosteller berechneten die Antwort auf diese Frage: Die Wahrscheinlichkeit, dass es in sieben Jahren einen zweifachen Lotteriegewinner irgendwo in den USA gibt, beträgt mehr als 50 Prozent. Außerdem errechneten die beiden Statistiker, dass die Wahrscheinlichkeit, zwei Mal in einem Vier-Monats-Zeitraum zu gewinnen – wie Mrs. Adams –, bei 1 : 30 liegt.

Leider brachte der Gewinn Adams kein Glück – heute lebt sie in einem Wohnwagen und das gesamte Geld ist futsch. In einem Interview erklärte sie, dass man sie nach ihrem doppelten Gewinn ständig um Hilfe angebettelt habe und dass sie zur Spielsucht neige. »Im Lotto zu gewinnen«, sinniert Adams, »ist nicht immer so toll, wie man glaubt.«

Ich habe noch nie im Leben Lotto gespielt und werde es auch nie tun. Ich teile die Auffassung des französischen Philosophen Voltaire, der Lotterien bekanntlich als »Dummheitssteuer« bezeichnete (obwohl es genauer gesagt eine Zahlen-Analphabetismus-Steuer ist). Die Wahrscheinlichkeit, die dagegen spricht, dass man im Lotto gewinnt, ist einfach ungeheuer groß – genau genommen beläuft sie sich auf eine so große Zahl, dass es den meisten Menschen schwerfällt, ihre Relevanz zu erkennen.

Hier die Rechnung: Die Wahrscheinlichkeit, im Lotto zu gewinnen, entspricht $6/49$ (weil es 6 Auswahlmöglichkeiten aus 49 gibt, die zu jeder der von Ihnen ausgewählten Zahlen passen könnten) $\times$ $5/48$ (weil es fünf verbleibende mögliche Entsprechungen und 48 Kugeln gibt) x $4/47$ (vier mögliche Entsprechungen und 47 Kugeln) $\times$ $3/46 \times 2/45$ $\times$ $1/44 = 1$ zu 13 983 816 oder fast 1 zu 14 Millionen. Wie soll man sich derart gewaltige Zahlen konkret begreifbar machen? Durch Vergleiche: Die Chancen, dass eine hochgeworfene Münze 24-mal hintereinander Kopf statt Zahl zeigt, liegen bei etwas über 1 zu 16 Millionen; die Wahrscheinlichkeit, dass man am Stich einer Biene stirbt, beträgt 1 zu 6 Millionen, und die Wahrscheinlichkeit, dass man vom Blitz erschlagen wird, liegt bei 1 zu 2 Millionen. Es ist sieben Mal wahrscheinlicher, vom Blitz erschlagen zu werden, als den Jackpot beim Lotto zu gewinnen!

Es gibt weitere Gründe, aus denen man das Lottospielen vermeiden sollte. Studien zeigen, dass die sozial schwächsten Gruppen relativ hohe Einsätze bezahlen, was ihre Situation verschlechtert. Dieses Ergebnis ergibt Sinn, wenn wir bedenken, dass der Reiz des Jackpots für Menschen mit geringem Einkommen viel größer ist als für jene, die bereits relativ wohlhabend sind. Zahlen zeigen, dass der durchschnittliche Lotto-Spieler 313 Dollar pro Jahr einsetzt, während Personen, die weniger als 10000 Dollar verdienen, fast doppelt so viel, nämlich durchschnittlich 597 Dollar pro Jahr, aufwenden. Das ist eine schreckliche Geldverschwendung für die große Mehrheit der Spieler – die durchschnittliche »Rendite« für langfristiges Lottospielen liegt Berechnungen zufolge bei weniger als 50 Prozent. Mit anderen Worten, der durchschnittliche Spieler erhält an Gewinn weniger als 50 Cents für jeden eingesetzten Dollar zurück. Spieler mit niedrigem Einkommen, die im Laufe von 25 Jahren 15000 Dollar einsetzen, müssen damit rechnen, nur etwa 7000 Dollar Gewinn zu erhalten. Investiert man dieselben 597 Dollar pro Jahr dagegen auf ein Sparkonto (bei einem Zins von 4 Prozent), erhält man nach 25 Jahren fast 26000 Dollar – fast doppelt so viel wie die investierte Summe und fast vier Mal so viel wie die durchschnittlichen Lotto-»Gewinne«.

Wenn Sie – nach allem, was Sie hier gelesen haben – weiterhin Lotto spielen, dann habe ich einen mathematischen Ratschlag für Sie: Welche Zahlen Sie auswählen, beeinflusst, wie groß Ihr potenzieller Gewinn wahrscheinlich ist (auch wenn es Ihre Chancen auf einen Gewinn nicht steigert). Das Prinzip ist sehr einfach: Je mehr Menschen denselben Jackpot gewinnen, desto kleiner ist der einzelne Gewinnanteil. In Großbritannien beispielsweise gab es bei der Ziehung vom 14. November 1995 nicht weniger als 133 Gewinner des Jackpots, der sich auf 16 Millionen Pfund belief – sodass jeder nur einen Anteil von 120000 Pfund erhielt.

Wenn es also um die Auswahl der Zahlen geht, lohnt es sich, die beliebtesten Kombinationen zu vermeiden. Auf diese Weise kann man sicher sein, dass man – *wenn* man gewinnt – eine relativ große Summe einstreicht. Forscher von der britischen Southampton University analysierten die Anzahl der Gewinnscheine, die sich den wöchentlichen Hauptgewinn teilten, und verglichen die Gesamtzahl der Gewinner mit den Gewinnzahlen. Ihre Ergebnisse zeigten, dass die Auswahl unpopulärer Zahlen (wie 26, 34, 44, 46, 47 und 49) die Chancen, dass man den Gewinn für sich allein behalten kann, erheblich erhöht. Um die Zahl 7 sollte man einen besonders großen Bogen machen, da sie öfter angekreuzt wird als jede andere Zahl. Als gute Wahl erwies sich hingegen die 46, die unbeliebteste Zahl. Ein weiterer Rat ist, dass man Reihen wie 1,2,3,4,5,6 (die erstaunlicherweise in Großbritannien jede Woche von 10000 Spielern angekreuzt werden) vermeiden sollte ebenso wie Zahlen, die kleiner sind als 31, da viele Spieler bei der Auswahl ihrer Zahlen Geburtstage wählen.

Ein weiteres Beispiel für die Vorzüge mathematischen Denkens liefert das große Trara, das um den Präsidentschaftswahlkampf zwischen dem Demokraten Al Gore und dem Republikaner George W. Bush veranstaltet wurde. Die Wahl erwies sich als scharfes Kopf-an-Kopf-Rennen und endete damit, dass beide Kandidaten 48 Prozent bei der landesweiten Wahl erhielten; Bush konnte (laut CNN) 50 456 169 und Gore 50 996 116 Stimmen auf sich vereinen. Obwohl Gore mehr Wählerstimmen gewann, unterlag er gegen Bush, weil die Republikaner mehr Stimmen beim Wahlmännerkollegium (271 zu 266) erhielten. Das Ergebnis löste lautstarke Empörung bei vielen Anhängern Al Gores aus, die erklärten, das Wahlmänner-System sei undemokratisch und müsse abgeschafft werden. Ich bin anderer Ansicht, und zwar aus folgenden Gründen:

Zunächst eine kurze Erklärung für alle Nichtamerikaner: Bei Präsidentschaftswahlen hat derjenige Kandidat gewonnen, der mehr als die Hälfte der 538 Wahlmännerstimmen auf sich vereinigt. Die Stimmen der Wahlmänner werden entsprechend der Bevölkerungsgröße in den einzelnen Bundesstaaten vergeben, sodass die größten Bundesstaaten – wie etwa New York, Kalifornien und Texas – mehr Stimmen haben als die Bundesstaaten mit geringerer Bevölkerungsdichte wie Rhode Island oder Wyoming. Die am Wahltag stattfindenden

Wahlen entscheiden über die Stimmen der Wahlmänner des einzelnen Bundesstaats, und die große Mehrheit der Staaten gibt ihre gesamten Wahlmännerstimmen für den Kandidaten ab, der die meisten Stimmen der Bürger erhalten hat. Der siegreiche Kandidat ist daher im Allgemeinen derjenige, der den größten Zuspruch in vielen verschiedenen Staaten, ob groß oder klein, gefunden hat.

Das System des Wahlmännerkollegiums wurde von den amerikanischen Gründungsvätern eingeführt und war ein Kompromiss zwischen der Alternative, den Präsidenten vom Kongress oder durch eine allgemeine Wahl wählen zu lassen. Viele der »Väter« fürchteten den »Mob«, weil sie der Ansicht waren, dass eine große Wählerschaft besonders anfällig für »Hörensagen« oder »aufrührerische Leidenschaften« sei. James Madison, der Hauptarchitekt des Wahlmännerkollegiums, argumentierte, dass ein System mehrerer kleinerer Wahlen im Gegensatz zu einer einzigen nationalen Wahl dazu beitragen würde, Minderheiten vor dem Massenwillen der Mehrheit zu schützen: »Eine gut geordnete Union«, erklärte er, müsse »den Parteienhader brechen und kontrollieren.« Würde die Wahl nur auf nationaler Ebene stattfinden, hätten die Kandidaten, die die Mehrheit repräsentierten, theoretisch keinerlei Veranlassung, sich um Minderheiten zu kümmern, und könnten sie gnadenlos unterdrücken. Dagegen müssten die Kandidaten bei einer Wahl, die sich aus mehreren kleineren Abstimmungen zusammensetzt, an eine breite Wählerschaft appellieren, um Aussicht auf die Präsidentschaft zu haben. Madisons System hat die Art von Fraktionierung verhindert, unter dener andere Staaten gelitten haben, und dazu beigetragen, die Demokratie in den USA zu stärken anstatt zu schwächen.

Alan Natapoff, Professor am Massachusetts Institute of Technology, hat mit mathematischen Überlegungen das Wahlmännerkollegium gegen seine Kritiker, etwa die US-amerikanische Bundesanwaltskammer, verteidigt, die das System für »mehrdeutig« und »archaisch« hält. Natapoffs Argument lautet etwa folgendermaßen: In fairen Wahlen leitet sich die Macht des Wahlberechtigten von der

Wahrscheinlichkeit ab, dass seine Stimme über den Ausgang der Wahl entscheiden kann. Natapoff verwendete mathematische Modelle über typische Wahlverläufe und kam zu dem Schluss, dass Wähler eine größere Chance haben, einen Wahlausgang zu beeinflussen, wenn ihre Stimme durch Bezirke geleitet wird, als wenn alle Stimmen zusammen in einer einzigen nationalen Wahl gesammelt werden. Das liegt daran, dass die Wahrscheinlichkeit, dass eine Wählerstimme entscheidend für den Ausgang einer einzigen nationalen Wahl ist, geringer ist, als die Chance, dass sie das bundesstaatliche Wahlergebnis beeinflusst, das seinerseits den nationalen Wahlausgang entscheidet.

Natapoff hält es für eine zu grobe Vereinfachung, dass der Grundsatz des gleichen Stimmrechts für alle einfach bedeute, jede nationale Wahl nach dem »Ein Bürger, eine Stimme«-Prinzip durchzuführen, ohne die Stimmen in kleinere lokale Wahlvorgänge zu unterteilen. Schließlich hätten auch Wähler, die in einer Diktatur lebten, alle genau den gleichen Stimmrechtsanteil (nämlich null). Wahre Demokratie beruht Natapoff zufolge darauf, dass man »jedem Wähler den größtmöglichen gleichen Anteil an der nationalen Abstimmungsmacht verleiht«.

Die Mathematik stützt seine Argumentation: Stellen Sie sich vor, Sie gehören zu einer Nation, die aus 5 Wahlberechtigten besteht – die Wahrscheinlichkeit, dass Ihre Stimme über den Wahlausgang entscheidet, hängt davon ab, dass sich die Stimmen der anderen Wähler im Verhältnis 2:2 auf die Kandidaten A und B verteilen, ein Ergebnis mit einer Wahrscheinlichkeit von 37,5 Prozent. Wenn die Bevölkerung in diesem Staat wächst, nimmt die Abstimmungsmacht des einzelnen Wählers ab. In einem größeren Staat mit 135 Wählern zum Beispiel bestehen viel mehr Möglichkeiten, dass sich die übrigen 134 Stimmen auf eine Weise verteilen, die verhindert, dass Ihre Stimme über den Wahlausgang entscheidet (z.B. 66–68 oder 101–33), sodass die Wahrscheinlichkeit, dass Ihre Stimme den Ausschlag gibt, auf magere 6,9 Prozent fällt. Ob Ihre Stimme allerdings überhaupt wahlentscheidend ist, hängt davon ab, dass die übrigen Stimmen völlig gleichmäßig verteilt sind, was bei realen Wettbewerben fast nie der Fall ist. Wenn in dem Staat mit den 135 Stimmberechtigten die Wählerpräferenz für Kandidat A (oder B) bei 55 Prozent liegt, fällt die Wahrscheinlichkeit, dass Ihre Stimme entscheidend ist, unter 0,4 Prozent.

Tatsächlich werden Wahlen nie nach dem Prinzip entschieden, dass Wähler eine Münze werfen, um zwischen zwei Kandidaten zu entscheiden. Vielmehr kommt es immer in unterschiedlichem Grad zu klaren Wahlergebnissen, weil große Wählerblöcke einem Kandidaten den Vorzug vor einem anderen geben. Diese klaren Ausschläge zur einen oder anderen Seite sind ungünstig für den einzelnen Wähler, da die Wahrscheinlichkeit, dass seine Stimme entscheidend ist, umso geringer wird, je größer die Wählerschaft wird. Natapoff benutzt den Vergleich einer asymmetrischen Münze, um diesen Punkt zu veranschaulichen: Wenn man will, dass die Münze genauso oft auf die Kopf- wie auf die Zahlseite fällt, wird man sie so wenig wie möglich werfen – je mehr Würfe, desto deutlicher wird sich die Asymmetrie manifestieren. Auf die gleiche Weise trägt die Aufteilung großer nationaler Wahlen in eine Reihe von kleineren Abstimmungen dazu bei, die natürliche Asymmetrie der Wahlen auszugleichen, weil der einzelne Wähler eine größere Chance erhält, die ausschlaggebende Stimme abzugeben.

Kritiker von Natapoffs Argumentation weisen auf die Präsidentschaftswahl von 1888 hin, bei der der populärere Kandidat Grover Cleveland (der 48,6 Prozent der Stimmen bei der nationalen Wahl errang) von seinem Gegner Benjamin Harrison (47,9 Prozent) aus dem Rennen geworfen wurde, weil das Wahlmännerkollegium mit 233 gegen 168 zugunsten von Harrison abstimmte. Natapoff antwortet, die Drohung, dass eine Hand voll Stimmen in dem einem oder anderen Staat eine ganz Wahl umdrehen könne, sei angesichts der Seltenheit solcher Ergebnisse ein geringer Preis, um die Abstimmungsmacht des einzelnen Wählers zu schützen. Vier Jahre nach seiner knappen Niederlage trat Cleveland erneut nach genau denselben Regeln gegen Harrison an und gewann die Wahlen.

Dennoch verweisen manche Kritiker auf den Präsidentschaftswahlkampf im Jahr 2000 zwischen Al Gore und George W. Bush, bei dem – wie sie argumentieren – Gore eine halbe Million mehr Stimmen erhielt als sein Konkurrent, aber dennoch die Wahl verlor, weil ihm im Staat Florida 537 Stimmen fehlten. Sie halten es für unfair und undemokratisch, dass eine nationale Stimmenmehrheit von einer halben Million durch wenige Hundert Stimmen eines einzigen Staates aufgehoben wird.

Es gibt zwei Antworten auf dieses Argument. Die erste ist, dass die Wahl von 2000 ungewöhnlich knapp war: Seit der ersten dokumentierten nationalen Präsidentschaftswahl im Jahr 1824 ist es nur bei 3 Präsidentschaftswahlen dazu gekommen, dass der von den Wahlmännern gewählte Wahlsieger nicht gleichzeitig die Mehrheit bei der allgemeinen Wahl erhalten hatte. Nur bei sechs Wahlen (1880, 1884, 1888, 1960, 1968, 2000) lagen die beiden Hauptkandidaten am Ende weniger als 1 Prozent auseinander. Der durchschnittliche Abstand bei den Präsidentschaftswahlen seit 1824 lag bei 8,5 Prozent. Fazit: Die Wahl von 2000 war eine Ausnahme, was sie zu einer schlechten Argumentationsgrundlage für eine Kritik am bestehenden Wahlsystem macht.

Die zweite Antwort ist, dass die Wahl von 2000 nicht nur in Florida extrem knapp ausging (2 912 790 Stimmen für Bush versus 2 912 253 für Gore), sondern auch in einer Reihe weiterer Staaten, wie etwa in Iowa (638 517 Stimmen für Gore versus 634 373 für Bush), New Hampshire (273 559 Stimmen für Bush versus 266 348 für Gore), New Mexico (286 783 Stimmen für Gore versus 286 417 für Bush), Oregon (720 342 Stimmen für Gore versus 713 577 für Bush) und Wisconsin (1 242 987 Stimmen für Gore versus 1 237 279 für Bush). Obwohl Bush bei den landesweiten Gesamtwählerstimmen knapp abgeschlagen war, gewann er erheblich mehr Staaten als Gore (30 zu 21), eine Tatsache, die dazu beitrug, dass die Wahl zu seinen Gunsten ausfiel.

Für Leute, die das derzeitige Wahlsystem reformieren möchten, hat Natapoff mehrere Vorschläge. Mit Hilfe einiger Verbesserungsmaßnahmen könnte man seiner Ansicht nach die Wahlbeteiligung erhöhen, die Kandidaten zwingen, sich auch um Staaten zu bemühen, die sie bereits sicher gewonnen oder verloren glauben (und die aus diesem Grund derzeit im Allgemeinen ignoriert werden), und dafür sorgen, dass in Staaten, in denen der Wahlausgang sehr knapp ist, wie im Jahr 2000 in Florida, keine Mogeleien stattfinden. Um die Wahlbeteiligung zu erhöhen, insbesondere in Staaten, die als fest in der Hand der einen oder anderen Partei gelten, empfiehlt Natapoff, die Anzahl der Wahlmänner anders festzulegen. Nicht mehr die Bevölkerungsgröße solle den Ausschlag geben, sondern die Zahl der abgegebenen Wahlzettel. Auf den ersten Blick klingt dieser Vorschlag seltsam – warum sollte ein Demokrat sich die Mühe machen, in einer republikanischen Hochburg wie Texas zur Wahl zu gehen, wenn er weiß, dass seine Stimme dazu beitragen würde, die potenzielle Anzahl der Wahlmännerstimmen für den Gegenkandidaten zu erhöhen? Natapoff ist überzeugt, dass sein System die Kandidaten zwingen würde, sich auf die politische Mitte zuzubewegen und extreme oder populistische Positionen zu vermeiden, die die Wahlbeteiligung für gewöhnlich senken – ein weit gewichtigeres Problem für jede Demokratie. Er greift zu dem Vergleich mit einem Pokerspieler, der eine Glückssträhne hat und versucht, die anderen Spieler bei der Stange zu halten, um einen größeren Gewinn zu erzielen.

Mit seinem anderen Reformvorschlag reagiert Natapoff auf das extrem knappe Ergebnis der Wahl 2000 in Florida und die damit einhergehenden Betrugsvorwürfe. Diesem Vorschlag zufolge sollten Kandidaten, die so knapp gewinnen, nur einen Teil der Wahlmännerstimmen des Staates erhalten (der genaue Anteil sollte mittels einer auf der Glockenkurve basierenden Formel ermittelt werden). Um alle Stimmen zu erhalten, müsste der Kandidat also eine klare Mehrheit der abgegebenen Stimmen auf sich vereinen.

Wenn Fachleute wie Natapoff richtig liegen, was die Vorteile des Wahlmännerkollegiums im Gegensatz zu einer einzigen allgemeinen Wahl betrifft, warum befürworten dann so viele Amerikaner die Abschaffung des bestehenden Systems – Meinungsumfragen zufolge etwa 75 Prozent? Vielleicht zum Teil aus denselben Gründen, aus denen viele Menschen Lotto spielen und dabei »Gewinne« erzielen, die statistisch betrachtet fast immer weniger als die Hälfte des Geldes wert sind, das sie im Laufe der Jahre investiert haben. Menschen verhalten sich häufig irrational, unabhängig von den logischen oder rechnerischen Argumenten, die für oder gegen etwas sprechen. Werfen wir einen genaueren Blick auf die Gründe für dieses Verhalten.

Warum Menschen merkwürdige Sachen glauben

Der amerikanische Autor Michael Shermer hat ein Buch darüber geschrieben, warum Menschen »merkwürdige Sachen« glauben. Er teilt solche Überzeugungen in vier Gruppen: in solche, die von den meisten Experten bestritten werden, solche, die logisch unmöglich sind, und solche, die im höchsten Grade unwahrscheinlich sind oder für die nur begrenzte oder anekdotische Beweise vorliegen. Shermer beeilt sich, darauf hinzuweisen, dass solche Überzeugungen wenig mit der Intelligenz eines Menschen zu tun haben; kluge und gebildete Personen seien genauso anfällig dafür, an »merkwürdige Sachen« zu glauben wie jeder andere.

Einer der wichtigsten Gründe, weshalb Menschen einer minderwertigen Idee den Vorzug vor einer besseren geben (zum Beispiel den Gedanken unterstützen, dass eine einzige nationale Wahl besser sei als das Wahlmännersystem), ist eine angeborene Vorliebe für das, was einfach ist. Angesichts der Entscheidung zwischen einer Idee, die einfach zu beschreiben und zu verstehen ist, und einer, die komplizierter und schwerer zu begreifen ist, neigen die meisten Menschen spontan zu der einfacheren Option, unabhängig von dem relativen Wert der Ideen.

Eine solche starke Neigung zur Einfachheit ist verständlich in einer Welt, die ungeheuer komplex und häufig verwirrend ist. Viele Menschen haben das Gefühl, dass sie keine Zeit haben, um die notwendige Anstrengung zu unternehmen, sich mit anspruchsvolleren Ideen oder Argumenten auseinanderzusetzen, wenn bereits einfachere Modelle vorhanden sind. Andere neigen zu der Überzeugung, dass gute Ideen in der Regel einfach sind – eine Variante von Ockhams Rasiermesser (eine philosophische Position, die besagt, dass man bei mehreren zur Wahl stehenden Erklärungen oder Ideen immer der einfachsten den Vorzug geben sollte).

Diese Interpretation beruht allerdings auf einem Missverständnis der eigentlichen Bedeutung von Ockhams Rasiermesser. Benannt nach William Ockham (1285–1349), einem Franziskanermönch und dem einflussreichsten Philosophen seiner Zeit, gilt dieses Prinzip insbesondere für Situationen, in denen man zwischen zwei oder mehr Ideen von ungefähr gleichwertiger Glaubwürdigkeit oder Erklärungskraft entscheiden muss – um dann diejenige vorzuziehen, die präziser oder schlüssiger ist. Wie wichtig dieser Punkt ist, zeigt sich deutlich, wenn man bedenkt, dass viele exzellente Ideen extrem kompliziert sind – etwa Einsteins Relativitätstheorie –, während die meisten schlechten oder aus der Luft gegriffenen Ideen extrem einfach sind, wie das Prinzip der Homöopathie (»Gleiches heilt Gleiches«). Fazit: Man sollte eine Idee nicht allein deshalb ablehnen, weil sie komplizierter ist als eine andere, vor allem nicht, wenn sie durch stichhaltige wissenschaftliche oder mathematische Beweise gestützt wird.

Was ist mit den Lotto-Spielern, die weiterhin Jahr für Jahr Unsummen ausgeben, obwohl sie normalerweise sehr wenig Gewinn machen? Als Grund wird unter anderem genannt, dass viele Spieler zwar wissen, dass sie schlechte Gewinnchancen haben, aber den Kick der Teilnahme genießen. Nach dieser Auffassung geht es bei Lotterien eher um Träume und Hoffnungen als um das schnelle Geld. Einer anderen Meinung zufolge ist es einfach Gewohnheit – Lottoziehungen finden einmal, manchmal zweimal die Woche statt, und viele Spieler geraten in den Kreislauf, dass sie ihren Tipp gewohnheitsmäßig an einem bestimmten Tag, zwischen ihren anderen täglichen Aktivitäten, abgeben. Das Verhaltensmuster des gewohnheitsmäßigen Spielens führt zu einer weiteren Erklärung dafür, warum einige Spieler immer weitermachen, obwohl es keine greifbaren Ergebnisse gibt: Furcht. Die Möglichkeit, dass die regelmäßig getippten Zahlen genau dann gezogen werden, wenn man mit dem Spielen aufhört, lässt manche Leute immer weiterspielen.

Die fortgesetzte Teilnahme von einkommensschwachen Schichten an Lotterien wird unter anderem darauf zurückgeführt, dass es einen potenziellen »Ausweg« aus der Armut oder Not verheißt, der nur existiert, weil der Einzelne bereit ist, trotz der schlechten Gewinnchancen weiter darauf zu hoffen, dass er zu den wenigen Glücklichen zählen wird. Ich habe Schwierigkeiten mit dieser Sichtweise, vor allem weil sie die große Mehrheit der Menschen ignoriert, die nicht beim Lotto gewinnen, sondern durch das Spielen nur immer ärmer werden.

Was mich alles in allem zu einem abschließenden Grund führt, aus dem manche Menschen so »merkwürdige Sachen« tun wie Lotto spielen, nämlich dem Mangel an klaren oder spannenden Alternativen. Armut wird von sozialen Kommentatoren häufig als »Falle« beschrieben, und das aus gutem Grund: Wenn die finanziellen Mittel zum Leben fehlen, so hat das negative Auswirkungen auf den Einzelnen ebenso wie auf die Familie, es beeinträchtigt die Gesundheit, Bildung und Fantasie ebenso wie das materielle Wohl. Viele einkommensschwache Spieler sehen keine andere Möglichkeit, dieser Falle zu entkommen, und spielen deshalb weiter, auch wenn sie eigentlich wissen, wie unwahrscheinlich es ist, dass sich dadurch in ihrem Leben etwas zum Positiven verändert.

Ich würde jedem Spieler in dieser Situation raten, sein Geld als Investition in greifbare Zukunftsmöglichkeiten zu betrachten, anstatt unrealisierbare Luftschlösser zu bauen. Ein paar Hundert Dollar im Jahr, die man auf einem zinsbringenden Sparkonto anlegt, anstatt sie fürs Lotto auszugeben, sind ein guter Anfang. Denken Sie an die vielen Möglichkeiten, wie Sie dieses Geld künftig nutzen könnten, um Ihren Horizont zu erweitern und die eigenen Aussichten zu verbessern: Es lohnt sich zum Beispiel, in die eigene Bildung zu investieren und sich vielleicht für den Besuch einer Abendschule anzumelden oder auf ein Auto zu sparen (falls man noch keines besitzt), um die eigene Mobilität und die Chancen auf einen Arbeitsplatz zu erhöhen.

Eine besonders häufige Eigenschaft bei Menschen, die hartnäckig an »merkwürdige Sachen« glauben, scheint die Passivität zu sein: Angefangen bei der mangelnden Bereitschaft, über eine komplexere Idee nachzudenken, weil eine einfachere zur Verfügung steht, bis hin zum Festhalten an schlechten Angewohnheiten, wie dem Lottospielen, weil die Alternativen nicht so klar oder nicht so aufregend sind wie der langgehegte, wenn auch ziemlich aussichtslose Traum vom Gewinn des Jackpots. Tatsache ist, dass sorgfältiges, logisches Denken Anstrengung kostet und nicht von allein kommt. Wie Alfred Mander es in seinem Buch *Logic for the Millions* ausführt: »Nachdenken ist qualifizierte Arbeit. Es stimmt nicht, dass wir von Natur aus klar und logisch denken können – ohne diese Fertigkeit erlernen oder üben zu müssen. Menschen mit untrainiertem Verstand können genauso wenig erwarten, dass sie zum klaren, logischen Denken fähig sind, wie Leute ohne Ausbildung und Übung erwarten können, dass sie gute Tischler, Golfspieler, Bridgespieler oder Pianisten sind.« Sich selbst regelmäßig im Denken zu üben, erfordert zweifellos mehr Mühe, als es nicht zu tun, aber der Preis der Passivität könnte um ein Vielfaches höher sein.

Populationen, Vorhersagen und Muster

Wie alle Formen des Denkens kann auch die mathematische in die Irre gehen. Vom falschen Gebrauch von Statistiken über das selektive Argumentieren bis hin zum Missverstehen komplexer Phänomene ist diese spezielle Art des fehlerhaften Denkens überraschend verbreitet. Das liegt wohl zumindest teilweise an dem zusätzlichen Reiz, der Behauptungen anhaftet, die Zahlen zu ihrer Verteidigung anführen. Wie ich im Folgenden zeigen möchte, ergeben diese Zahlen nicht immer einen Sinn.

Ein gutes Beispiel dafür ist die häufig wiederholte These von der gefährlichen Übervölkerung unserer Welt. Die ganze Geschichte hindurch hat man sich wegen des Bevölkerungswachstums gesorgt. Der griechische Dramatiker Euripides (ca. 480–406 v. Chr.) schrieb, dass der Trojanische Krieg ein göttlicher Akt sei, der die Erde von einer beklagenswerten Menschenfülle befreie. Viele Puritaner brachen Anfang des 17. Jahrhunderts in die Neue Welt auf, weil sie England für übervölkert hielten.

Die Vorstellung, dass es so etwas wie zu viele Menschen geben könnte, wurde 1798 ausführlich von dem britischen Ökonomen Thomas Robert Malthus in seinem bekanntesten Werk *An Essay on the Principle of Population* (Dt.: *Versuch über das Bevölkerungsgesetz*) dargelegt. Malthus behauptete, dass der Mensch sich von Natur aus exponentiell fortpflanze (2, 4, 8, 16, 32, 64 etc.), während das Nahrungsangebot nur arithmetisch anwachse (2, 4, 6, 8, 10, 12 etc.). Daraus folgerte er, dass man das Bevölkerungswachstum in Schach halten müsse, um ein Massensterben durch Hungersnöte zu verhindern. Den Wohlhabenden, zu denen er gehörte, riet Malthus zur »moralischen Beherrschung«, um die wachsende Flut der Geburten einzudämmen. Im Hinblick auf die sozial schwachen Schichten war er allerdings wesentlich pessimistischer und hielt Hungersnöte unter der armen Bevölkerung für etwas Natürliches und Unvermeidbares.

Malthus' Prognosen erwiesen sich größtenteils als falsch, weil er die spätere landwirtschaftliche Revolution nicht vorhersah, die dazu beitrug, dass die Nahrungsmittelproduktion den Bedürfnissen der wachsenden Weltbevölkerung gerecht wurde und sogar zu Überschüssen führte. Die daraus resultierende erhebliche Preissenkung für Grundnahrungsmittel förderte zudem einen breiteren Wohlstand. Tatsächlich sind Hungersnöte in der Neuzeit seltener geworden und sind nicht, wie vorhergesagt, durch die stetig wachsende Bevölkerung notwendig gestiegen.

Was die Hungersnöte für Malthus waren, das ist heute die Angst vor Umweltzerstörung durch Massentierhaltung und intensive

Landwirtschaft. In seinem 1968 erschienenen Buch *The Population Bomb* (Dt.: *Die Bevölkerungsbombe*) argumentiert der Insektenforscher Paul R. Ehrlich, dass die wachsende Weltbevölkerung die Zukunft der Erde gefährde:

»Gleichzeitig müssen wir weitere Schritte unternehmen, um den Verschleiß unserer Umwelt aufzuhalten, bevor der Bevölkerungsdruck unseren Planeten für immer ruiniert. Geburten- und Sterbeziffern müssen ins richtige Verhältnis zueinander gebracht werden, oder die Menschheit vermehrt sich bis zur eigenen Vernichtung. Wir können es uns nicht länger leisten, nur die Symptome dieser Krebsgeschwulst Bevölkerungszunahme zu behandeln. Die Geschwulst selbst muss entfernt werden. Geburtenregelung ist die einzige Antwort.«

Ist der Mensch schlecht für den Planeten? Ich bin nicht dieser Ansicht. Schließlich möchte niemand in einer verseuchten Umwelt leben, und viele Menschen haben ihr Leben der Aufgabe gewidmet, das Klima der Erde zu erforschen und ihre Ökosysteme zu bewahren. Der Umweltschützer Tony Juniper hat darauf hingewiesen, dass weniger die Übervölkerung als vielmehr der verschwenderische Konsum einiger weniger Reicher in den Industrieländern zu solchen Problemen wie dem der globalen Erwärmung beiträgt. Technische Fortschritte wie erneuerbare Energien und eine gerechtere Verteilung der Ressourcen bieten die Hoffnung, dass wir alle die Umwelt in Zukunft besser schützen können.

Die mathematischen Argumente, die zugunsten einer »Bevölkerungskontrolle« angeführt werden, erweisen sich als die schwächsten. Eine häufig zitierte Statistik ist, dass sich die Zahl der Menschen auf der Welt in den letzten hundert Jahren vervierfacht hat – von 1,6 Milliarden im Jahr 1900 auf heute 6,7 Milliarden. Dabei wird impliziert, dass diese Wachstumsrate sich fortsetzen und sich vielleicht sogar noch weiter beschleunigen wird.

Doch dieses Argument ignoriert die tatsächlichen Bevölkerungsdaten, die zeigen, dass die Geburtenraten in jeder Region der Welt gesunken sind und sich in den letzten 50 Jahren weltweit nahezu

halbiert haben. In verschiedenen Staaten gehen die Bevölkerungs-
zahlen sogar zurück, wie in Russland, Deutschland und Japan. Bei
der italienischen Bevölkerung erwartet man einen Rückgang um fast
30 Prozent bis 2050. Außerdem kann sich ein exponentielles Bevölkerungswachstum einfach nicht auf unbestimmte Zeit fortsetzen. Die Bevölkerungskommission der UN prognostizierte 1968,
dass die Zahl der Weltbevölkerung bis zum Jahr 2050 auf 12 Milliarden anwachsen werde, und musste ihre Schätzungen seither in regelmäßigen Abständen nach unten korrigieren. Heute prognosti-
ziert die Kommission eine Gesamtzahl von 9 Milliarden, während
andere eine Zahl von etwa 7,9 Millionen für wahrscheinlicher halten.

Nach einem weiteren mathematischen Argument, das zur Untermauerung der Übervölkerungsthese herangezogen wird, sind viele
Staaten der Welt ernsthaft übervölkert. Obwohl es stimmt, dass große Entwicklungsländer wie China und Pakistan um ein Mehrfaches
über dem Weltdurchschnitt liegen, was die Bevölkerungsdichte betrifft, weisen mehrere kleinere Industrienationen, wie zum Beispiel
Belgien und die Niederlande, sogar noch höhere Raten auf. Tatsache
ist, dass es genügend Platz für alle gibt. So umfasst die Erde etwa 56
Mio. Quadratmeilen Land, doch schon 6,5 Mio. Quadratmeilen würden ausreichen, damit die gesamte Weltbevölkerung einen relativ
hohen Lebensstandard halten könnte (wenn man von einer ähnlichen Bevölkerungsdichte ausgeht wie in den Niederlanden).

Der Anstieg der Weltbevölkerung beruht nicht auf einem gesell-
schaftlichen Kontroll- oder Bildungsmangel. Vielmehr ist er das Ergebnis des technischen und medizinischen Fortschritts, der unser
aller Leben verbessert hat und solche Dinge wie etwa sauberes Wasser, Impfstoffe und Antibiotika bereitstellt. Heute überleben mehr
Menschen die Kindheit und haben eine höhere Lebenserwartung
als je zuvor. Gleichzeitig hat sich der Lebensstandard der breiten
Massen ungeheuer verbessert. Wir sollten die darin zum Ausdruck
kommenden Leistungen der Wissenschaft und der menschlichen
Erfindungsgabe nicht beklagen, sondern uns darüber freuen.

Ein weiteres Beispiel fehlgeleiteten mathematischen Denkens ist der sogenannte »Jean-Dixon-Effekt«, benannt nach einem amerikanischen »Medium«. Dixon wurde vor allem bekannt, weil sie in einem Zeitungsinterview angeblich das Attentat auf Präsident Kennedy voraussagte, und zwar sieben Jahre vor dem Ereignis. Was sie tatsächlich sagte, war Folgendes:

»Sie (die Präsidentschaftswahl 1960) wird vom Thema Arbeit beherrscht werden und ein Demokrat wird gewinnen. Aber er wird einem Attentat zum Opfer fallen oder während seiner Amtszeit sterben, obwohl nicht notwendigerweise in seiner ersten Amtszeit.«

Besonders präzise ist das nicht, doch entscheiden wir im Zweifelsfall zu Dixons Gunsten und betrachten ihre vage Vorhersage als »Treffer«. Ihre Anhänger weisen darauf hin, dass es nicht sehr wahrscheinlich gewesen sei, dass Kennedy im Amt sterben würde (wir wollen uns nicht daran stoßen, dass Dixon in ihrer Prophezeiung keinen Demokraten namentlich erwähnte). Wie erklärt man dann dieses berühmte Beispiel scheinbarer Hellseherei? Indem man sich alle verfügbaren Daten anschaut, nicht nur die wenigen, die positive Korrelationen ergeben. So widersprach Dixon sich später selbst, als sie prophezeite, dass Nixon, nicht Kennedy, die Wahl gewinnen würde. Tatsächlich machte sie in ihrer vierzigjährigen Wahrsager-Karriere zahllose Vorhersagen, die größtenteils vollkommen danebenlagen. Zu den vielen »Nieten« gehörte ihre Vorhersage, dass der Dritte Weltkrieg im Jahr 1958 beginnen würde, dass man 1967 ein Heilmittel gegen Krebs entdecken würde und dass die Sowjets als Erste einen Mann auf den Mond schicken würden.

Eine Variante des Dixon-Effekts lässt sich anhand des folgenden Beispiels veranschaulichen: Angenommen, ein Aktienmarkt-»Experte«, der jährliche Mitteilungen an seine Kunden schickt, sagt voraus, dass der Kurs bestimmter Aktien im kommenden Jahr steigen oder fallen wird. Der Experte verschickt 1000 solcher Mitteilungen, von denen die Hälfte besagt, dass die Kurse steigen werden, und die andere Hälfte, dass sie sinken werden. Im folgenden Jahr macht er es genauso bei den 500 Klienten, die eine korrekte Vorhersage erhalten haben. Auf diese Weise macht er weiter, verschickt jedes Jahr Mitteilungen, sodass er nach fünf Jahren etwa 30 Klienten hat, denen er fünf Jahre hintereinander korrekte Prognosen gestellt hat. Diese dreißig Personen werden von seinem außergewöhnlichen Weitblick schwer beeindruckt sein.

Wissenschaftler sind für diesen Effekt nicht weniger anfällig als normale Sterbliche. Das liegt daran, dass sie darauf geschult sind, Ergebnisse methodisch nach Mustern zu durchforsten, dennoch ist es alles andere als leicht, den Unterschied zwischen einem bedeutungsvollen Muster und einem zufällig zustande gekommenen zu erkennen. In seinem Buch *Fooled by Randomness* nennt Nassim Nicholas Taleb das Beispiel der »Krebsmuster« (eine unerwartet hohe Anzahl von Krebserkrankungen in einem bestimmten Gebiet), um dieses Problem zu verdeutlichen. Taleb weist darauf hin, dass »der Zufall nicht nach Zufall aussieht«, und argumentiert, dass solche Muster häufig völlig willkürlich entstehen. Angenommen, Sie werfen sechzehn Dartpfeile willkürlich auf eine Dartscheibe. Bei jedem Pfeil besteht die gleiche Wahrscheinlichkeit, dass er eine beliebige Stelle auf der Scheibe trifft. Wenn man die Scheibe in sechzehn gleich große Felder untergliedert, könnte man annehmen, in jedem Feld lande ein Pfeil. Doch ein derart gleichmäßig verteiltes Ergebnis kommt nur selten zustande. Wenn man dieses Experiment viele Male mit verschiedenen Scheiben wiederholt, stellt man fest, dass bei zahlreichen Scheiben in manchen Feldern mehrere Pfeile stecken und in anderen Feldern gar keine. Hinter vielen scheinbaren Mustern stecken also gar keine Gesetzmäßigkeiten. Damit ein Wissenschaftler ein echtes Muster von einem bloßen Zufall unterscheiden kann, muss er alle Daten, die nicht zu seiner Theorie passen, genauso gründlich untersuchen wie diejenigen, die dazu passen.

Ein weiteres damit verwandtes Problem für Wissenschaftler ist der »Publikationsbias« – die Tendenz, Forschungsergebnisse mit positiven Resultaten häufiger zu veröffentlichen als solche, die negative Ergebnisse zeigen. Diese Schieflage birgt die Gefahr, dass der Untersuchungsgegenstand durch unvollständige Daten falsch dargestellt wird. Laut einer im Jahr 2005 veröffentlichten Studie in der Zeitschrift *Nature* räumten sechs Prozent der Wissenschaftler ein, dass sie Daten übergingen, wenn die Informationen ihren bisherigen Forschungsergebnissen widersprachen. Fünfzehn Prozent gaben außerdem an, dass sie bestimmte Befunde ignoriert hätten, weil ihr Bauchgefühl ihnen gesagt habe, sie seien nicht korrekt.

Diese Voreingenommenheit findet sich auch in den Nachrichtensendungen des Fernsehens, die häufig dem kontroversen oder dramatischen Charakter von »schlechten Nachrichten« den Vorzug vor »guten Nachrichten« geben. Kein Wunder, dass die Zuschauer zu der vertrauten Schlussfolgerung gelangen, dass die Welt vor die Hunde geht. Doch wir sollten Hoffnung aus der Tatsache schöpfen, dass das, was wir auf unserem Bildschirm sehen, nur ein sehr selektiver Ausschnitt der Tagesereignisse ist.

Ein letztes Beispiel für einen fehlgeleiteten mathematischen Denkansatz, das sogenannte »Intelligent Design«, behauptet, die bemerkenswerte Ordnung des Universums sei ein Beweis dafür, dass sich seine Merkmale unmöglich im Laufe der Zeit entwickelt haben könnten. Anzunehmen, eindrucksvoll aussehende Muster könnten nicht spontan aus einer hinreichend großen Datenmenge entstehen, ist einfach falsch.

So enthält etwa die mathematische Konstante Pi (3,141…) eine unendliche Ziffernfolge, und an jedem gegebenen Punkt in der Sequenz kann jede Zahl mit der gleichen Wahrscheinlichkeit auftreten wie jede andere Zahl. Dennoch finden sich innerhalb des Zifferndickichts eine Fülle von Beispielen für scheinbar bedeutungsvolle Kombinationen. Ein berühmtes Beispiel dafür ist die Zahlenfolge »999999«, die bereits an der 762sten Stelle nach dem Komma auftaucht, obwohl ihre Wahrscheinlichkeit buchstäblich eins zu eine Million beträgt. Ein weiteres Beispiel ist die Ziffernfolge »12345678«, die mehr als 186 Millionen Ziffern nach dem Komma auftritt. Man kann sogar die ersten 8 Ziffern von Pi (einschließlich der 3) innerhalb von Pi bei Position 50 366 472 entdecken. Da Pi unendlich ist, könnten wir theoretisch auf unbestimmte Zeit in dieser Manier fortfahren und jede erdenkliche Länge und Kombination von Ziffern finden.

Einen anspruchsvolleren Beweis dafür, dass eine genügend große Gruppe von Objekten immer irgendwelche Muster ausprägt, liefert die Ramsey-Theorie, ein nach dem Mathematiker Frank P. Ramsey benannter Zweig der reinen Mathematik. Wissenschaftler, die diese Theorie angewandt haben, konnten die Existenz von extrem regelmäßigen mathematischen Mustern in Zahlenmengen demonstrieren, die sich ohne jede bewusste Absicht entwickeln. Das kann man selbst überprüfen, indem man versucht, eine Folge mit den Buchstaben A und B aufzuschreiben, ohne dass dabei eine Folge von drei gleichmäßig verteilten oder aufeinanderfolgenden A's oder B's entsteht. Wenn wir zum Beispiel die Folge BABB schreiben, müssen wir als Nächstes ein A notieren, um 3 aufeinanderfolgende B's zu vermeiden, was BABBA ergibt. Dann fügen wir ein weiteres A hinzu und erhalten BABBAA. An dieser Stelle können wir nicht weitermachen, ohne unbeabsichtigt eine geordnete Sequenz für beide Buchstaben zu fabrizieren. Wenn wir ein weiteres A hinzufügen, erhalten wir 3 aufeinanderfolgende A's; wenn wir stattdessen ein B hinzufügen, stellen wir fest, dass wir 3 B's mit gleichem Abstand, auf Position 1, 4 und 7 haben. Tatsächlich hat man nachgewiesen, dass jede Kombination von 9 A's und B's stets ein solches Muster ergibt. Was alles in allem zeigt, dass – wie der Mathematiker Theodore Motzkin einmal anmerkte – vollständige Unordnung einfach unmöglich ist.

Logik: Die Wissenschaft vom richtigen Denken

Lewis Carroll ist vor allem für seinen Kinderbuchklassiker *Alice im Wunderland* bekannt, doch er war auch Mathematiker und Erfinder von Logikrätseln. Carroll argumentierte, dass Rätsel förderlich für die geistige Entwicklung seien – »für die Gewohnheit, die eigenen Gedanken in eine geordnete und verständliche Form zu bringen ... für die Fähigkeit, Fehlschlüsse aufzudecken und schwache unlogische Argumente, auf die man immer wieder in Büchern, Zeitungen, in Vorträgen und sogar in Predigten stößt, auseinanderzupflücken.«

Eingedenk Carrolls Empfehlung wollen wir den letzten Abschnitt dieses Kapitels mit einer kleinen Übung unseres logischen Denkvermögens beginnen und dazu eines von Carrolls Rätseln heranziehen: »Meine Kochtöpfe sind die einzigen Zinngegenstände, die ich besitze.

Ich finde deine Geschenke alle sehr nützlich.

Keiner meiner Kochtöpfe hat den geringsten Nutzen.«

Was ist die grundlegende logische Folgerung, die sich aus diesen Aussagen ziehen lässt? Klären wir zunächst die einzelnen Statements, indem wir sie auf einfache Formeln bringen:

S: Meine Kochtöpfe

T: Zinngegenstände

P: Deine Geschenke

U: Große Nützlichkeit

Mit Hilfe unserer Notation können wir die drei Sätze des Rätsels dann umschreiben und die Kontraposition (den Umkehrschluss) für jede Aussage mit einbeziehen.

$S \to T$ (nicht T $\to$ nicht S)

$P \to U$ (nicht U $\to$ nicht P)

Nicht S $\to$ U (nicht U $\to$ S)

Jetzt untersuchen wir unsere symbolischen Aussagen, bis wir eine Möglichkeit finden, sie so zusammenzufügen, dass wir zu einer Schlussfolgerung gelangen (man beachte, dass man die Aussagen rückwärts ebenso wie vorwärts lesen kann), wie bei: P $\to$ U $\to$ nicht S $\to$ nicht T. Das heißt, die zweite Aussage plus die dritte Aussage (rückwärts gelesen) plus die Kontraposition der ersten Aussage (rückwärts gelesen).

Schließlich übersetzen wir die implizite Bedeutung dieser symbolischen Sequenz (den ersten und den letzten Teil) in normale Sprache: »Deine Geschenke sind nicht aus Zinn.«

Das Wörterbuch definiert Logik als »Wissenschaft vom folgerichtigen Denken, vom richtigen Schließen aufgrund gegebener Aussagen.« Logik hilft uns, die Gedanken einer Person zu analysieren – unsere eigenen eingeschlossen – und dann zu bewerten, ob der Gedankengang wahrscheinlich korrekt ist oder nicht. Natürlich hat die Logik ihre Grenzen – die Wahl eines potenziellen Partners oder das Bekenntnis zu einer religiösen Überzeugung erfolgen auf der Grundlage persönlicher Bewertungen, die sich nicht unbedingt an streng rationalen Überlegungen orientieren müssen (die Details würden den Rahmen dieses Buches sprengen). Doch in vielen Situationen fördert und bereichert die Anwendung der Logik unsere Fähigkeit zum klaren, schlussfolgernden Denken und hilft uns, nicht in die Falle der Selbsttäuschung zu tappen.

Durch den Gebrauch der Logik kann man die Beziehungen zwischen verschiedenen Aussagen bestimmen und Schlussfolgerungen aus wahren Aussagen ziehen. Eine Aussage, die entweder wahr oder falsch ist, nennt sich Behauptung – ein Beispiel wäre etwa: »Eine Diät zu machen ist gut für die Gesundheit.« Durch die moderne Technik werden wir ständig mit allen möglichen Thesen bombardiert – von Klatsch und Großstadtmythen bis hin zu Werbesprüchen und Medienstorys. Zu wissen, wie man den Wahrheitsgehalt solcher Aussagen beurteilen kann, ist ein wichtiges Element eigenständigen Denkens.

Immer wenn man mit einer Behauptung konfrontiert wird, sollte man sich fragen, wie es um die Voraussetzungen oder Annahmen (die »Prämissen«) bestellt ist, auf denen sie beruht. Wer zum Beispiel hört, dass es für seine Gesundheit förderlich ist, wenn er eine Diät macht, hält dies möglicherweise für wahr, weil ihm die Prämissen plausibel erscheinen.

Eine Diät reduziert die Kalorienaufnahme.

Wer weniger Kalorien aufnimmt, erreicht ein gesünderes Gewicht.

Übergewichtige Menschen sind anfällig für verschiedene gesundheitliche Probleme.

Wenn wir diese Aussagen auf die gleiche Weise übersetzen, wie wir es bei dem Rätsel von Lewis Carroll getan haben, erhalten wir:

D: Eine Diät

R: Reduzierte Kalorienaufnahme

Ü: Übergewicht

P: Anfälligkeit gegenüber verschiedenen gesundheitlichen Problemen

D → R (nicht R → nicht D)

R → nicht Ü (nicht → R)

Ü → P (nicht P → nicht Ü)

Untersuchen wir diese Prämissen, kommen wir zu folgenden Schlüssen: »Eine Diät hilft uns, nicht anfällig gegenüber verschiedenen gesundheitlichen Problemen zu sein« (D → R → nicht Ü → nicht P), und »Keine Diät zu halten, macht uns anfällig gegenüber verschiedenen gesundheitlichen Problemen« (nicht D → nicht R → Ü → P). Doch jetzt müssen wir uns diese Prämissen etwas genauer ansehen, um zu ermitteln, ob sie tatsächlich stichhaltig sind. Wenn sich auch nur eine der Prämissen als ungültig erweist, fällt das ganze Argument in sich zusammen.

Es ist wahr, dass übergewichtige Menschen anfälliger für verschiedene gesundheitliche Probleme sind als dünne. Und es ist auch zutreffend, dass die Aufnahme von weniger Kalorien (in den meisten Fällen) dazu beiträgt, dass eine übergewichtige Person ein normales Gewicht erreicht. Die erste Prämisse in unserer obigen Liste ist allerdings problematisch, weil es hinlängliche Beweise dafür gibt, dass Diäten die Kalorienaufnahme nicht notwendigerweise reduzieren.

Das hängt damit zusammen, dass Diäten die bewusste Steuerung von Essgewohnheiten umfassen, wodurch der Einzelne sein natürliches Verhältnis zum Essen verliert. Anstatt einfach zu essen, wenn man Appetit hat, hält man sich bei einer Diät an einen streng kontrollierten Plan, der genau vorgibt, was, wann und wie viel man essen darf. Das führt dazu, dass die Nahrungsaufnahme nicht mehr von der Biologie bestimmt wird. Diäten ersetzen unsere natürlichen Regulationsmechanismen (zum Beispiel, dass wir abends weniger essen, wenn wir mittags etwas zu uns genommen haben) durch die präzise Segmentierung von Mahlzeiten. Dadurch wird dem Diäthaltenden vorgeschrieben, wie viele Kalorien zum Frühstück, Mittag und Abendessen »erlaubt« sind. Solche Restriktionen lassen sich nur schwer mit dem häufig sozialen Charakter des Essens (zum Beispiel mit der Familie oder in einem Restaurant) in Einklang bringen, was leicht dazu führt, dass der Betreffende gegen seine Diätregeln »verstößt«. Dadurch gerät der Diäthaltende unter Stress, was ihn seltsamerweise dazu veranlasst, noch mehr zu essen (während Leute, die keine Diät halten, bei Stress im Allgemeinen automatisch weniger essen und mit geringerem Appetit reagieren). In Anbetracht dieser Tatsachen kommen wir zu dem Schluss, dass die These falsch ist: Diäten sind eher schädlich als förderlich für die Gesundheit.

Es gibt alle möglichen Behauptungen. Sie können zum Beispiel entweder positiv (»London liegt in England«) oder negativ (»London liegt nicht in Frankreich«) sein. Sie können ein einzelnes Thema (»Menschen sind Tiere«) oder mehrere Themen (»Menschen, Bienen und Elefanten sind Tiere«) abdecken. Zwei oder mehr Behauptungen lassen sich durch »und« oder »oder« verknüpfen (»John ist ein Mann und Joan ist eine Frau«, »John ist ein Mann oder John ist eine Frau«). Wie im obigen Rätsel von Lewis Carroll entspricht eine Aussage ihrer Umkehrung (»Ein Dreieck hat drei Seiten: Wenn es nicht drei Seiten hat, ist es kein Dreieck«). Wir fügen diese oder andere Arten von Behauptungen zusammen, um Argumente zu bilden, die zu gültigen oder ungültigen Konklusionen führen.

Ungültige Thesen sind im Allgemeinen schwerer zu durchschauen als solche, die nicht wahr sind, deshalb wollen wir unsere Aufmerksamkeit jetzt der Frage zuwenden, wie man sie erkennt. Ein methodischer Fehler, der ein Argument oder ein Element der Beweisführung unbegründet oder nicht stichhaltig macht, wird als Fehlschluss bezeichnet. Es gibt erschreckend viele mögliche Fehlschlüsse – genau genommen viel zu viele, um sie hier alle aufzulisten. Trotzdem steht es jedem Denker gut an, mit den besonders häufigen und wichtigen Fehlschlüssen, die im Folgenden aufgeführt sind, vertraut zu sein.

Eine verbreitete Form logischer Fehlschlüsse lenkt den Einzelnen von alternativen Optionen ab. Ein klassisches Beispiel dafür ist das »falsche Dilemma« wie: »Man ist entweder dafür oder dagegen.« Solche Schwarzweiß-Konzepte verhindern ein sorgfältiges oder nuanciertes Denken zugunsten von spontanen Reaktionen.

Zu einer weiteren Gruppe logischer Fehlschlüsse gehört, dass man an Gefühle appelliert, anstatt sich mit dem konkreten sachlichen Gehalt einer Idee oder eines Arguments auseinanderzusetzen. Ein Beispiel dafür ist der »Appell an die Folgen«: »Die Evolutionstheorie kann nicht wahr sein, denn wenn sie wahr wäre, würde das bedeuten, dass wir uns nicht vom Affen unterscheiden.«

Beim »Argument ad hominem« (Latein für »An den Mann«) vermeidet man ebenfalls, sich mit den tatsächlichen Details eines Beweises auseinanderzusetzen, indem man die Person, die das Argument vorträgt, und nicht ihre Argumentation als solche angreift. »Mr. Smith ist ein bekanntes Mitglied der ›Die-Erde-ist-eine-Scheibe-Gesellschaft‹, deshalb können wir sicher annehmen, dass alles, was er sagt, absoluter Schwachsinn ist.«

Wenn Kritiker ein bestimmtes Argument aufgreifen, ziehen sie es häufig ins Lächerliche, anstatt es in seiner ursprünglichen oder besten Form zu betrachten – ein Fehlschluss, der als »Strohmann«-Argument bezeichnet wird. Beispiel: »Umweltschützer sind nur ein Haufen Hippies, die Bäume umarmen und versuchen, den industriellen Fortschritt aufzuhalten.«

Viele Argumente stützen sich auf Vergleiche – man sagt, dass etwas eine bestimmte Eigenschaft hat, weil etwas Vergleichbares dieselbe Eigenschaft hat. Man muss sich allerdings vor unzutreffenden Vergleichen hüten, die zur Fehlschluss-Kategorie der »falschen Analogie« gehören: »Atheisten sind wie die Bolschewiken – so wie die Bolschewiken nicht an Gott und unumstößliche moralische Regeln glaubten, so neigen auch die Atheisten zum Anarchismus und zur Unmoral.«

Wie wir an dem oben genannten Beispiel des Dixon-Effekts sahen, erkennen viele Leute fälschlicherweise kausale Zusammenhänge zwischen Ereignissen, zwischen denen in Wahrheit keine existieren. »Post hoc ergo propter hoc« (Latein für »danach, also deswegen«) ist ein Beispiel für diese Art von Fehlschluss: Weil eine Sache zeitlich auf eine andere folgt, nimmt man an, die erste sei die Ursache für die zweite. Zum Beispiel: »Der Präsident trug bei seiner Reise nach Texas keinen Cowboyhut, und später im selben Jahr verlor er die Wahl in Texas. Wenn er doch bloß einen Cowboyhut getragen hätte!«

Einige logische Fehlschlüsse werden durch Kategorienfehler ausgelöst, wenn man zum Beispiel annimmt, die Gesamtheit von etwas weise notwendigerweise dieselbe Eigenschaft auf wie ein Teil des Ganzen oder umgekehrt: »Einer ihrer Söhne gerät ständig in Schwierigkeiten, daran sieht man, dass es ein ganz übles Pack ist«, oder: »Die Katholische Kirche ist erzkonservativ, deshalb sind alle Katholiken erzkonservativ«.

Unbedingt vermeiden sollte man Denkfallen, die durch den Gebrauch unklarer Definitionen entstehen. Eine sorgfältige und schlüssige Beweisführung ist von präzisen Definitionen abhängig, die weder zu weit noch zu eng gefasst sein sollten. Beispiele wären etwa: »Ein Hund ist ein Tier mit vier Beinen und einem Schwanz« (das gilt jedoch auch für eine Katze und viele andere Tiere) oder: »Ein Gedicht besteht aus Versen, die sich reimen« (es gibt jedoch auch reimlose Lyrikformen). Manchmal schließt eine Definition den zu definierenden Begriff als Teil der Definition mit ein – ein Fehlschluss, der als »Zirkelschluss« bezeichnet wird: »Ein Gott ist ein Wesen mit göttlichen Eigenschaften«.

In seinem letzten Buch befasst sich der Astronom Carl Sagan ausführlich mit der »hohen Kunst der Unsinnsentlarvung«. Besorgt über die Ausbreitung abergläubischer Überzeugungen am Ende des 20. Jahrhunderts führt Sagan an, dass wahre Logik zu Schlussfolgerungen führen sollte, die auf klaren, präzisen Gedankengängen beruhen, und nicht zu Schlussfolgerungen, die nur ausgewählt werden, weil sie einem gefallen.

Sagan führt seine lebenslange Liebe zur Wissenschaft auf deren faszinierendes Wesen zurück – auf ihre Mischung von zwei scheinbaren Gegensätzen: »einer allumfassenden Offenheit gegenüber neuen Ideen, wie ketzerisch auch immer sie sein mögen, und dem rigorosesten skeptischen Überprüfen von allem und jedem – neuen Ideen wie etabliertem Wissen«.

Genau dieser Balanceakt ist das Entscheidende für ein klares, folgerichtiges Denken – die Bewahrung des empfindlichen Gleichgewichts zwischen der Offenheit für die Schönheit und den Zauber innovativer Ideen, neuer Sicht- und Erklärungsweisen der Welt einerseits und der Fähigkeit, innezuhalten, zu analysieren, zu fragen und – sehr häufig – zu bezweifeln andererseits. Die Logik, die so häufig und, wie ich glaube, fälschlicherweise als kalt und berechnend empfunden wird, muss dem Geheimnis der Liebe und des Glaubens – den Mehrdeutigkeiten, die Teil unserer menschlichen Existenz sind – keinen Abbruch tun. Gründliche Logik und eigenständiges Denken helfen uns vielmehr, mit beiden Beinen fest auf der Erde zu stehen – von wo aus wir den besten Blick auf die Sterne haben.

10. Die Zukunft unserer geistigen Möglichkeiten

Das Ende unserer gemeinsamen Reise ist in Sicht, und deshalb möchte ich einen Blick nach vorn werfen, auf das, was uns und künftige Generationen im Hinblick auf unsere mentale Entwicklung möglicherweise erwartet. In einer Ära der sich beschleunigenden medizinischen und technischen Fortschritte werden die Zukunftsversprechen immer ehrgeiziger und grandioser: Von magnetischen Energiekappen, die jeden Menschen mit Savant-Fähigkeiten ausstatten sollen, über die Fähigkeit, ganze Bücher in unsere Köpfe zu laden, bis hin zur Verschmelzung von Mensch und Maschine. So faszinierend diese Zukunftsmusik ist, frage ich mich doch, ob solche Vorhersagen wirklich Hand und Fuß haben, und mehr noch, ob ihre Realisierung überhaupt wünschenswert ist. Auf diesen abschließenden Seiten analysiere ich die Belege, die für diese Behauptungen vorliegen, und lege dar, wie ich selbst einschätze, was die Zukunft für unser denkendes, fühlendes, fantasiebegabtes Selbst bringen könnte.

Die »Genie-Kappe«

Wir sind Professor Allan Snyder vom Centre for the Mind der University of Sydney und seiner TMS-Kappe, die Savant-Begabungen bei »normalen« Menschen hervorrufen soll, bereits in den Kapiteln 1 und 5 begegnet. Diese von ihm entwickelte Apparatur sendet etwa 15 Minuten lang ungefährliche Magnetstöße mittlerer Stärke in die Frontallappen. Infolge dieser Behandlung, so die These, ist der Betreffende fähig, bestimmte savantartige Fähigkeiten nachzubilden, auch wenn der Effekt nach einigen Stunden abklingt. Wenn das zutrifft, könnte es bedeuten, dass der technische Fortschritt in naher Zukunft aus uns allen Savants macht.

Snyder ist überzeugt, dass das Gehirn ständig das sensorische Rohmaterial, das es erhält, verarbeitet, nur gehen die Ergebnisse dieser unbewussten Verarbeitung bei den meisten Menschen verloren, weil das Bewusstsein die Details zusammenfasst, um generalisierte Muster, Formen und Begriffe zu bilden. Bei Savants hingegen komme es nicht zu diesen Konzeptualisierungen, sodass ihnen die Informationen dieser Verarbeitungsprozesse zur Verfügung stünden; dieser privilegierte Zugang erkläre die Savant-Begabungen. Der Professor vertritt die Theorie, dass man diesen Zugang auch bei Nichtsavants erschließen könne, indem man die Aktivität in der linken frontalen Hirnhemisphäre (die mit dem logischen und begrifflichen Denken zusammenhängt) vorübergehend »ausschaltet«, wodurch dann für kurze Zeit die Savant-Begabungen auftauchen könnten.

Die Theorie, dass Savant-Fähigkeiten auf diese Weise entstehen, ist jedoch problematisch, weil sie keine Erklärung für die spezielle Kreativität hochbegabter Savants liefert. Die Theorie würde zum Beispiel erklären, wie Stephen Wiltshire präzise, detaillierte Stadtlandschaften zeichnen kann, aber nicht, wie der französische Savant Gilles Trehin ähnlich komplizierte Bilder allein aus seiner Fantasie erschafft. Sie würde erklären, wieso einige Savants das absolute Gehör besitzen (wenn man annimmt, dass es auf einem spontanen mentalen Verarbeitungsprozess basiert, der automatisch und unbewusst Töne analysiert), aber nicht, warum der autistische Musiker Matt Savage mehrere Alben ungewöhnlich kreativer Jazzmusik komponieren konnte.

Besonders heikel für Snyders Theorie sind die mathematischen Fähigkeiten von Savants wie mir. Snyder zufolge könnten sie aus einem bislang unbekannten grundlegenden Hirnmechanismus resultieren, der zu einer spontanen Gleichverteilung von Zahlen führt (sie also in kleinere, gleiche Teile aufspaltet). Doch nach meiner in Kapitel 5 erläuterten Theorie, die auf meinen eigenen Erfahrungen als Savant basiert, sind diese rechnerischen Fähigkeiten das Ergebnis einer Hyperkonnektivität innerhalb des Gehirns. Ich sehe keinen Grund, warum andere Savant-Begabungen nicht auf die gleiche Weise durch dieses Phänomen verursacht sein sollten, insbesondere da in der Wissenschaft bekannt ist, dass diese Hyperkonnektivität durch Störungen wie Autismus gefördert wird.

Noch verheerender für Snyders Theorie sind allerdings die experimentellen Nachweise, die ihr zu widersprechen scheinen. Im Jahr 2000 überprüften die Mediziner Robin Young und Michael Ridding von der Universität Adelaide die Hypothese, indem sie mittels TMS die fronto-temporalen Hirnlappen von 17 Probanden stimulierten. Die Wissenschaftler berichteten, dass man nur bei zwei Teilnehmern eine signifikante kurzfristige Verbesserung des zeichnerischen Geschicks oder des Erinnerungsvermögens feststellte. »Die Ergebnisse«, so das Resümee von Young und Ridding, »deuten darauf hin, dass diese Fähigkeiten auf einen kleinen Prozentsatz der ›normalen‹ Population begrenzt sind, genauso wie es auch bei der Behinderten-Population der Fall zu sein scheint.« Auch bei Snyders eigenen Studien mit kleinen Versuchsgruppen ergab sich nur bei einem geringen Prozentsatz der Probanden eine ähnlich kurzfristige, geringfügige Verbesserung bestimmter Fähigkeiten.

Bemerkenswert ist auch, dass das durch TMS bewirkte Fähigkeitsniveau nicht besonders eindrucksvoll ist. Snyders bislang durchgeführte Studien zeigen eine gewisse Verbesserung bestimmter Fähigkeiten bei einigen Probanden, zum Beispiel wenn sie die Aufgabe erhalten, bekannte Tiere (Pferde oder Katzen) aus dem Gedächtnis zu zeichnen, kurze Texte, in denen Wörter doppelt vorkommen, Korrektur zu lesen, und – wie in Kapitel 5 erwähnt – wenn sie einschätzen sollen, wie viele Punkte kurz auf einem Bildschirm aufleuchten. Hingegen hat kein TMS-Proband im Anschluss an die Behandlung die Fähigkeit entwickelt, wunderbar komplexe Bilder zu zeichnen oder ein neues Musikstück zu komponieren, eine vierstellige Zahl zu faktorisieren oder die Grammatik einer Fremdsprache zu lernen (oder eine eigene Sprache zu erfinden). TMS ist also offenbar nur eine sehr unvollkommene Methode, um das kreative Potenzial des Savant-Gehirns anzuzapfen, dessen Biologie wesentlich komplexer und subtiler ist, als Snyders Theorie nahelegt.

Viele Neurowissenschaftler teilen die Auffassung, dass TMS wahrscheinlich nie auf die von Snyder anvisierte Weise eingesetzt werden kann. Eric Wassermann, Neurowissenschaftler am National Institute of Health's Neurology, hat TMS im Laufe der Jahre bei Hunderten von Studienteilnehmern getestet und weist darauf hin, dass sich bei keinem einzigen je »eine plötzliche Genialität für was auch immer entfaltet hat«. Darold Treffert, der weltweit führende Erforscher des Savant-Syndroms, ist ebenfalls skeptisch: »Die Wahrscheinlichkeit, dass nach einer 10- oder 20-minütigen TMS-Sitzung signifikante Savant-Fähigkeiten bei normalen Probanden auftauchen, liegt – meiner Ansicht nach – bei null.«

Auch wenn kein Beweis dafür vorliegt, dass TMS bei den meisten Menschen savantartige Fähigkeiten wecken kann, bleibt es eine Technologie, die neue Möglichkeiten für die Behandlung von neurologischen Störungen wie Epilepsie und Schizophrenie verheißt. Eine 1999 durchgeführte Studie von Wissenschaftlern der Universität Göttingen erbrachte vielversprechende Ergebnisse für die wiederholte TMS-Anwendung bei neun Epilepsie-Patienten, die auf eine medikamentöse Behandlung nicht angesprochen hatten. Bei acht dieser Patienten zeigten sich signifikante Verbesserungen hinsichtlich der Häufigkeit und Schwere der Anfälle, nachdem sie an einer täglichen TMS-Therapie teilgenommen hatten. Die Behandlung hat nachweislich auch zu einer Reduzierung von akustischen Halluzinationen geführt, ein häufiges Problem bei Menschen, die unter Schizophrenie leiden. Hinzu kommt, dass diese Erfolge über mehrere Wochen anhielten und bei einem Patienten sogar über zwei Monate.

Intelligenzpillen

Die TMS-Therapie ist nicht der einzige Versuch, den Wissenschaftler unternehmen, um die Gehirnleistung anzukurbeln: Einige arbeiten an der Entwicklung von »Intelligenzpillen« – von Medikamenten, die auf eine Verbesserung des Erinnerungsvermögens und der geistigen Leistungsfähigkeit zielen. US-amerikanische Unternehmen wie Helicon und Sention entwickeln Medikamente für die Behandlung von Patienten mit neurologischen Erkrankungen oder Hirnläsionen, aber sie sagen voraus, dass in naher Zukunft auch viele gesunde Menschen solche Arzneien für ein »Hirn-Lifting« nutzen werden. Ihrer Ansicht nach kündigt sich diese Entwicklung bereits an, zum Beispiel bei Reisenden, die ihren Jetlag mit Modafinil bekämpfen, einem Medikament, dass normalerweise gegen Fatigue- und Erschöpfungszustände verschrieben wird, oder bei Studenten, die mit Hilfe von Ritalin, das bei der Behandlung von Aufmerksamkeitsdefizitstörungen eingesetzt wird, fürs Examen büffeln.

Der potenzielle Markt für solche leistungssteigernden Mittel ist riesig: Allein in den USA sind vier Millionen Menschen von der Alzheimer-Erkrankung betroffen und weitere 12 Millionen von einer Störung, die als leichte kognitive Beeinträchtigung bezeichnet wird (und zu Alzheimer führen kann). Abermillionen weitere Menschen leiden unter leichteren Formen »altersbedingter Gedächtnisstörungen«. Die jährlichen Verkaufszahlen für Nahrungsergänzungsmittel, die das Gedächtnis und die kognitive Leistungsfähigkeit verbessern sollen – von Vitamin B12 bis Ginkgo –, belaufen sich auf über 1 Milliarde Dollar, obwohl die wissenschaftlichen Nachweise für die Wirksamkeit dieser Substanzen bestenfalls unzureichend sind.

Wie zu erwarten, haben sich einige Wissenschaftler besorgt über diese Behandlung mit »Lifestyle-Medikamenten« geäußert. Der Moralphilosoph Leon R. Kass, Leiter der Bioethik-Kommission des amerikanischen Präsidenten, vertritt die Auffassung, dass die Anwendung solcher Mittel alle daraus resultierenden Leistungen entwertet. Wenn man herausragende Leistungen als das Ergebnis von Fleiß, Talent und Disziplin betrachtet, dann ist Pillenschlucken gleichbedeutend mit Mogeln.

Das Wirkungsprinzip von Intelligenzpillen basiert entweder darauf, dass sie die Durchblutung des Gehirns verbessern oder das Niveau des einen oder anderen Neurotransmitters erhöhen, der eine Rolle beim Lernen und Erinnern spielen soll. Bislang hat man solche Substanzen überwiegend an Mäusen und Ratten getestet und überprüft, ob die Tiere schneller durch ein Labyrinth laufen, nachdem man ihnen eine bestimmte Pille gegeben hat. Laut dem britischen Neurowissenschaftler Steven Rose, einem Kritiker der Intelligenzpillen-Forschung, sagen uns solche Tests wenig oder gar nichts über die mögliche Wirkung eines Medikaments auf das Gehirn. Eine Pille könnte zum Beispiel den Appetit der Maus anregen, was sie veranlasst, schneller durch das Labyrinth zu rennen, um durch Nahrung belohnt zu werden. Diese erfolgreichen Experimente sind wahrscheinlich eher auf eine höhere Motivation des Tieres als auf eine erhöhte Gehirnleistung zurückzuführen.

Rose weist auch darauf hin, dass bei den wenigen Studien, die man beim Menschen (häufig bei Alzheimer-Patienten) durchgeführt hat, die durchschnittlichen Stichproben sehr klein sind (weniger als zehn Teilnehmer pro Studie) und die Medikamentenwirkungen häufig subjektiv von Ärzten und Pflegepersonal beurteilt und nicht durch wiederholte Versuche mit verschiedenen Patienten überprüft werden. Viele dieser Patienten leiden zudem unter Angstzuständen, Wut oder Depressionen, sodass – wie Rose argumentiert – jede Verbesserung der Gedächtnisleistung bei ihnen einfach daraus resultieren könnte, dass das Medikament solche negativen Gefühle abschwächt.

Diese Skepsis gegenüber den häufig überzogenen Behauptungen über die Wirksamkeit von »Intelligenzpillen« wird auch durch Ergebnisse einer Studie bestärkt, die 1998 von Nancy Jo Wesenstein und Mitarbeitern am Walter Reed Army Institute of Research durchgeführt wurde. Wesenstein forderte 50 Freiwillige auf, 54 Stunden wach zu bleiben, und gab ihnen nach 40 Stunden entweder ein Placebo in Form von 600 mg Koffein (entspricht etwa sechs Tassen Kaffee) oder eine von drei Modafinil-Dosierungen (100, 200 oder 400 mg). Anschließend nahmen die Teilnehmer an mehreren kognitiven Tests teil, bei denen ihre Leistungen gemessen wurden. Die Wissenschaftler stellten fest, dass sowohl das Koffein als auch die höchste Dosis Modafinil zur Wiederherstellung eines normalen kognitiven Leistungsniveaus beitrugen – mit anderen Worten, Kaffee wirkte genauso gut wie die Intelligenzpille

Andere Forscher machen sich Sorgen darüber, wie es um die langfristigen Risiken dieser Substanzen bestellt ist, von denen noch niemand weiß, wie sich ihre chemische Zusammensetzung auf neurologische Funktionen und Verhaltensweisen auswirkt. Obwohl wenig darüber gesprochen wird, können diese Medikamente erhebliche Nebenwirkungen haben. Nehmen wir das Beispiel des relativ simplen Nikotinpflasters, das, wie Wissenschaftler von der Duke University feststellten, bei einigen Alzheimer-Patienten die kognitive Leistung verbesserte, ebenso wie bei Erwachsenen mit ADHS und Schizophrenie. Die Nebenwirkungen der Pflaster, einschließlich einer Erhöhung von Herzschlag und Blutdruck, Schlaflosigkeit, Übelkeit und Schwindel, wurden als zu stark erachtet, um den Gebrauch für therapeutische Zwecke zu empfehlen.

Natürlich ist Leistungssteigerung mit Hilfe von chemischen Substanzen nichts Neues – von der morgendlichen Tasse Kaffee vor der Arbeit bis hin zu den altbekannten Mitteln Alkohol, Tabak und Peyotl (Meskalin). Amphetamine wurden bereits vor mehr als hundert Jahren künstlich hergestellt, und eine 1987 durchgeführte Studie über die 51 größten amerikanischen Orchester ergab, dass ein Viertel der Musiker ihr Lampenfieber mit Betablockern bekämpfte – also mit Medikamenten, die ursprünglich für die Behandlung von hohem Blutdruck verschrieben wurden. Was sich geändert hat, ist, dass es heute ein ungeheuer großes und vielseitiges Angebot an

Substanzen gibt, die versprechen, die Aufmerksamkeitsspanne zu erweitern, das Gedächtnis zu verbessern, die Effizienz zu erhöhen oder die geistige Leistungsfähigkeit zu steigern.

Sogar Eric Kandel, der 2000 einen der Nobelpreise in Medizin erhielt und zu den führenden Vertretern dieses Forschungsbereichs gehört, ist entsetzt von der Vorstellung, dass College-Studenten solche Pillen einwerfen könnten, um ihre Noten zu verbessern, und hält ein solches Verhalten für »absurd«. Die Substanzen, an denen er arbeite, so betont er, seien für Menschen, die unter schweren Krankheiten litten, wie etwa einem Gedächtnisverlust aufgrund einer Chemotherapie oder Alzheimer. Für gesunde Menschen sei die Einnahme dieser Substanzen das Risiko einfach nicht wert.

Das Gehirn jenseits der Biologie

Was wie unglaubliche Science-Fiction anmutet, schien Ende der 1990er Jahre durch die Geschichte von Johnny Ray plötzlich in den Bereich der Realität zu rücken: Johnny, ein Mann um die fünfzig aus Georgia, erlitt 1997 einen Schlaganfall, der zur Folge hatte, dass er sich nicht mehr bewegen und nicht mehr sprechen konnte. Ein Jahr später setzte der Neurowissenschaftler Philip Kennedy ihm einen Chip in den Kopf, mit dem Johnny Signale in seinem Gehirn wahrnehmen und mittels eines Computers entschlüsseln konnte. Bei Tests wurde er gebeten, an bestimmte Bewegungen, zum Beispiel seiner Arme, zu denken. Kennedy nahm das entsprechende Hirnsignal auf und programmierte es, um einen Cursor zu bewegen. Mit der Zeit lernte Ray, den Cursor selbst zu bewegen und allein durch die Kraft seiner Gedanken Botschaften einzutippen. Schließlich konnte er den Cursor genauso mühelos und ohne bewusste Anstrengung bewegen, wie die meisten Menschen ihre Hand heben oder den Kopf wenden können – so als ob der Cursor eine Erweiterung seines Körpers geworden wäre. Ray war laut Kennedy »zum erste Cyborg der Welt geworden«.

Kennedys Erfolg hat ihn dazu veranlasst, sich mit weiteren technischen Möglichkeiten der direkten Verkoppelung von Gehirn und Computer zu befassen, die uns künftig vielleicht befähigen, Bücher downzuloaden, im Netz zu surfen, Spiele zu spielen, Roboter per Fernbedienung zu steuern und sogar Autos allein durch die Kraft unserer Gedanken zu lenken. Kennedy ist nicht der Einzige: Forscher auf Rhode Island haben Affen beigebracht, wie sie am Computer mit ihren Gedanken anstatt mit ihren Händen flippern können, und australische Wissenschaftler haben ein Gerät entwickelt, durch das der Benutzer mittels mentaler Kommandos Lampen und Radios anschalten kann.

Manche Forscher geraten nahezu in Ekstase angesichts der künftigen Möglichkeiten solcher Schnittstellen zwischen Gehirn und Technik und argumentieren, dass sie den Menschen letztlich befähigen werden, seine eigene Biologie aufzuheben und mit Computern zu verschmelzen. Der britische Roboterkonstrukteur Kevin Warwick gehört zu den bekanntesten Vertretern dieser Haltung; seiner Ansicht nach brauchen wir eine verbesserte Version des Menschen, weil wir ohne ein solches »Upgrade« irgendwann den intelligenten Maschinen unterlegen sein werden.

Im Jahr 2002 machte Warwick Schlagzeilen, als er versuchte, eine Form von primitiver Telepathie zwischen sich selbst und seiner Frau Irena herzustellen. Das Paar war mit Elektroden verdrahtet, die in die Mediannerven ihrer Arme eingesetzt waren. Die von dort ausgehenden elektrochemischen Impulse wurden von einem Computer in digitale Signale umgewandelt und via Internet zwischen den beiden hin- und hergeschickt. Wenn seine Frau einfache Fingerbewegungen machte, berichtete Warwick von einem Kitzeln an seinem Arm: »wie ein leichter elektrischer Schlag«. Das Ergebnis sei nur der Anfang einer Entwicklung, so Warwick, die schon in der nächsten Generation dazu führen werde, dass Menschen durch Chip-Implantate im Gehirn telepathisch miteinander kommunizieren könnten.

Solche Behauptungen haben Warwick allerdings heftige Kritik seitens seiner Wissenschaftskollegen eingebracht. So meint etwa Inman Harvey, Professor für Kognitions- und Computerwissenschaft,

Warwick sei entweder ein »Scharlatan« oder ein »Clown«, und hält seine Vorhersagen für »lächerlich«. Andere haben darauf hingewiesen, dass Warwicks Kitzelempfindung auch durch ein Paar vibrierender Handys erreichbar gewesen wäre. Warwick ist anscheinend seiner eigenen Begeisterung für seine seltsamen Überzeugungen erlegen, die ihn eher zu einem Showstar als zu einem Wissenschaftler machen.

Eine nicht minder schillernde Figur ist Ray Kurzweil, der Erfinder und Pionier der künstlichen Intelligenz und ein wahrer Wanderprediger für die Verschmelzung von Mensch und Maschine. Der Schöpfer des ersten computergestützten Lesegeräts für Blinde ist auch Autor mehrerer Bücher, in denen er seine Überzeugung darlegt, dass der Mensch schon bald die Option haben wird, seine Persönlichkeit zu digitalisieren, sie in den Computer »upzuloaden« und Unsterblichkeit in einer virtuellen Realität zu erlangen.

Wie Warwicks Vorhersagen sind auch die Kurzweils von Wissenschaftlern als naiv und undurchführbar kritisiert worden. Die Prognosen beider basieren auf der fehlgeleiteten Vorstellung, dass das menschliche Gehirn mit einem Computer vergleichbar ist. Zum einen ist jedes Gehirn anders, nicht nur aufgrund biologischer Variationen in Geschlecht, Alter oder Gesundheit, sondern auch weil unser Gehirn sich in Reaktion auf unsere äußeren und inneren Erfahrungen ständig verändert – jeder Gedanke, jeder Tagtraum, jede Emotion verändert die unglaublich komplizierte Struktur auf subtile, aber konkrete Weise. Das lässt manche Neurowissenschaftler daran zweifeln, dass irgend so etwas wie ein »Updaten« oder »Uploaden« des Menschen je möglich sein wird, ganz gleich, wie weit die Technik sich entwickeln mag.

Michael Chorost, Autor des Buches *Rebuilt: How Becoming Part Computer Made Me More Human,* bietet eine gute Zusammenfassung der technischen Errungenschaften und ihrer Grenzen. Chorost, von Geburt an schwer hörgeschädigt, wurde mit Mitte dreißig plötzlich völlig taub. In seinen Erinnerungen schildert er, wie er ein Cochlea-Implantat erhielt und welche Erfahrungen er damit machte. Er weist darauf hin, dass dieses Implantat zwar eine bemerkenswerte Erfindung, aber dennoch nur eine schlechte Imitation des natürlichen menschlichen Gehörs ist. Die Klangqualität des Geräts ist mittelmäßig, vor allem in lauten Umgebungen, was bedeutet, dass der Träger sich immer noch gelegentlich mit Lippenlesen behelfen und erraten muss, was eine andere Person ihm mitteilen will. Bei einigen Menschen erweist sich eine künstliche Cochlea aus unbekannten Ursachen auch als völlig wirkungslos.

Chorost zeigt sich völlig unbeeindruckt von den Behauptungen und Vorhersagen von Forschern wie Warwick und Kurzweil und lehnt solche Ideen als »überzogenen Technikoptimismus« ab. Er ist überzeugt, dass die »Wetware« des Gehirns sich in absehbarer Zeit nicht durch Computer-Hardware ersetzen lassen wird. Durch sein Implantat fühle er sich *mehr*, nicht *weniger* menschlich, weil es ihm hilft, tiefere und intensivere Beziehungen zu anderen herzustellen. Chorosts einzigartige Erfahrung verdeutlicht auch den grundlegenden Unterschied zwischen menschlichem Gehirn und Computer: Sogar mit seinem Implantat stellte er fest, dass Gefühle und Überzeugungen beeinflussten, wie viel er von einem Gespräch verstand. Menschliche Kommunikation, so sein Fazit, ist weit mehr als simples Input (Hören) und Output (Sprechen).

Michael Polanyis Auffassung von der Art, wie wir Wissen erwerben und begreifen, steht im Einklang mit Chorosts Erfahrung. Polanyi meint, dass menschliches Wissen auf grundlegende Weise komplex, persönlich und »verkörpert« ist – das Gegenteil von Computerdaten. Für ihn ist der menschliche Körper »das beste Instrument unseres gesamten Wissens über die Welt, ob intellektuell oder praktisch … Erfahrung ist immer auf die Welt bezogen, der wir uns über unseren Körper zuwenden.«

Auch die Kognitionswissenschaftler Andy Clark und David Chalmers betonen, wie wichtig körperliche Aktivität für die menschliche Kognition ist. Kinder lernen durch die Interaktion mit ihrer Umgebung viel mehr als durch simples Bücherlesen oder Zuhören. Auch viele pädagogische Ansätze regen Kinder zum Gebrauch greifbarer Gegenstände, wie Perlen oder Bauklötze, an, damit sie ein intuitives Verständnis abstrakter mathematischer Konzepte gewinnen.

Clark und Chalmers weisen zudem auf mehrere Studien hin, die zeigen, dass das Gestikulieren dazu beiträgt, die Gedanken zu ordnen, wenn man sie in Worte fassen will. Die Psychologieprofessorin Susan Goldin-Meadow von der University of Chicago berichtet in ihrem Buch *Hearing Gesture: How Our Hands Help Us Think* von einigen dieser Untersuchungen. Sie beschreibt zum Beispiel, wie Kinder, die im Unterricht etwas über Jahreszeiten lernten, Gesten einsetzten, um ein Problem besser zu verstehen:

»Gail versuchte, zu entscheiden, wo die Sonneneinstrahlung am stärksten war. Sie stellte die Sonne mit ihrer linken Faust dar, die sie in gewissem Abstand zum Globus hielt, während sie gleichzeitig sagte, dass die Sonne direkt auf den Äquator scheine. Dann gestikulierte sie ohne Worte – zog eine Linie von ihrer Faust (der Sonnenhand) zum Globus. Nachdem ihre Hand direkt unter dem Äquator gelandet war, korrigierte sie ihre Aussage wie folgt: ›Nein, eigentlich genau *hier*. Mehr auf der … südlichen Halbkugel. Sie scheint direkt hierhin.‹«

Ein weiteres Beispiel dafür, wie unser Körper uns hilft, unsere Gedanken zu strukturieren, liefert das Scrabble-Spiel. Spieler hantieren häufig mit ihren Buchstaben, weil ihnen das bei der mentalen Suche nach möglichen Wörtern auf die Sprünge hilft. Auf diese Weise werden die Steine quasi zu einem Teil des Denkvorgangs beim Spieler. Ähnlich ist es, wenn ich die Wörter für dieses Buch in meinen Computer tippe, wobei ich ständig einige hinzufüge und andere entferne, während ich wieder andere umstelle oder überarbeite. Diese Aktivitäten sind ein lebendiger Teil des Denkprozesses beim Schreiben, tragen dazu bei, Ideen zu entwickeln oder zu erweitern, zu überarbeiten oder abzuwandeln.

Der vielleicht größte Vorteil, den eine körpergeleitete Kognition uns verleiht, ist jedoch die Fähigkeit, uns selbst und unserem Leben durch bewusste, engagierte Entscheidungen einen Sinn zu geben.

Unsere Erfahrung der Entscheidungsfindung in der physischen Welt ist durch Unsicherheit und das Wissen um unsere körperliche Verwundbarkeit geprägt. Nach Auffassung des Philosophen Hubert Dreyfus trägt dies dazu bei, dass wir bei den Entscheidungen, die wir treffen, vorsichtig sind und sie ernst nehmen, weil wir wissen, dass jede Entscheidung potenziell bedeutsame Folgen für unsere Zukunft hat.

Wie Chorost, Polanyi, Dreyfus und andere, die sich mit körperbezogener Kognition befassen, bin ich entsetzt über die Vorstellung, ein »Upgrade« meiner Menschlichkeit vorzunehmen, auch wenn ich mir ihrer vielen Unvollkommenheiten bewusst bin. Wie die Wissenschaftler bezweifle ich, dass eine Maschine je etwas so Reiches und Subtiles wie die menschliche Intelligenz reproduzieren kann. Die fantastischen Visionen von Warwick, Kurzweil und anderen scheinen eine Reaktion auf eine wahrgenommene Hoffnungslosigkeit der menschlichen Grundsituation zu sein, motiviert eher durch eine Wissenschaft der Verzweiflung als eine der Vorstellungskraft, wie sie behaupten. Solche Visionen eines technisch hochgerüsteten Nirwanas sind ein Produkt der Angst, nicht der Hoffnung.

Eine menschliche Zukunft

Werfen wir einen Blick auf eine andere als die von Cyberpredigern entworfene Zukunft, auf eine Welt, in der medizinische und technische Fortschritte unser Leben weiterhin verbessern, aber in der die Grenze zwischen Mensch und Maschine nicht aufgehoben wird. Wie könnte eine solche Zukunft aussehen?

Man kann sich unschwer vorstellen, dass in nicht allzu ferner Zukunft kluge Erfindungen dafür sorgen, dass man schwerwiegende und häufig zerstörerische neurologische Erkrankungen wie Epilepsie, Schizophrenie, Alzheimer, Autismus und klinische Depressionen erfolgreich behandeln kann.

Nehmen wir das Beispiel Autismus: Forscher haben begonnen, die Technik der virtuellen Realität zu nutzen, um hochbegabten

autistischen Kindern beim Erlernen vieler wichtiger Alltagsfertig-
keiten zu helfen. Justine Cassell und Andrea Tartaro von der Northwestern University haben sechs Kinder mit high-functioning Autismus im Alter zwischen 7 und 11 Jahren untersucht, die sich eine
Stunde lang mit einem realen Kind und mit einem »virtuellen Spiel-
gefährten« namens Sam austauschten.

Sam hat einen braunen Wuschelkopf, trägt ein hellblaues T-Shirt
zu einer dunkelblauen Hose und ist so konzipiert, dass er wie ein
geschlechtsneutraler Achtjähriger wirkt. Er wird auf eine große
Leinwand projiziert und zieht das reale Kind in eine Unterhaltung
und ins Spiel. Anders als echte Kinder wird Sam nie müde und verliert nie die Geduld. Die Forscher können sein Aussehen und seine
Gesprächsführung verändern, sodass die Kinder unterschiedlichen
Verhaltensformen ausgesetzt werden. Das Ziel ist, den Kindern dabei zu helfen, grundlegende soziale Fähigkeiten einzuüben, zum
Beispiel wie man gemeinsam spielt oder eine Unterhaltung führt,
damit sie besser für ähnliche Interaktionen in der realen Welt
gerüstet sind. Erste Studien zeigen, dass die Kinder gut auf ihren
virtuellen Freund reagieren, zum Beispiel mit Sam mehr dialogi-
sche Gespräche führen als mit realen Kindern.

Auch in Haifa haben Wissenschaftler die virtuelle Realität herangezogen, und zwar um autistischen Kindern beizubringen, wie
man eine Straße überquert – eine notwendige Fertigkeit, mit der
viele autistische Kinder Schwierigkeiten haben und deren Erlernen
in der realen Welt häufig zu gefährlich ist. Yuval Naveh programmierte virtuelle Simulationen, mit deren Hilfe sechs autistische
Kinder zwischen 7 und 12 Jahren vier Wochen lang übten, wie man
die Straße überquert, an der Kreuzung auf Grün wartet und rechts
und links nach virtuellen Autos Ausschau hält. Die Kinder machten
signifikante Fortschritte durch den Lernprozess und waren anschließend in der Lage, die erlernten Fähigkeiten auf reale Situationen im Straßenverkehr zu übertragen.

Auch bei anderen neurologischen Störungen zeichnen sich
große medizinische Fortschritte ab. In der Alzheimer-Forschung

hat man einen Impfstoff entwickelt, der Hirnarterien von Plaque-Ablagerungen, die man für eine entscheidende Ursache der Krankheit hält, befreit. Der Impfstoff wirkt, indem er das körpereigene Immunsystem dazu anregt, Antikörper zu produzieren, die das Protein in den Plaques angreifen. Wissenschaftler hoffen, dass eine Kombination dieses Impfstoffs mit anderen Therapien, die gegen die Schädigung der Neuronen und den geistigen Verfall wirken, die Behandlungsmöglichkeiten bei künftigen Patienten erheblich verbessern kann.

Eine bahnbrechende Technik für die Diagnostik von Patienten mit bipolarer Störung oder mit Schizophrenie ist das sogenannte »LifeShirt« – ein computerisiertes ärmelloses Shirt, das den Bewegungsablauf des Patienten laufend kontrolliert und mit Hilfe von Sensoren Daten zu Atmung, Herzfrequenz und anderen physiologischen Abläufen sammelt. Anhand dieser Daten stellten Wissenschaftler fest, dass Menschen mit bipolarer Störung in neuen Umgebungen hyperaktiv und sehr erkundungsfreudig waren, während sich Menschen mit Schizophrenie in denselben Situationen weit weniger bewegten. Für Mediziner, die häufig Mühe haben, bei der Diagnose zwischen den beiden Störungen zu unterscheiden, sind die Daten von diesem Shirt äußerst hilfreich, um den Patienten präzise und wirksame Therapien für ihre Symptome anbieten zu können.

Hand in Hand mit diesen und anderen neuen therapeutischen Techniken wird die Wissenschaft in den kommenden Jahren auch immer größere und differenziertere Kenntnisse von der Funktionsweise des Gehirns gewinnen. Zu den interessantesten Ansätzen in der neurologischen Forschung gehört die funktionelle Magnetresonanztomographie (fMRT) – ein bildgebendes Verfahren, das Veränderungen in der Durchblutung bestimmter Hirnregionen aufzeichnet, sodass sich abbilden lässt, welche Teile des Gehirns an bestimmten mentalen Prozessen beteiligt sind.

Einige der jüngsten Forschungen (März 2008) mit diesem bildgebenden Verfahren zeigen, dass seine Messungen der Hirnaktivität viel mehr Informationen über grundlegende neuronale Prozesse enthalten, als ursprünglich angenommen worden ist. Wissenschaftler sind zu ersten eindrucksvollen Ergebnissen gelangt, als sie die durch solche Scans ermittelten Daten mit Hilfe von Computermodellen auswerteten; sie ermittelten nicht nur die Hirnregionen, die während bestimmter mentaler Zustände aktiviert wurden, sondern auch, wie diese diffusen Hirnaktivitäten schließlich verknüpft werden, um unsere Alltagswahrnehmung hervorzubringen.

In einer Studie, die von dem Neurowissenschaftler Jack Gallant von der University of California geleitet wurde, zeichneten Forscher mit Hilfe des fMRT-Verfahrens die Aktivität im visuellen Kortex von Probanden auf, während diese sich Tausende von willkürlich ausgewählten Bildern ansahen. Die Kortexneuronen reagieren bekanntermaßen auf bestimmte Aspekte einer visuellen Szene und erzeugen charakteristische Aktivitätsmuster. Die Wissenschaftler kompilierten die erzeugten Signaturen, um ein Computermodell zu entwickeln, das das Muster der von einem bestimmten Bild ausgelösten Hirnaktivität vorhersagen sollte. Als man den Probanden später ein neues Bild zeigte, das in der ursprünglichen Sammlung gefehlt hatte, konnte das Computermodell mit 80-prozentiger Genauigkeit vorhersagen, welches Bild aus 1000 möglichen die Person betrachtete.

Gallant und sein Forschungsteam wollen ihre Technik für ein besseres Verständnis des visuellen Hirnsystems nutzen, indem sie verschiedene Computermodelle für verschiedene Theorien entwickeln und testen, wie gut sie sich zur korrekten Deutung der bei Hirnscans gesammelten Daten eignen. Dieser Ansatz könnte sich auch als hilfreich erweisen, um Wissenschaftlern bei der Erforschung kognitiver Aktivitäten zu helfen, die andernfalls schwer zu analysieren sind, wie Aufmerksamkeit, Fantasie und Traumtätigkeit.

Abgesehen von solchen eindrucksvollen medizinischen und technischen Fortschritten habe ich die Hoffnung, dass es auch in kultureller Hinsicht zu kontinuierlichen Fortschritten kommen wird, insbesondere in der Art, wie Menschen mit ungewöhnlichen Denkweisen von der Gesellschaft angesehen und beurteilt werden. In einer nicht allzu fernen Vergangenheit galten autistische Savants in wissenschaftlicher oder intellektueller Hinsicht als uninteressant und wurden häufig wie reine Kuriositäten oder dressierte Seehunde behandelt. Bis heute werden autistische Savants allzu häufig als Roboter oder Computer oder auch als Freaks mit übernatürlichen Fähigkeiten betrachtet – kurz, als alles Mögliche, nur nicht als menschliche Wesen. Und doch ist es – wie ich an anderer Stelle in diesem Buch ausgeführt habe – gerade unsere Menschlichkeit, die diese Fähigkeiten möglich macht.

Wir haben in den vergangenen Jahrzehnten viel über die Komplexität und Eigenart des »normalen« Gehirns und »normalen« Denkens gelernt. Dieses Wissen und das wachsende Bewusstsein für die ungeheure Vielgestaltigkeit so komplexer Störungen wie dem Autismus werden hoffentlich solche falschen und verletzenden Vorstellungen in den kommenden Jahren schwinden lassen. Noch besser wäre es, wenn die Gesellschaft Möglichkeiten fände, um die Talente und Energien ganz unterschiedlich begabter Menschen bestmöglich zu nutzen, damit wir angesichts der vor uns liegenden Herausforderungen die Größe und Vielfalt des geistigen Potenzials maximal ausschöpfen.

Wir müssen die Zukunft nicht den Futuristen überlassen: Wenn wir im Rahmen einer echten geistigen Begegnung, offen für alle Denkweisen, die Chance zu einem bedeutungsvollen Beitrag erhalten, dann kann jeder von uns seinen Kopf für das benutzen, was wir schon immer am besten konnten – die Vision einer helleren, besseren Zukunft entwickeln.

Dank

Dieses Buch ist das Ergebnis mehrerer Jahre wissenschaftlicher Forschung und persönlichen Nachdenkens. In dieser ganzen Zeit sind mein Denken und Leben durch alle möglichen Ideen und Einsichten, Erfahrungen und Abenteuer unermesslich bereichert worden. Den folgenden Personen danke ich besonders für ihre Hilfe, ihre Ermutigung und/oder für alles, was ich zusammen mit ihnen gelernt habe.

Ich danke meinen Lektoren bei Simon & Schuster, Leslie Meredith und Donna Loffredo. Besondere Erwähnung verdient mein früherer Lektor Bruce Nichols für seine Herzlichkeit und Begeisterung.

Dank auch an meine Lektorinnen bei Hodder, Rowena Webb und Helen Coyle.

Ein »Merci« an Catherine Meyer bei Les Arenes für ihre liebenswürdigen und wertvollen Anregungen.

Ein großes Dankeschön an alle Wissenschaftler und Forscher. Durch sie hatte ich das große Glück, viel über mich selbst und die Arbeitsweise meines Gehirns (und jedes Gehirns) zu lernen. Ich danke insbesondere Vilayanur Ramachandran, Shai Azoulai, Edward Hubbard, Bruce Miller, Darold Treffert, Simon Baron-Cohen, Julian Asher, Daniel Bor, Chris Ashwin, Jac Billington, Sally Wheelwright, Neil Smith und Gary Morgan.

Mein besonderer Dank gilt Jean-Philippe Tabet und Margo Flah für die Großzügigkeit und Gastfreundschaft, die sie mir bei einem Großteil der Arbeit an diesem Buch entgegengebracht haben.

Und schließlich geht mein unermesslicher Dank wie immer an meine Familie und meine Freunde für ihre Liebe, Unterstützung und Ermutigung. Takk Sigriður Kristinsdóttir und Hallgrimur, Laufey Bjarnadóttir und Torfi Magnússon, Valgerður Benediktsdóttir und Grimur Björnsson; thanks Ian und Ana Williams und Olly und Ash Jeffery und merci Jérôme Tabet.

Literaturverzeichnis

Ackerman, Sandra J.: Optical Illusions: Why Do We See the Way We Do? *HHMI Bulletin*, Juni 2003.

Aitchison, Jean: The Seeds of Speech: Language Origin and Evolution. Cambridge, Cambridge University Press, 2000.

Amie, J.: A Bird's Eye View: Ultraviolet Vision Lets Birds See What Humans Can't. *Imprint Magazine*, 2007.

Andreasen, Nancy C.: The Creating Brain. New York, Dana Press, 2005.

Asperger, Hans: Die »Autistischen Psychopathen« im Kindesalter (Autistic Psychopathy of Childhood). Archiv für Psychiatrie und Nervenkrankheiten, 1944.

Baillargeon, Normand: A Short Course in Intellectual Self-Defense. New York, Seven Stories Press, 2008.

Bains, Sunny: Mixed Feelings. *Wired*, Issue 15, 2004.

Baron-Cohen, S.; Bor, D.; Billington, J.; Asher, J.; Wheelwright, S.; Ashwin, C.: Savant Memory in a Man with Colour Form-Number Synaesthesia and Asperger Syndrome. *Journal of Consciousness Studies*, Volume 14, S. 237–251, 2007.

Best, Joel: Damned Lies and Statistics. Berkeley, University of California Press, 2001.

Bickerton, Derek: Bastard Tongues: A Trail-Blazing Linguist Finds Clues to Our Common Humanity in the World's Lowliest Languages. New York, Hill and Wang, 2008.

Blakesley, Sandra: A Disease That Allowed Torrents of Creativity. *New York Times*, 8. April 2008.

Blakesley, Sandra: Mathematicians Prove That It's a Small World. *New York Times*, 16. Juni 1998.

Bor, D.; Billington, J.; Baron-Cohen, S.: Savant Memory for Digits in a Case of Synaesthesia and Asperger Syndrome is Related to Hyperactivity in the Lateral Prefrontal Cortex. *Neurocase*, Volume 13, S. 311–319, 2008.

Borges, Jorge Luis: Das unerbittliche Gedächtnis. In: Ebd.: Lotterie in Babylon. S. 59–67. Berlin, Klaus Wagenbach, 2000.

Boroditsky, L.; Schmidt, L. A.; Phillips, W.: »Sex, Syntax, and Semantics«. In: Language in Mind. Cambridge, The MIT Press, 2003.

Brown, Donald E.: Human Universals. Philadelphia, Temple University Press, 1991.

Brunvand, Jan H.: The Vanishing Hitchhiker: American Urban Legends and Their Meanings. New York, W. W. Norton & Company, 1981.

Burger, E.; Starbird, M.: The Heart of Mathematics: An Invitation to Effective Thinking. Springer, 2005.

Butterworth, Brian: The Mathematical Brain. London, Macmillan, 1999.

Buzan, Tony: Use Your Memory. London, BBC Books; Rev Ed edition, 1989. (Dt.: Nichts vergessen! München, Goldmann, 13. Aufl. 2002.)

Carey, Benedict: Anticipating the Future to ›See‹ the Present. *New York Times*, 10. Juni 2008.

Carroll, Lewis: Alice's Adventures in Wonderland. London, Macmillan, 1865. (Dt.: Alice im Wunderland. Hamburg, Cecilie Dressler, 1989.)

Carroll, Lewis: Symbolic Logic and the Game of Logic. New York, Courier Dover Publications, 1958.

Carson, S. H.; Peterson, J. B.; Higgins, D. M.: Decreased Latent Inhibition Is Associated With Increased Creative Achievement in High-Functioning Individuals. *Journal of Personality and Social Psychology*, Volume 85, Number 3, 2003.

Chomsky, Noam: Language and Mind. New York, Harcourt Brace & World, 1968. (Dt.: Sprache und Geist. Frankfurt a. M., Suhrkamp, 1970.)

Chomsky, Noam: Reflexions on Language. New York, Pantheon, 1975. (Dt. Reflexionen über die Sprache. Frankfurt a. M., Suhrkamp, 1977.)

Chorost, Michael: Rebuilt. Boston, Houghton Mifflin, 2005.

Damasio, Antonio: Descartes' Error, Emotion, Reason, and the Human Brain. New York, Grosset/Putnam, 1994. (Dt.: Descartes' Irrtum: Fühlen, Denken und das menschliche Gehirn. München, Deutscher Taschenbuch Verlag, 1997.)

Dehaene, Stanislas: Numerical Cognition. Oxford, Blackwell Edition, 1993.

Dickinson, Emily: Dichtungen. Ausgewählt, übertragen und mit einem Nachwort versehen von Werner von Koppenfels. Mainz, Dieterich'sche Verlagsbuchhandlung, 2001.

Dunbar, Robin: Grooming, Gossip, and the Evolution of Language. Cambridge, Harvard University Press, 1996.

Ebbinghaus, Hermann: Memory. London, Thoemmes Continuum; English Ed 1913 edition, 1998. (Dt.: Über das Gedächtnis: Untersuchungen zur experimentellen Psychologie. Darmstadt, Wissenschaftliche Buchgesellschaft, 1992.)

Ehrlich, Paul R.: The Population Bomb. New York, Ballantine Books, 1968. (Dt.: Die Bevölkerungsbombe. Frankfurt a. M., Fischer, 1973.)

Encyclopaedia Britannica Inc.: Fatally Flawed: Refuting the Recent Study on Encyclopaedic Accuracy by the Journal Nature. März 2006.

Flaherty, Alice W.: The Midnight Disease. Boston, Houghton Mifflin, 2004. (Dt.: Die Mitternachtskrankheit. Berlin, Autorenhaus-Verlag, 2004.)

Flora, Carlin: The Grandmaster Experiment. *Psychology Today*, Juli/August 2005.

Fromkin, V.; Rodman, R.: An Introduction to Language, New York, Harcourt Brace. 6th edition, 1997.

Gallivan, Britney C.: How To Fold Paper in Half Twelve Times – An »Impossible Challenge« Solved and Explained. The Historical Society of Pomona Valley.

Gardner, Howard: Frames of Mind. New York, Basic Books 10, 1983. (Dt.: Abschied vom IQ. Die Rahmen-Theorie der vielfachen Intelligenzen. Stuttgart, Klett-Cotta, 1991.)

Gardner, Howard: The Shattered Mind: The Person After Brain Damage. New York, Knopf, 1975.

Garreau, Joel: A Dose of Genius. *Washington Post*, 11. Juni 2006.

Giles, Jim: Special Report Internet Encyclopaedias Go Head to Head. *Nature*, Number 438, 2005.

Gilmore, C.; McCarthy, S.; Spelke, E.: Symbolic Arithmetic Knowledge Without Instruction. *Nature*, Number 447, S. 589–591, Mai 2007.

Goldin-Meadow, Susan: Hearing Gesture. Cambridge, Belknap Press of Harvard University Press, 2003.

Goleman, Daniel: Emotional Intelligence – Why It Can Matter More Than IQ. London, Bloomsbury 1995. (Dt.: Emotionale Intelligenz. München, Deutscher Taschenbuch Verlag, 19. Aufl., 2007.)

Gombrich, Ernst H.: Art and Illusion. New Jersey, Princeton University Press, 1961. (Dt.: Kunst und Illusion. Berlin, Phaidon, 2002.)

Gould, Stephen J.: The Mismeasure of Man. New York, W.W. Norton & Company, 1981. (Dt.: Der falsch vermessene Mensch. Stuttgart, Birkhäuser, 1983.)

Greenberg, Joseph H.: Universals of Language. Cambridge, The MIT Press, 1963.

Harris, S.; Sheth, S.; Cohen, M.: Annals of Neurology. Volume 63, Issue 2, S. 141–147. 10. Dez. 2007.

Hennacy, K.; Slezak, P.; Powell, D.: All in the Mind. Transcript. ABC Radio National, 22. Oktober 2005.

Hermelin, Beate: Bright Splinters of the Mind. London, Jessica Kingsley Publishers, 2001.

Hernstein R.; Murray, C.: The Bell Curve. New York, The Free Press, 1994.

Hively, Will: Math Against Tyranny. *Discover Magazine*, November 1996.

Hoffman, Donald D.: Visual Intelligence How We Create What We See. New York, W.W. Norton & Company, 1998. (Dt.: Visuelle Intelligenz. Wie die Welt im Kopf entsteht. Stuttgart, Klett-Cotta, 2000.)

Hostetter, A.B.; Alibali, M.W.: On the Tip of the Mind: Gesture as a Key to Conceptualization. In: Forbus, K.; Gentner, D.; Regier, T.: Proceedings of the Twenty-Sixth Annual Conference of the Cognitive Science Society, 2004.

Howe, Michael J.A.: Genius Explained. Cambridge, Cambridge University Press, 1999.

Howe, C.Q.; Purves, D.: Perceiving Geometry. New York, Springer-Verlag, 2005.

Johnson, G.: To Test a Powerful Computer: Play an Ancient Game. *New York Times*, 29. Juli 1997.

Kim, K.H.S.; Relkin, N.R.; Lee, K.M.; Hirsch, J.: Distinct Cortical Areas Associated with Native and Second Languages. *Nature*, Number 388, 1997.

Klemmer, S.R.; Hartmann B.; Takayama, L.: How Bodies Matter: Five Themes for Interaction Design, in Proceedings of DIS06: Designing Interactive Systems: Processes, Practices, Methods, & Techniques, 2006.

Lakoff, George: Don't Think of an Elephant. Vermont, Chelsea Green, 2004.

LaPlante, Eve: Seized: Temporal Lobe Epilepsy As a Medical, Historical, and Artistic Phenomenon. New York, Harper Collins, 1993.

Lehrer, Jonah: The Reinvention of the Self. *Seed Magazine*, 23. Februar 2006.

Lenneberg, Eric H.: Biological Foundations of Language. New York, John Wiley & Sons, 1967.

Levitin, Daniel: This Is Your Brain on Music: The Science of a Human Obsession. New York, Dutton Adult, 2006.

Lönnrot, Elias: The Kalevala. London, J.M. Dent & Sons Ltd, 1966. (Dt.: Kalewala. Salzburg/Wien, Jung und Jung, 2004.)

Lurija, Alexander: The Mind of a Mnemonist. Cambridge, Harvard University Press, 1968. (Dt.: Der Mann, dessen Welt in Scherben ging. Zwei neurologische Geschichten. Reinbek b. Hamburg, Rowohlt, 1992.)

Malthus, Thomas R.: An Essay on the Principle of Population. Cambridge, Cambridge University Press, 2-Vol edition, 1990.

Mander, Alfred E.: Logic for the Millions. New York, Philosophical Library, 1947.

Martinson, B.C.; Anderson, M.S.; De Vries, R.: Scientists Behaving Badly. *Nature*, Number 435, 2005.

Miller, Greg: The Man Who Memorized Pi. *ScienceNOW*, Number 2, April 2005.

Miller, George A.: The Magical Number Seven, Plus or Minus Two. *Psychological Review*, Number 63, 1956.

Moyer R.S.; Landauer T.K.: Time Required for Judgments of Numerical Inequity. *Nature*, Number 215, 1967.

Noice, H.; Noice, T.: What Studies of Actors and Acting Can Tell Us About Memory and Cognitive Functioning. *Current Directions in Psychological Science.* Vol. 15, Issue 1, S. 14–18. April 2006.

Nunberg, Geoffrey: Going Nuclear. New York, PublicAffairs, 2004.

Olding, Paul: The Genius Sperm Bank. *BBC News Magazine*, 15. Juni 2006.

Orwell, George: Politics and the English Language. *Horizon*, Number 76, 1946.

Osborne, Lawrence: A Linguistic Big Bang. *New York Times*, 24. Oktober 1999.

Page, Scott: The Difference: How the Power of Diversity Creates Better Groups, Firms, Schools and Societies. New Jersey, Princeton University Press, 2007.

Paulos, John Allen: Innumeracy. New York, Hill and Wang, 1988. (Dt.: Zahlenblind. Mathematisches Analphabetentum. München, Heyne, 1990.)

Penrose, Roger: The Emperor's New Mind. Oxford, Oxford University Press, 1989. (Dt.: Computerdenken: Des Kaisers neue Kleider oder Die Debatte um künstliche Intelligenz, Bewusstsein und die Gesetze der Physik. Heidelberg, Spektrum der Wissenschaft, 1991.)

Pinker, Steven: The Language Instinct. New York, Harper Collins, 1994. (Dt.: Der Sprachinstinkt. Wie der Geist die Sprache bildet. München, Kindler, 1994.)

Polgár, L.; Farkas, E.: Nevelj zsenit! (Bring Up Genius!). Budapest, Interart, 1989.

Priedhorsky, R.; Chen, J.; Lam, Shyong K.: Creating, Destroying, and Restoring Value in Wikipedia. International Conference on Supporting Group Work, 2007.

Ramachandran, Vilayanur S.: Phantoms in the Brain. London, Harper Perennial, 1999. (Dt.: Die blinde Frau, die sehen kann: Rätselhafte Phänomene unseres Bewusstseins. Reinbek b. Hamburg, Rowohlt, 2001.)

Ramachandran, Vilayanur S.: A Brief Tour of Human Consciousness. New York, Pi Press, 2005. (Dt.: Eine kurze Reise durch Geist und Gehirn. Reinbek b. Hamburg, Rowohlt, 2005.)

Ramachandran V. S.; Hirstein, W.: The Science of Art: A Neurological Theory of Aesthetic Experience. *Journal of Consciousness Studies*, Volume 6, Numbers 6–7, 1999.

Ravitch, Diane: Language Police – How Pressure Groups Restrict What Students Learn. New York, Alfred A. Knopf, 2003.

Rix, J.: Painting? I Can't Turn It Off. *Times Online*, 14. Juli 2007.

Roberton, L.; Sagiv, N.: Synesthesia: Perspectives from Cognitive Neuroscience. New York, Oxford University Press US, 2005.

Rochat, Philippe: The Infant's World. Massachusetts, Harvard University Press, 2001.

Rorschach, Hermann: Psychodiagnostics Plates. Bern, Hans Huber Publishers, 1921. (Dt.: Psychodiagnostik: Tafeln. Bern, Huber, 1983.

Rosenzweig, M. R.: Comparisons among Word-Association Responses in English, French, German, and Italian. *The American Journal of Psychology.* Volume 74, Number 3, S. 347–360, Sept. 1961.

Roszak, Theodore: The Cult of Information. Berkeley, University of California Press, 1994. (Dt.: Der Verlust des Denkens. München, Droemer Knaur, 1988.)

Sacks, Oliver: The Man Who Mistook His Wife for a Hat. London, Duckworth, 1985. (Dt.: Der Mann, der seine Frau mit einem Hut verwechselte. Reinbek b. Hamburg, Rowohlt, 1990.)

Sagan, Carl: The Demon-Haunted World, New York, Random House, 1996. (Dt.: Der Drache in meiner Garage oder die Kunst der Wissenschaft, Unsinn zu entlarven. München, Droemer Knaur, 1997.)

Saunders, P.; Saunders, A.: The Original Australian Test of Intelligence. 1983.

Schiff, Stacy: Know It All. *The New Yorker*, 31. Juli 2006.

Shenk, David: Data Smog. New York, HarperEdge, 1997. (Dt.: Datenmüll und Infosmog. München, Lichtenberg, 1998.)

Shermer, Michael: Why People Believe Weird Things. New York, W. H. Freeman & Company, 1997.

Silverstein, Michael: Talking Politics. Chicago, Prickly Paradigm Press, 2003.

Sokal, Alan D.: Transgressing the Boundaries: Towards a Transformative Hermeneutics of Quantum Gravity. *Social Text*, Numbers 46/47, 1996.

Sternberg, Robert: Beyond IQ: A Triarchic Theory of Intelligence. Cambridge, Cambridge University Press, 1985.

Surowiecki, James: The Wisdom of Crowds. New York, Doubleday, 2004. (Dt.: Die Weisheit der Vielen. München, Bertelsmann, 2005.)

Taleb, Nassim N.: Fooled by Randomness. New York, W.W. Norton & Company, 2001.

Tammet, Daniel: Born on a Blue Day. London, Hodder & Stoughton Ltd, 2006.

Treffert, Darold A.: Extraordinary People. Backinprint.com, 2000.

Tulving, Endel: Elements of Episodic Memory. Oxford, Oxford University Press, 1985.

Twain, Mark: Die schreckliche deutsche Sprache. In: Gesammelte Werke. Bd. 6. Bummel durch Europa. München, Wien, Carl Hanser, 1977.

Vygotsky L.S.; Luria, A.R.: Studies on the History of Behavior: Ape, Primitive, and Child. New Jersey, Lawrence Erlbaum, 1993.

Wakefield, A.J.; Murch, S.H.; Anthony, A.; Linnell, J.: Ileal-Lymphoid-Nodular Hyperplasia, Non-Specific Colitis, and Pervasive Developmental Disorder in Children. *The Lancet*, Volume 351, 1998.

Wynn, Karen: Addition and Subtraction by Human Infants. *Nature*, Number 358, 1992.

Yamaguchi, Makoto: Questionable Aspects of Oliver Sacks' (1985) Report. *Journal of Autism and Developmental Disorders*, Volume 37, Number 7, 2006.

Yule, George: The Study of Language. Cambridge, Cambridge University Press, 1996.

Zhaoping, L.; Jingling, L.: Filling-in and Suppression of Visual Perception from Context – a Bayesian Account of Perceptual Biases by Contextual Influences. *PloS Computational Biology*, 15. Februar 2008.